（插图典藏版）

Vie Des Hommes
Illustres

名人传

［法］罗曼·罗兰（Romain Rolland）著

译者 赵启东

中国画报出版社
CHINA PICTORIAL PUBLISHING HOUSE

图书在版编目（CIP）数据

名人传 / (法) 罗曼·罗兰著；赵启东译. -- 北京
: 中国画报出版社, 2011.9
　ISBN 978-7-5146-0232-6

　Ⅰ.①名… Ⅱ.①罗… ②赵… Ⅲ.①贝多芬，L.V.
（1770~1827）-传记②米开朗基罗，B.（1475~1564）
-传记③托尔斯泰，L.N.（1828~1910）-传记 Ⅳ.①K811

　中国版本图书馆 CIP 数据核字 (2011) 第 172645 号

名人传

出 版 人：田　辉
著　　者：(法) 罗曼·罗兰
译　　者：赵启东
责任编辑：卓　娜
出版发行：中国画报出版社
　　　　　（中国北京市海淀区车公庄西路 33 号，邮编：100048）
电　　话：010-88417359（总编室兼传真）010-68469781（发行部）
　　　　　010-88417417（发行部传真）
网　　址：http://www.zghbcbs.com
电子信箱：cpph1985@126.com
海外总代理：中国国际图书贸易集团有限公司
印　　刷：北京楠萍印刷有限公司
监　　印：敖　晔
开　　本：32 开（880mm×1230mm）
印　　张：9.75
版　　次：2011 年 9 月第 1 版　2013年6月 第 5 次印刷
书　　号：ISBN 978-7-5146-0232-6
定　　价：26.80 元

前　言

　　《名人传》是法国著名作家、诺贝尔文学奖获得者罗曼·罗兰所著的《贝多芬传》、《米开朗琪罗传》和《托尔斯泰传》三部"巨人"传记的合集，是世界传记文学的伟大典范。这三本传记均创作于二十世纪初期，无论在当时还是在后世都产生了广泛而巨大的影响。

　　在介绍这本书之前，我们有必要先简单了解一下作者罗曼·罗兰。罗曼·罗兰（1866—1944）是 20 世纪法国著名作家、思想家、文学评论家。在世界文学史上，他以一部《约翰·克利斯朵夫》奠定了其重要地位。1915 年，瑞典文学院不顾法国政府的阻挠，决定将诺贝尔文学奖授予罗曼·罗兰，以表彰"他文学作品中的高尚理想和他在描绘各种不同类型人物时所具有的同情和对真理的热爱"。罗曼·罗兰将得到的文学奖金全部赠送给了国际红十字会等组织。一战爆发后，罗曼·罗兰发表了一系列反对战争的文章，为此他在法国国内遭到诸多攻击和迫害，最终不得不移民瑞士多年。1944 年，这个被誉为"欧洲良心"的伟大人物与世长辞。

　　关于创作《名人传》的立意，罗曼·罗兰是想利用英雄主义精神来纠正当时时代的偏向。他选择了 19 世纪德国音乐家贝多芬、文艺复兴时期意大利雕塑家米开朗琪罗和 19 世纪俄罗斯作家托尔斯泰这三个艺术史上的伟大人物，为他们立传，是希望这些文艺巨匠的精神能引导人们脱离低级的生活。罗曼·罗兰在作品中重点刻画了这三个人物在人生旅途上的种种磨难以及始终不改初衷的心路历程。这三位英雄在面对人生的挫折、困惑时，也如常人一样，曾经伤心、绝望、彷徨过，可他们以超人的意志力与精神力，跨过一道道人生中难以甚至无法跨过的鸿沟。作者希望通过对这三位英雄伟大人格与高尚品质的描写，激发读者的上进心，使其从迷茫中清醒，从而找到正确的方向。

《名人传》真实地印证了一句中国人的古训：古今之成大事业者，非惟有超世之才，亦必有坚韧不拔之志。我们分开来做了解：

先说贝多芬，他无疑是史上最伟大、最具天赋的音乐家之一。可他的人生，却只能用悲惨来形容，从声名鹊起、荣耀满身到刹那间坠入人生低谷，有时连生活都得靠人救济，感情上也是屡受挫折。而对一个音乐家来说，他还遭受了最为毁灭性的打击，那就是失聪，他为此曾不只一次地陷入绝望，甚至产生过强烈的自杀念头。然而，对音乐的热情，对欢乐的执著，对完美的渴望，使"他抓住了大自然的精华所在"。使他"成为大自然的一股力量，一股原始的力量，在与大自然其他的力量在碰撞冲击后，便产生的荷马史诗般的壮观气象"。他的人生，正如他自己所说，是"用苦难赢取欢乐"。

再来看米开朗琪罗，他是最纯粹的天才，罗曼·罗兰形容他的创作灵感就像天才爆发一样，几乎不需要特别的触动和培养，就拥有了常流不竭的创作潜力。然而他一生都受人摆布，在各种纷争中苦苦挣扎。尽管在绘画和雕塑上，他的成就都称得上惊人的伟大，但就自身的想法来说，他并没有将自己头脑里最完美的构想予以真正的实践，身外之事总是制约着他的艺术创作，他的

名人传

很多作品都是草草收尾，这对一个追求完美的艺术家来说，无疑就是一种失败。米开朗琪罗的一生可以说是屈辱和矛盾的一生，但是他相信只要自己的灵魂能够坚忍，不因屈辱而沉沦，那么就一定会冲破精神上的束缚。

最后，再来看托尔斯泰。托尔斯泰的困扰主要在精神层面，他面对内心巨大的惶惑与矛盾，最终创作出众多不朽的名篇。他不仅仅是一位文学巨匠，有关人生目的、宗教和社会的阐述又使他成为一位具有世界影响的思想家。托尔斯泰从没放弃对人生真谛的执著追求。他一直在思考，社会上层与下层、地主与农奴之间的隔阂与矛盾在哪里，农民贫困的根源何在，这突出反映了他的人道主义思想，但也是他思想上矛盾与痛苦的根源所在。

那么，对于今天的读者来说，阅读《名人传》有着什么样的意义呢？

我们的生活在一个千变万化的时代，我们每个人都渴望成功，周围也的确充满机遇，但是又有多少人愿意通过奋斗将机遇真实地转化为成功呢？恐怕很多人想的都是坐享其成或者一夜成名。浮躁和急功近利是很多现代人的特点，而通过对这三位英雄人物的人生和心灵的了解，我们头脑会清醒很多，心也会沉静很多，尤其对那些正处在求学阶段的学子来说，这本书更具有着其他读物所不具有的伟大励志意义。

贝多芬传

序　言

　　25 年前，就在我写这本短小的《贝多芬传》时，我根本没要想过要写一部关于音乐学方面的作品。那时，我正在经历一个骚乱不安的时期，深陷那场兼有毁灭与重生作用的暴风雨之中。无奈之下我从巴黎逃了出来，来到童年伙伴贝多芬的身边，在他那里暂避了十天，他曾在我的人生战场中多次给予我支持和帮助。我来到贝多芬的故乡波恩，在那里寻觅他的影子，拜访他往日的老朋友：在科布伦兹，我从韦格勒夫妇的孙儿们身上，似乎又见到了他们夫妻俩的影子。在美因兹，我听到了一场由维恩加特纳①指挥的贝多芬交响乐演奏会。后来，我有机会与他单独相对，倾诉我的心曲，在多雾的莱茵河，在四月潮湿而灰暗的天气里，感受他的苦难、勇气、欢乐与悲哀。我跪倒在地，他却用他那强有力的手将我扶起，给我的新生儿《约翰·克利斯朵夫》进行了洗礼。在他的祝福下，我深受鼓舞，与人生重新缔结了条约，勇敢地踏上了返回巴黎的路，一路上向上帝唱着病愈者的感恩曲。这支感恩曲便是这本短小的书。它最开始由《巴黎杂志》发表，后来被贝玑②拿去出版。我根本没有想到这本小书会流传到狭小的朋友圈之外。不过，"命运各不同……"

---

　　①　维恩加特纳（1863—1942），奥地利著名指挥家、作曲家、作家，以善于指挥贝多芬的乐曲而闻名。

　　②　贝玑（1873—1914），罗曼·罗兰的好友，法国诗人、作家。《贝多芬传》曾在他所主编的《半月刊》上刊载。

请恕我赘述这诸多枝节。因为如今有些人会从这首颂歌中寻求按照严谨的史学方法创作的学术著作，所以我不得不对此予以回答。在某些时候，我也会充当一个史学家。在几部书中，我也曾对音乐学作过一定的奉献，诸如在《亨德尔》和有关歌剧的若干著作中。然而，《贝多芬传》却并不是为了学术研究而写的，它是受伤者的灵魂之歌，是受伤者复苏后，重新振作起来，向恩人感谢的歌。我清楚地知道，这个恩人被我改头换面了，但所有从信仰和爱情出发的行为向来都是如此。我的《贝多芬传》便是这样一种行为。

这本书出版以后，人们争相购买，给它带来了意料之外的好运。那时候的法国，受压迫的理想主义的一代，急切地盼望那一声解放的呐喊。这呐喊，他们在贝多芬的音乐里听到了，于是纷纷从中寻求支持和慰藉。从那个时代幸存下来的人们；有谁不记得那些四重奏音乐会，仿佛弥撒祷告时演唱着"天主羔羊"① 的教堂；有谁不记得那些注视着祭祀礼的，并被启示之光照耀着的痛苦不堪的脸庞！今天的生者与昨日的生者已相距甚远。（但他们是否会与明日的生者靠得更近一些呢？）在二十世纪初的这一代人里，有多少队列被一扫而光：战争如同一个无底深渊，他们和他们最优秀的儿子都消失在那里面。我这本短小的《贝多芬传》依稀保留着他们的形象。这本小书出自一个孤独者之手，无意中与他们相仿，而他们也从中认出了自己。

这本由一个无名之人写的小书，从一家丝毫没有名气的小书店里出来，没几天，便在读者手中传播开来，自此，它就不再是属于我的了。

我刚刚把这本小书重读了一遍。虽然说它还有一些不足之

---

① "天主羔羊"，天主教弥撒曲的开头。

处，可我也不准备再做什么改动了。因为它就应该保持它最原始的模样，以及伟大一代的神圣形象。在贝多芬百年忌辰之际，我缅怀那一代，同时颂扬它伟大的同伴，正直真诚的大师——贝多芬，是他，教会我们如何生、如何死。

罗曼·罗兰
1927 年 3 月

名
人
传

贝多芬传

"一心向善，爱自由甚于一切。即使是为了王权，也永不背叛真理。"①

他的身材短小粗壮，生着一副运动员似的结实骨骼。年轻的时候，他有一张土红色的宽大脸庞。到了晚年，他的皮肤慢慢变得蜡黄，呈现出一种病态，尤其是在冬季，原因是他长时间把自己困在屋内，远离田野。他的额头宽大且向前隆起，乌黑浓密的头发经常乱蓬蓬地竖立着，似乎从未用梳子梳理过，就像"梅杜萨"② 头上的蛇发。他的双眼中常常燃烧着一种神奇的光芒，让看到的人都为之震慑。在古铜色而略显悲壮的脸上，这双眼放射出粗野的光芒，常使很多人误以为他的眼睛是黑色的。其实，他的眼睛是蓝灰色的。当他激动或生气时，这两只虽小却深陷的眼睛便会突然睁大，眼珠在他的眼眶里滴溜溜地转动，真实投射出他内心的所有思想。③ 很多时候，他会用忧郁的目光凝视天空，那是他的深思和忧虑。

---

① 见贝多芬 1792 年《手记》。

② 梅杜萨，希腊神话中的一个蛇发女妖，她的目光可以使人瞬间化为石头。根据罗素的记述，年幼的卡尔·采尔尼曾见过贝多芬一面。当时，贝多芬的胡须很长，好几天都没刮了，蓬头垢面，身上穿着山羊毛织的上衣和长裤。乍一看，还以为见到了鲁滨孙。

③ 据米勒医生在 1820 年的记载："他的眼睛美丽又富有表情，目光有时温柔妩媚，有时却咄咄逼人。"

他的鼻子宽而短，就如同狮子的鼻子！他有一张轮廓长得颇为秀气的嘴，但下唇稍微有些超出上唇。他的牙床坚固有力，似乎一口就可以咬碎一个核桃，下巴右方有一个深深的酒窝，使他的面部显得怪异而不对称。莫舍勒斯①曾说过："他笑起来很甜美，说话时，常带着一种亲切可爱且非常鼓舞人的神情。可是他的笑声却并不讨人喜欢，甚至显得有些粗野和难听，而且笑声很短促。"他的笑是一个不习惯欢乐的人的笑。他脸上的表情常常是郁郁寡欢，好像是有"一种无法治愈的哀伤"。1825年，德国诗人雷尔斯托在说到第一次看见"他温柔的眼睛中那种极其痛苦的神情"时，他用尽全力才忍住没有流泪。一年后，勃莱恩·冯·布劳恩塔尔在一家啤酒店遇到他时，他坐在一个角落里，抽着一根长长的烟斗，双眼紧闭，那是他晚年时越来越常见的姿态，似乎已经成了他晚年的一个习惯。有的时候，朋友和他打招呼，他却只是凄然一笑，从口袋里掏出一个记录本，然后像聋子常做的那样，用其特有的尖声叫对方把想说的写下来。

他的面部表情很富于变化。有时，他会因为抓住一个突如其来的灵感，哪怕是在大街上，他的表情也经常让从他身边走过的路人受到惊吓；有时，他正弹琴被人突然撞见，他的"整个面部肌肉会血脉贲张，青筋暴起，凶巴巴的眼神尤为吓人，他的嘴唇抖动起来，俨然一副被自己召来的魔鬼所制伏的魔法师的表情。"就像莎士比亚作品中的人物，尤利乌斯·贝内狄克特就说他"很像李尔王"。

路德维希·冯·贝多芬，1770年12月16日出生于莱茵河畔科隆附近、波恩的一所破房子的小阁楼上。他原籍弗朗德勒，父

---

① 莫舍勒斯（1794—1870），英国钢琴家，指挥家。1814年，在贝多芬同意后，他将贝多芬的歌剧《费德里奥》改编为钢琴曲。

亲是个平庸且又酗酒的男高音歌手。母亲是个女佣人，是一个厨师的女儿。她最初嫁给了一个男仆，丈夫死后改嫁给了贝多芬的父亲。

贝多芬的童年充满艰辛和苦难，他和莫扎特不一样，没有家人的呵护，也没有享受过家庭的温情。人生从一开始，对贝多芬来说，就是一场悲惨且残暴的战斗。他的父亲极力挖掘他在音乐上的天赋，好将他当作一个神童来炫耀。贝多芬刚四岁时，父亲就一连好几个小时把他钉在琴房里，或给他一把小提琴，然后把他关在房间中苦练，繁重的学业把他压得透不过气来。在这种情况下，贝多芬曾对音乐深恶痛绝，甚至差点彻底放弃，所以，他的父亲必须使用暴力才能使他继续学习音乐。

少年时代，贝多芬就开始操心生计，他不得不想方设法地挣钱来养家糊口。十一岁时，他进入剧院的管弦乐队；十三岁时，当上了教堂管风琴手。1787 年，贝多芬失去了他最爱的母亲。"母亲是那么疼爱我，那么值得爱戴，她是我最好的朋友！当我喊着'妈妈'这个甜蜜的称呼，而她又能够听到的时候，我是多么的幸福啊！"① 他的母亲死于肺结核，贝多芬一度以为自己也染上了这种病，他常常感觉到病疼的折磨，而精神上的痛苦更是让他忧郁万分。② 十七岁时，贝多芬已经成为了一家之主，担负起两个弟弟的教育之职。由于酗酒成性的父亲已经无力支撑家庭，所以贝多芬不得不羞愧地要求剧院让父亲提前退休。剧院的人担心父亲拿到退休金后肆意挥霍，于是便将这份退休金交给了

---

① 见《贝多芬书信集》卷Ⅱ中的《致奥格斯堡沙德医生的信》（1787 年）。

② 之后，在1816 年，他曾这样写道："没有感受过死亡的人是个可怜虫，可当我十五岁时，我就已经有过感受。"

贝多芬管理。这些伤心的事情在他内心深处留下了深深的印痕。幸运的是，贝多芬在波恩的一户人家里找到了感情上的依靠，那是他一直珍视的勃朗宁一家。他们可爱的女儿埃莱奥诺雷·迪·勃朗宁比贝多芬小两岁。贝多芬常教她学习音乐，并和她一起学习诗歌，他们青梅竹马，两个人之间或许还曾产生过感情。后来，埃莱奥诺雷嫁给了韦格勒医生，他也成为了贝多芬最要好的朋友，贝多芬和他们夫妇之间终生都保持着一种纯净的友谊。这一点，从他们来往的书信就能看得出来。信里面的称呼很恳切，韦格勒夫妇称他为"忠诚的老友"，他则称韦格勒为"亲爱的好韦格勒"。当他们三人都步入老年时，这份友情显得更加珍贵与感人，他们的年纪虽然大了，但心灵依旧年轻。此外，贝多芬的音乐老师克里斯汀·格特罗波·耐弗也给了他正确的指导和温馨的感情。这位老师高贵的品格、聪明的才智以及深厚的艺术修养，都深深地影响了这位年轻的艺术家。

虽然贝多芬的童年生活很悲惨，但每当他回忆起童年以及童年住过的地方时，那份忧伤的情感中依然带有一丝温馨。后来，贝多芬尽管被迫离开波恩，在维也纳这个繁华城市及其荒凉的郊区度过了大半生，但他却从未忘却莱茵河畔的家乡，还有那条他称之为"我们的父亲河"的莱茵河。是的，莱茵河充满生气，似乎带有几丝人性。它就像一个巨大的生灵，汇聚了无数的思想和力量。而在莱茵河流域中，没有哪一段的风光可以比波恩的这一段更加旖旎动人，更加温馨美妙。在莱茵河那温柔而强劲的河水的覆盖下，波恩的堤坡上鲜花盛开、浓荫掩映。在这里，贝多芬度过了他人生的前二十年，并在这里形成了他少年时代的梦想。那一片片好像飘浮在水面上的草地，被雾气笼罩着的白杨、矮矮的灌木以及各种果树，把它们的根浸泡在寂静而又湍急的水流中。还有那些星罗密布的村庄、教堂、墓地，都以好奇的目光安静地俯瞰着河岸。在远处，蓝色的七峰山在天空中勾勒出昏暗而又参差不齐的身影，山上还耸立着着一座荒废的古堡，形态瘦削而又怪异。贝多芬的心一直牵挂着故乡，直至生命的最后一刻，他还梦想着能够再看家乡一眼，"我的祖国，我出生的那块美丽之乡，在我眼里，它始终是那样美丽清晰，那样明亮动人。"① 遗憾的是，他并没有得偿心愿。

名人传

大革命②爆发了，战火席卷全欧，同时也影响了贝多芬。当时，波恩大学是新思想的中心，贝多芬在 1789 年 5 月 14 日正式注册入学，听那位有名的奥罗格·施奈德教授讲德国文学，这位教授后来成为了莱茵省的检察官。当波恩人得知巴士底狱被攻克的消息后，施奈德教授在课堂上即兴朗诵了一首慷慨豪迈的诗歌③，这首诗歌激起了同学们的热情。第二年，施奈德教授出版了一部关于革命题材的诗歌集④。在众多预订者的名单中，有贝多芬和勃朗宁的名字。

1792 年 11 月，革命战火⑤蔓延到了波恩，贝多芬无奈之下离开了家乡前往维也纳谋生。在途中，贝多芬碰见了开赴法国前线的黑森州⑥军队，这件事激起了他的爱国之情。1796 至 1797 的两年时间里，他将弗里德堡的战斗诗篇谱成了乐曲，即《出征

① 见 1801 年 6 月 29 日的《给韦格勒的信》。

② 指的是 1789 年的法国大革命。

③ 这首诗的开头是："专制的枷锁已经被彻底击碎……幸福的人民！……"——原注

④ 其中有一首诗写道："蔑视狂热的信仰，摧毁愚蠢的王权，为人类权利而战……啊，这一切，没有任何一个王公的奴仆能够做得到。唯有自由的灵魂才能当此重任，他们宁愿死也不愿谄媚求生，宁愿贫穷生活也不愿做奴役……而在这样的灵魂之中，我并不是最后一人。"

⑤ 指的是欧洲各国因为干涉法国革命而发起的战争。

⑥ 黑森州是当时的日耳曼三联邦之一，后被并入德意志联邦。

歌》和一首名为《我们是伟大的德意志民族》的合唱曲。尽管他歌颂的是大革命的敌人，但大革命依旧征服了世界，也征服了贝多芬的心。从1798年开始，奥地利和法国交恶，贝多芬却与法国人及其使馆，还有刚到维也纳的贝尔纳多特将军有着密切的交往。在这个过程中，贝多芬常常流露出倾向于共和的感情，这种情感倾向在他以后的人生中愈发强烈。

在这段时间里，施坦豪泽为贝多芬画的一幅肖像充分展现了他当时的风采。这幅画像同贝多芬后期的那些画像相比，就如同盖兰①画的拿破仑画像。那张画像能够准确地透过拿破仑那张严峻的脸孔，感受到他的勃勃野心。画像中的贝多芬比实际年龄看起来要小，瘦小的身躯极为挺拔，高高的领口使他头颈显得有些僵直，目光中有一点儿紧张，但有股目空一切的精神。他深知自身的价值所在，对自己的力量也充满自信。1796年，他在笔记中这样写道："鼓起所有勇气！即使我身体孱弱，但我的才华必将使我获得成功……我已经二十五岁了！已经到时候了！……在这个年纪，我必须出人头地。"② 伯恩哈德夫人和格林克说他极端高傲，而且举止粗俗，态度恶劣，说话时家乡口音很重，很不讨人喜欢。也只有他的几个知己好友才真正了解他那颗隐藏在桀骜不驯的外表下的善良的心。

在给韦格勒写信告诉自己的成功时，贝多芬开头便说："比方说，我发现某位朋友经济困难，而我又没有足够的财力帮助他时，只要我坐到书桌前伏案工作，不用多久，便能帮助他摆脱困

---

① 盖兰（1774—1833），法国著名画家。他所画的拿破仑像是其年轻时的肖像。

② 这时的贝多芬刚在维也纳崭露头角。在1795年3月30日，他在维也纳首次举行了钢琴演奏会。

境……你瞧！这是多么美妙的事情啊。"①接着，他继续写道："我的艺术应该造福于穷人。"

但是，这时疾病已经叩响了贝多芬的人生大门。在1796至1800年之间，病痛缠住了他，不再离去。贝多芬的耳聋症越来越严重②，耳鸣不分昼夜地折磨着他，他的听力越来越差，内脏的疾病也让他痛苦不堪。对于这种情况，他选择独自忍受，一连好几年都没对任何人讲过，即使是最亲密的朋友也不例外。他不愿意与别人交往，将这个可怕的秘密深藏心底，以免被人发现自己的毛病。可到了1801年，他再也无法隐瞒下去了。绝望之中，他向他的两位朋友——韦格勒医生和阿曼达尔牧师坦白了这个秘密。

在写给阿曼达尔牧师的信中，他说：

我最亲爱的、善良的、真诚的挚友阿曼达尔……我多希望你能经常守候在我身边啊！你的贝多芬现在太痛苦了。你知道吗？我身体上最高贵的部分，我的听力已经大大下降。就在我们在一起的那段时间里，我就已经发现了此病的征兆，可我没有说出来，一直瞒着你和其他人。打那之后，情况越来越糟了……我的

名人传

① 见贝多芬1801年6月29日给韦格勒的信。1801年左右，贝多芬在写给里斯的信中也说："如果我有钱，我就不会让我的朋友生活困难。"

② 1802年，贝多芬在遗嘱中说到自己的耳聋在六年前就已经有了，也就是说在1796年。此外，我们注意到，在他的作品目录里，只有第一号作品（三支三重奏）是创作于1796年之前的。第二号作品前三首钢琴奏鸣曲是1796年3月创作的。由此不难发现，贝多芬的大多作品都是在他耳聋后创作的。当时，贝多芬的耳聋越来越严重，但并没有到完全听不见的程度，对低沉和高亢的声音，他还是能听清。据说，在贝多芬的晚年，他曾用一根小木棒，将一端插在钢琴箱里，另一端则用牙咬着。作曲时，他就用这种方法来听。1814年左右，机械师梅尔策为贝多芬特别制造了一副助听器，这副助听器至今仍保存在波恩城内的贝多芬博物馆里。

病还能治好吗？我当然盼望如此，但是机会似乎很渺茫。因为这类病是无法根治的。我只能悲惨地活着，逃避我热爱的、我珍惜的一切。生活在这悲惨、自私的世界上！……我只能选择听天由命！我何尝不想战胜所有的灾祸；但有这种可能吗？……

在写给韦格勒医生的信中，他说：

……我的生活极为凄惨。两年来，我谢绝了一切社交活动，因为我没有办法和人交谈，我是个聋子！假如我所从事的是其他职业，或许还可以与人交往，但在这一行里，耳聋无疑是非常可怕的情况。我的敌人并不少，他们会怎样说呢！……在剧院里，我不得不尽可能地靠近乐队，这样我才能听见演员们在说什么。假如离得稍微远一点，我甚至连乐器和演唱者的高音都听不见。当别人说的很慢时，我勉强可以听清；可是当人家一大声嚷嚷，我就忍受不下去了……很多时候，我都会诅咒自己！诅咒自己为什么要活着！……普鲁塔克教导我要学会听天由命。但可以的话，我更愿意向命运挑战；可是，在我生命中的更多时候，我仅仅只是上帝最可怜的造物。听天由命！多么让人伤心的避难所啊！可这却是为我所能选的唯一出路！

贝多芬的这种悲苦情绪也表现在他这时的几部作品中，如作品第十三号《悲怆奏鸣曲》（创作于 1799 年），特别是作品第十号《第三奏鸣曲》里的"广板"（创作于 1798 年）。不过，这一时期他的作品并不完全是悲苦的，还有许多风格相异的作品，如节奏欢快的《七重奏》（创作于 1800 年）、清澈明净的《C 大调第一交响乐》（创作于 1800 年）等，都反映了年轻人的无忧无虑。很明显，他是用了一段时间来让心灵适应这种痛苦。他是如此需要欢乐，所以在没有欢乐时，他就自己制造欢乐。当现实太过残酷时，他便通过音乐回到过去的生活中。过去的快乐时光不会完全消失，即使它已经不存在，但它的光芒也会长久地照耀着心灵。在维也纳，贝多芬孤单、痛苦，这时，他便沉浸在对故乡的思念中，以此慰藉心灵。《七重奏》中以变奏形式出现的"行板"，其主题就是一支莱茵地区的歌谣。《C大调交响曲》描述的也是关于莱茵的作品，是青年人拥抱梦想的诗篇。这首交响曲是欢快的，但同时又是为爱情而苦恼的，人们可以从中感受到取悦心上人的念头和愿望。但在某些段落和引子里，在明暗对比明显的低音乐器里，在奇异戏谑的曲风里，我们激动万分地发现，在那青春的面庞上拥有着未来天才的目光。那是波提切利①在《圣家族》中所画的婴儿的眼睛，在其中，同样也可以预见未来的悲剧。

在这些肉体的痛苦之外，贝多芬还承受着别的苦痛和折磨。韦格勒医生说，在他眼里，贝多芬一直是一个爱憎分明，具有强烈感情的人。他的爱始终都是那么的纯洁，不掺杂一丝杂质，激情和欢愉在他那里没有丝毫联系。现在的人经常将这两者混淆，这只能说大多数人都不懂得爱，不懂得爱是多么的可贵。在贝多芬的骨子里，有一种清教徒的特质，他厌恶粗俗的谈吐和思想，但却对爱情有着坚定的信念，他认为爱情是神圣不可侵犯的。据说，贝多芬无法谅解莫扎特，因为后者辱没自己的才华写了《唐璜》②。他的好朋友辛德勒肯定地说："贝多芬一生都洁身自爱，从没有过任何道德缺失。"可是，这样一个人却似乎生来就注定

---

① 波提切利（1445—1510），文艺复兴运动之前的意大利著名画家，《圣家庭》中的婴儿指的就是耶稣，故有将来的悲剧之说。

② 唐璜，指的是欧洲传说中一位十分有名的风流浪子，莫扎特曾为歌剧《唐璜》作曲。

要受爱情的欺骗，成为爱情的牺牲品。事实上贝多芬就是这么的可怜，他不断地充满激情地去爱，不断地追逐梦想中的爱情，可是他的爱情总是稍纵即逝，留给他的只是无限的痛苦与煎熬。假如要对贝多芬丰富的创作灵感予以追根朔源，就应该在不断出现的爱情与高傲的交替对抗之中去寻找，直到年纪大了，激情逐渐消退，他那激昂的性格才隐忍于悲苦之中，归于平静。

　　1801 年，令贝多芬钟情的女子似乎是茱丽塔·圭恰迪尔，他那支著名的《月光奏鸣曲》（作品第二十七号之二，创作于1802 年）因题名给这位女子而使其名流传于后世。在写给韦格勒的信中，贝多芬说道："现在，我的生活变得有意思多了，也开始习惯与别人交往了……我之所以有这种变化，完全得益于一位温柔可爱的姑娘。她爱我，我也十分爱她。两年来，这是我第一次享受幸福时光。"可是，他却为这份感情付出了巨大的代价。首先，这段看似美好的爱情使他更加为自己的残疾而自卑，再加上生活的不稳定，使他清醒认识到自己无法娶这个女子，他陷入进退维谷之中。其次，茱丽塔是个风流、幼稚且非常的自私的女子，他给贝多芬带来了很多麻烦。1803 年 11 月，她嫁给了加伦贝格伯爵①。这种爱情是最能摧残心灵的，贝多芬已经饱受折磨的心灵造此重大感情变故后，更加脆弱不堪了，他的精神濒临崩溃，几乎到了死亡的边缘。他对爱情充满了悲观和绝望，在写给两个兄弟约翰和卡尔的遗书中可以看出这一点，遗书上面写道："等我死后拆阅然后执行。"那是一种反抗与撕心裂肺的痛苦呐

---

　　①　此后这个女人还无耻地利用贝多芬对她的感情帮助自己的丈夫摆脱困境。贝多芬后来告诉辛德勒："他曾经是我的情敌，我只是出于理智才尽力帮他。"但因此他更瞧不起这个女人。"她一来维也纳就来找我，"贝多芬用法语写道，"她总是哭哭啼啼，但对她我更加不屑一顾。"

喊。这种呐喊充满着抗争力，听之令人心酸欲碎。他差点想要自杀，但幸运的是，他那种百折不挠的顽强性格阻止了他。① 但是，他痊愈的最后一线希望也都破灭了。"甚至连一直支撑着我的那份不凡的勇气也消失无踪了。啊，上帝啊，请赐给我真正的快乐吧！哪怕是只有一天！我没有听到快乐的声音已经很久了！上帝啊！我什么时候才能再听见呢？……难道永远也听不见了吗？——啊！不，这太残酷了！"

这是垂死的悲鸣。然而，贝多芬又活了二十五年。他那刚强的性格不允许他在磨难与挫折面前低头。

比起以往，我的体力与智力都有所增加……我感觉到我的青春似乎刚刚开始。我每天都在接近那个只可意会而不可言传的目标啊！如果能摆脱这疾病的折磨与困扰，我就会拥抱整个世界！除了睡眠，我不知还有什么休息。遗憾的是，我必须花比以前更多的时间在睡觉上。哪怕我的病情能好一半也行。……不，我再也无法继续忍受下去了，我要扼住命运的咽喉，它绝不会使我屈服。啊，假如能千百次地享受人生，那该是多么美妙的事啊！

这爱情、这痛楚、这意志、这时而沮丧时而骄傲的感情、这深藏于内心的悲剧，都反映在贝多芬于1802年创作的伟大作品中。如《丧礼进行曲》（作品第二十六号）、《幻想奏鸣曲》（作品第二十七号之一）、《月光奏鸣曲》（作品第二十七号之二）、

---

① 贝多芬在遗嘱中说："嘱咐好你们的孩子，能真正使人获得幸福的是道德而非金钱。这是我的经验之谈。在苦难之中支撑我的是道德，全亏了道德与艺术，我才不至于以自杀来结束生命。"在写给韦格勒的信中，贝多芬说道："假如不是从某本书上知道，人只要还有能力就要去做有意义的事，就不应该轻易结束生命，那么，恐怕我早就不在人世了，早就自行了断了。"

《第二奏鸣曲D小调》（作品第三十一号），其中的戏剧化吟诵崇高而凄婉；献给亚历山大大帝的《小提琴C小调奏鸣曲》（作品第三十号）、《克勒策奏鸣曲》（作品第四十七号）以及为盖勒特①的歌词所编写的六支悲壮的宗教曲（作品第四十八号）；1803年的《第二交响曲》则更多地反映了他年轻时的爱情，从这支乐曲中可以感受到压倒一切的意志，一种不可抗拒的力量将他的忧郁一扫而空，曲终时掀起沸腾的生命力。贝多芬期盼拥有幸福，他不愿相信自己的不幸不可避免：他渴望痊愈，渴望爱情，他心中充满了对生命的渴望。

在上面这些作品中，有好几部表现出有力、强悍的战斗节奏，这些乐曲使人们震撼不已。这种节奏在《第二交响曲》的"快板"和"终曲"内有着非常充分的体现，尤其是在献给亚历山大大帝的小提琴奏鸣曲的第一章中表现的最为突出，充满了壮烈激昂的英雄气概。这种富有英雄气概的作品使人们不由得联想到它的创作背景。当时，大革命的火焰已经烧到了维也纳，贝多芬也为之激动不已。迪·塞弗伊德说："他同好友在一起时，会肆无忌惮地对政局发表看法，他头脑聪明，视角犀利，观点充满说服力。"他将所有的激情都投入到革命思潮之中。贝多芬晚年最知心的好友辛德勒说："贝多芬认同共和原则。支持自由与民族独立……他希望人们能够齐心协力地建设共和政府……他希望法国能实行选举制，期望波拿巴能建立这个制度，从而为人类的幸福奠定基石。"他就像古罗马人的革命者，在普鲁塔克思想的熏陶下的古罗马革命者，梦想着一个由胜利之神——法国第一执政官拿破仑——建立起的英雄共和国，所以，他陆续创作了帝国

---

① 盖勒特，德国启蒙运动作家、诗人，其作品和人品都为世人称颂。贝多芬曾为他的《宗教圣歌和歌曲》谱曲。

的史诗《英雄交响曲：波拿巴》（1804 年）和光荣史诗《C 小调交响乐》，也就是《第五交响曲》（1805 - 1808）的终曲。这是第一支真正的革命乐曲，时代的精神在这支乐曲中充分得以展现，就如同当时的重大事件在他这颗伟大而孤独的心灵中撞击出强烈、纯真的回响一般，其印象即使接触到现实也不会有丝毫污染。

名人传

贝多芬的这些作品似乎受到了战争的影响，都有着史诗般的战争色彩。尽管他自己似乎没有察觉到。在《科里奥兰序曲》（1807 年）中，我们可以听到暴风雨在呼啸喧腾；在《第四四重奏》（作品第十八号）的第一章中，也有如此感觉；俾斯麦①在谈到的《热情奏鸣曲》（作品第五十七号，1804 年）时曾说："如果我能经常听到这首曲子，那么我一定会勇气倍增。"从《埃格蒙特序曲》到《降 E 大调钢琴协奏曲》（作品第七十三号，1809 年），即使是高超的技巧都显示着恢弘的气势，就好像有千军万马奔腾而过。可是这又有什么值得奇怪的呢？贝多芬在写关于英雄之死的《葬礼曲》（作品第二十六号）时，那位比《英雄交响曲》中的波拿巴更值得歌颂的将军霍赫②刚刚战死在莱茵战场，他的墓碑至今仍然矗立在科布伦兹和波恩之间的一座小山上当时的贝多芬尽管对此一无所知，但在维也纳，他亲眼目睹了两

---

① 俾斯麦，德意志政治家，被人称为普鲁士的"铁血宰相"。1870 年，德国驻意大利大使罗伯特·迪·康德尔曾用一架破旧的钢琴为俾斯麦演奏这支奏鸣曲。俾斯麦对这个作品最后一句的评论是："这一句是整个人生的斗争与悸动。"俾斯麦最欣赏的音乐家就是贝多芬，他曾感叹道："贝多芬最适合我的神经。"

② 霍赫，法国大革命时期战功最卓著的军人之一，1797 年，他战死在科布伦兹。

次革命的胜利。①

1805 年 11 月，当贝多芬创作的歌剧《菲岱里奥》在维也纳首次公演时，法国军官们就曾纷纷前来观看。贝多芬现场演奏了他的《英雄交响曲》和《第五交响曲》，以献给率军攻克巴士底狱的于兰将军。当时，于兰将军正好住在贝多芬的朋友兼监护人洛布科维兹的家中。1809 年 5 月 10 日，拿破仑驻军在舍恩布伦。但是，没过多久，对这些法国征服者，贝多芬便产生了敌视之情，不过，对法国人史诗般的革命业绩他还是狂热地崇拜着，那些不能像他一样去感受的人，对他的这种歌颂革命与胜利的音乐可能没有办法真正了解。

贝多芬突然中止了《第五交响曲》的创作，他一反往日习惯，在没有打草稿的前提下，写出了《第四交响曲》，而且是一气呵成。因为在此时，他又看到了幸福的曙光。1806 年 5 月，他与特蕾兹·德·布伦瑞克②订了婚。在贝多芬刚到维也纳的日子里，特蕾兹还只是个小姑娘，贝多芬是她哥哥弗朗斯瓦尔伯爵的朋友，她跟着贝多芬学习钢琴，在这个过程中对他暗生情愫。

1806 年，贝多芬与特蕾兹兄妹俩到匈牙利的马尔车瓦萨的家里做客，他们在那里才彼此相爱。关于那段幸福的日子，在特蕾兹的一些叙述之中有着真实的保存。她这样说道：

一个礼拜天的晚上，吃完晚饭以后，在皎洁的月光下，贝多

---

① 这里指拿破仑曾两次攻陷维也纳。

② 1799 年，贝多芬在维也纳认识了布伦瑞克一家。茉丽塔·圭恰迪尔是特蕾兹的表妹。贝多芬一度还曾爱上特蕾兹的一个妹妹约瑟芬。但后来约瑟芬嫁给了戴姆伯爵，再后来又改嫁给了斯塔克堡伯爵。我在《贝多芬：创作的伟大时代》中，详细描述了他与布伦瑞克一家的亲密关系。——原注

芬坐到钢琴前，他先轻抚了一遍琴键。弗朗斯瓦尔和我都知道这是他将要弹奏的前奏。然后，他先弹了几个低音和弦，接着以一种庄重而神秘的表情，缓缓地弹奏着塞巴斯蒂安·巴赫的作品：假如你芳心暗许，请悄悄地告诉我；我俩心意相通，谁又能猜到端详。

　　母亲与神父都已就寝。哥哥正在凝神远望；而我的心被他的歌声和目光所穿透，我觉得生活无比幸福。第二天早晨，我们在花园中相遇。他对我说："我正在写一部歌剧，主角已经在我心中，在我眼前，不管我走到哪儿，不论我在哪里停留，她总是与我同在。我从没有到过如此高的境界。一切都是那么的明亮与纯洁。在此之前，我就像童话中的那个孩子，只顾捡石子而看不到路边盛开的美丽鲜花……"1806年5月，在我亲爱的哥哥弗朗斯瓦尔的祝福下，我和他订婚了。

　　在这一年写的《第四交响曲》是一朵纯净芬芳的花，散发着贝多芬一生中最平静的日子里的芳香。从中人们不难发现，这时的贝多芬正在努力将自己的才华和前辈们流传下来的大众所喜闻乐见的东西相融合。这种源自爱情的融合精神，对他的行为举止和生活习惯都产生了很大的影响。索弗伊德和克里尔巴泽①说："他精力充沛，积极开朗，风趣幽默，待人接物彬彬有礼，即使对自己不喜欢的人也能做到忍让三分，并且穿着也很得体，人们甚至察觉不到他的耳聋，他们都说他很健康，只是有点近视而已。"当时，迈勒为他画了一幅肖像。从肖像上看，贝多芬显得雅致浪漫，只是略微有些不自然。贝多芬希望自己能够赢得别人的喜欢，并且他知道自己有能力赢得别人的喜欢。再凶狠的狮

---

　　①　索弗伊德，奥地利音乐家；克里尔巴泽，奥地利剧作家。

子，在恋爱时也会收起自己的利爪。但是，在《第四交响曲》所营造的梦幻与温柔的氛围中，人们依然能感受到一种可怕的力量——他的那种任性而易怒的性格特质。

　　这种平静的日子持续的时间并不长，不过，美好爱情所带来的幸福感却一直延续到1810年。毫无疑问，正是因为拥有这种幸福感，贝多芬才获得了持久的自制力，他的才华也才结出了最丰硕的果实。比如古典悲剧般的《第五交响曲》，夏日天堂神圣之梦的《田园交响曲》（1808年），还有受到莎士比亚的悲剧《暴风雨》启发而创作的《热情奏鸣曲》，贝多芬把这首奏鸣曲视作所有奏鸣曲中最强劲有力的，这支曲子发表于1807年，是献给特蕾兹的兄长的。而对特蕾兹，对他心爱的心上人，他则献上了那支充满梦幻和畅想的奏鸣曲（作品第七十八号，1809年），此外，他还给"永恒的爱人"写过一封没有标明日期的信，这封信中表达的浓浓爱意与《热情奏鸣曲》相比，一点也不逊色：

　　我的天使，我的一切，我的我……我有千言万语要对你说……啊！不管我在哪里，你都与我形影不离……当我想到在星期日之前你可能收不到我最新的消息时，我哭了。……我爱你，就像你爱我一样，但爱得或许更加热烈……啊！上帝！假如没有你，那该是一种怎样的生活啊！……咫尺天涯……我的思念如潮水般奔向你，我永恒的爱人，那些思念时而欢快，时而忧愁。垂问命运，问它能否成全我们。……我只能和你一起生活，没有你，我就活不下去……除了你，没有任何女人能占据我的心。绝不能！永远不能！——啊！上帝！相爱为什么注定要分离？我的生命，此刻，充满了忧伤。你的爱情让我成了天底下最幸福的人，却也让我成为天底下最苦恼的一个人。……安静……请安静下来……爱我吧！今日，昨日，多么强烈的憧憬，多少眼泪都抛向你！你——你——你是我的生命——我的一切！再见！啊！继续爱我吧，永远别误解你亲爱的人的心。

——对你、对我、对我们都矢志不渝的人上。

那么，是什么神秘莫测的原因阻挠着两个相爱的人的幸福呢？——也许是因为缺乏钱财和两人地位上的悬殊；也许是因为贝多芬等待的时间实在太长了，或者是他觉得严守两人之间爱情秘密的要求让自己倍感屈辱，所以有了逆反心理；也许是因为他暴躁、愤世嫉俗的性格，无形中让给他所爱的女人带来了痛苦，也使自己更加痛快。

总之，婚约解除了，不过两个人似乎谁都没有忘记这段爱情。直到特蕾兹生命的最后一刻（她于1861年去世），她依旧深爱着贝多芬。

至于贝多芬，对她的爱也是铭心刻骨，他曾在1816年说过："每当想起她时，我的心都像我们第一次相见时那样怦怦乱跳。"就在这一年，他写下了六支动人心魄且寓意深邃的乐曲，名为《献给遥远的爱人》（作品第九十八号）。他在笔记中写道："一想到这美丽的可爱人儿，我就心潮澎湃，激动万分；然而咫尺天涯，她并不在我身边！"特蕾兹曾把自己的一幅肖像送给贝多芬，上题："赠与稀世天才、伟大的艺术家、善良的人。T. B. 赠。"贝多芬晚年时期，一位好友无意中看到贝多芬孤独地抱着这幅肖像痛哭流涕，并自言自语地对着肖像说："你如此美丽与伟大，仿佛天使一般！"这位好友退了出来，没多久又返了回去，这时他看见贝多芬坐在钢琴前，便对他说："老友，此刻，你的脸色看上去已经好很多了。"贝多芬则回答道："这是因为我的善良的天使来看望过我了。"——创伤深深地烙印在他的心中。他常自艾自怜："可怜的贝多芬，这个世界没有属于你的欢乐。只有在理想的国度，你才能找到战胜自己的力量。"

贝多芬在手记里如此写道："顺从，彻底地顺从于你的命运：你已经不再是为自己而存在，只是为他人而存在；对于你来说，只有在艺术中才能找到幸福。啊，上帝，请赐予我战胜自己的力量吧！"

就这样，贝多芬又一次被爱情所抛弃。到了 1810 年，他再次孤身一人了。但此时，荣誉已经纷沓而至，而他也开始认识到自己的力量所在。这时的贝多芬正当盛年。他任由自己那急躁、粗野的脾气肆意发泄，他不再顾忌社会、习俗和他人的看法。还有什么可顾忌、可敷衍的呢？爱情失去了，野心也已经没有了，剩下的只有力量和对运用力量的陶醉，他需要运用力量，甚至是毫无节制地滥用自己的力量。"力量，就是区别于一般人的气质！"他又回到以前不修边幅、举止放荡的生活状态了，甚至比以前有过之而无不及。他知道自己有想说什么就说什么的权利，即使面对地位最高的人物也可以如此。1812 年 7 月 17 日，他曾这样写道："除了美德，我不承认还有什么高人一等的标志。"贝蒂娜·勃伦塔诺曾在那段时间见过他，她说："没有任何一位皇帝或国王，能够像他那样充分认识到自己的力量。"她被他的气势深深吸引，在她写给歌德的一封信中提到："当我第一次见到贝多芬时，我觉得整个世界都在我面前消失了，他让我忘记了世界，甚至连你也忘记了，啊！歌德……千真万确，我深信此人已经远远地走在当代文明的前面了。"

歌德因此很想与贝多芬结识。1812 年，他们在特普利兹的波西米亚浴场相遇了，可他们谈的并不是很投机。贝多芬十分欣赏歌德的才华，但是，他那过于狂放、暴躁的性格使得他很难与歌德相处，而且不免会伤害到歌德。贝多芬曾讲述过他们一起散步的情况。当时，这位高傲的共和派给魏玛大公的枢密参议官上了一堂关于尊严的课，致使后者久久无法释怀。

　　君主和亲王们虽然能轻易地培养一些教授和机要参议，并赐予他们各种各样的头衔和勋章，但他们无法造就真正的伟人，更无法培养出超凡脱俗的心灵……而当像我和歌德这样的两个人在一起时，这帮大人、先生们应该清醒地认识到我们的伟大。——昨天，在散步归来的路上，我们与出游的皇室一家相遇。当我们远远看见他们走过来时，歌德挣开了我的手臂，垂着手，规规矩矩地和人群站在大路旁。我费尽口舌，但无论怎么说，他都连半步都不肯多走。于是，我按了按帽子，系好外套上的扣子，倒背着双手，毫无顾忌地走进了拥挤的人群。亲王们和朝臣们分立两旁，鲁道夫公爵①向我脱帽致敬，王妃先向我打招呼。这些大人物几乎都认识我。看着皇家车马从歌德面前经过，我觉得十分好笑。他一直站在路边，将帽子握在手里，深深地鞠躬行礼。事后，我一点面子也没有给他，狠狠地把他训斥了一通……

　　歌德对此事一直耿耿于怀。②

　　也就是1812年的这段时期，贝多芬在特普利兹仅仅用了几个月的时间，就创作了《第七交响曲》和《第八交响曲》：前者是狂欢的节奏曲，后者则是诙谐的交响曲。在这两部作品中，他的创作是最自然的，正如他自己所说，是最"自由自在"的，欢乐与狂乱的迸发，出乎意料的对比，让人惊讶的、雄壮的机智，使歌德和采尔特都惶恐不已，甚至使北方的德国人猜测说，

---

　　①　鲁道夫公爵，当时的皇太子。
　　②　见贝多芬的《致贝蒂娜》。有人曾怀疑这封信是否属实。但此事虽然有夸大之处，可大体上是准确的。

《第七交响曲》是一个醉鬼的作品。——是的，是出自一个醉了的人，一个陶醉于力量和才华的人。

贝多芬自己也说："我是为人类酿造琼浆玉液的酒神，给予人们精神上的神圣癫狂。"

我不知道他是否像瓦格纳所说的那样，想在《第七交响曲》的终曲里描绘一个酒神的庆宴。① 可是我发现，在这首热情豪放的乡村节日狂欢曲中，有着弗朗德勒人的遗传特质；同样地，在以纪律和服从为荣的国家里，他那肆无忌惮的言谈举止，也是源于他自身的血统。无论哪一部作品，都没有《第七交响曲》表现的那样坦白，那样无所顾忌。这是漫无目的、纯粹为了娱乐而浪费着超人的精力，就如同一条泛滥的河淹没了两岸的村庄时一样地欢快。而《第八交响曲》虽然力量没有如此雄浑，但却更加奇特，更具贝多芬本人的特点，悲剧与闹剧相交织，大力士般的强悍与孩童般的纯真相互交融。②

1814 年是贝多芬声誉达到巅峰的一年。在维也纳大会上，他被视为整个欧洲的荣耀。他活跃于各种欢庆活动中。亲王们都向他致敬，而他正如他向辛德勒所吹嘘的那样，高傲地任由王公们追随着自己并奉承献媚。

1813 年，他受到独立战争的鼓舞，创作了《惠灵顿的胜利交响曲》，而在 1814 年初，他又创作一支战斗合唱曲——《德意志的复兴》。1814 年 11 月 29 日，贝多芬在各国君主面前指挥演奏了爱国主义歌曲《光荣时刻》，并于 1815 年，为纪念攻陷巴黎

① 贝多芬的确有过这个念头，因为在他的笔记中，尤其是在《第十交响乐》的草稿中，有这个主题。

② 1811—1812 年间，贝多芬在特普里兹结识了一位柏林的青年女歌唱家阿玛丽厄·塞巴尔德，二人关系密切。贝多芬这一时期的创作灵感很可能就源于此。

创作了合唱曲《大功告成!》。这些应景作品让他的名声大振，比起他以往创作的那些作品所带来的名声要大得多。布莱西斯·赫菲尔根据法国人弗朗斯瓦尔·勒特罗纳的一张素描制作的木刻画，以及1812年弗雷茨·克莱恩为贝多芬创作的脸模，都生动逼真地体现了贝多芬在维也纳大会期间的风采。雄狮般的面容、紧咬着的牙床、布满愤怒和痛苦的皱纹，而凌驾于这一切之上的，是意志力，一种拿破仑般钢铁般的意志力。在耶拿①战役之后，贝多芬曾对拿破仑有如下的言论："很遗憾，我对战争不像对音乐那么内行！否则，我一定要将他击败！"

可是，在这个世界里没有他的王国。恰如他写给弗朗索尔·德·布伦瑞克的信中所说的："我的王国在天上。"②

短暂的荣耀之后，接踵而至的就是悲惨与痛苦的时期。对于贝多芬，维也纳从未有过好感。这座浮华造作的城市，这座被瓦格纳深恶痛绝的城市，是容不得一个高傲孤立、狂放不羁的天才的。贝多芬从来就没有放过任何可以离开它的机会。1808年左右，他曾认真地考虑过离开奥地利，前往威斯特伐利亚国王吉罗姆·波拿巴的宫廷。但是，维也纳的确有着丰富的音乐资源。我们必须实话实说，在维也纳，总是有一些高雅的音乐鉴赏家，他们能够认识到贝多芬是一个伟大的音乐家，他们不愿意自己的城市因为失去这样一个音乐天才而蒙羞。1809年，维也纳三位最富有的贵族：贝多芬的学生鲁道夫公爵、洛布科维兹亲王和金斯基亲王答应每年付给他四千弗洛令的生活费，唯一的要求就是他要留在

---

① 耶拿，德国图林根州城名，1806年，拿破仑曾于此地大胜奥地利军队。

② 维也纳会议期间，贝多芬曾写信给考卡说："我不想和你说我们的君主和王国，我认为，精神之国才是最值得珍惜、最值得爱的。在所有世俗和宗教的王国中，它才是排在第一位的。"

奥地利。他们说："很明显，一个人只有在衣食无忧的情况下，才能全心全意地投入到艺术之中，才能创作出真正地可以为艺术争光的伟大作品，所以我们决定向路德维希·冯·贝多芬提供必要的生活保障，从而消除所有可能阻挡他的天才发挥的障碍。"

可是，结果并没有他们承诺的那样美好。这笔生活费未能如数提供给贝多芬，而且不久之后便直接停止发放了。此外，1814年维也纳大会之后，这座城市的社会风气也发生了转变，人们开始轻艺术而重政治。音乐的品位也被意大利化了，时尚潮流更倾向于罗西尼①，贝多芬的音乐则被视为迂腐之作。

贝多芬的朋友们和保护人，死的死，散的散：金斯基亲王在1812年逝世；李希诺夫斯基亲王在1814年逝世；洛布科维兹在1816年逝世。拉梅莫夫斯基——贝多芬曾为其谱写美妙的《四重奏》（作品第五十九号），在1815年2月举行了最后一场音乐会。1815年，贝多芬与他儿时的好友、埃莱奥诺雷的哥哥斯特弗·迪·布勒宁交恶。从此，他更加孤独了。在1816年的手记中，他写道："在这个世界上，我一个朋友都没有了，成为一个孤独的人。"

此时的贝多芬的已经完全失聪。② 自1815年秋天起，他就只

① 罗西尼（1792－1868），意大利作曲家。他的歌剧《唐克莱德》一经问世便轰动了整个德国音乐界。鲍恩费尔德在日记中记录了1816年维也纳沙龙里留传的说法是："莫扎特和贝多芬都是过时的老学究，只有老一辈傻瓜们才会欣赏他们的音乐。罗西尼一出现，大家才明白了什么是真正的音乐。贝多芬的《菲岱里奥》就是垃圾一堆，真不明白为什么会有那么多人百听不厌。"贝多芬最后一场钢琴演奏会是在1814年举行的。

② 除了耳聋，贝多芬的身体健康也越来越差。自1816年10月起，他就患上了严重的肺病，此后他深受这种病的折磨。在1820—1821年间，他又患上了急性关节炎。1821年得了黄疸病，1823年患上结膜炎。

能通过笔谈与别人进行沟通交流。最早的谈话手记是在 1816 年。[1] 关于 1822 年《菲岱里奥》的演出，辛德勒有这样一段痛苦的描述。

贝多芬要求指挥彩排……自第一幕的二重奏起，而此时他明显已经听不见舞台上的演奏了。他大幅度地减缓了乐曲的节奏，乐队尽管都紧随着他的指挥演奏，可那些歌手们却都自顾自地向前赶。于是，整个彩排全乱套了。常任乐队指挥乌姆劳夫见状，建议休息一会儿，可并没有解释缘由，只是对歌手们简单交待了几句，然后彩排重新开始。但是，同样的混乱再度出现，不得不再次暂停。显而易见，这场演出无法在贝多芬的指挥下进行了；但应该怎样让他明白呢？没有人忍心对他说："退场吧，可怜的家伙，你已经没有办法指挥了。"贝多芬不知所以，迷惑不解，焦躁激动，不停地左顾右盼，想从人们不同的表情中努力看出点头绪来，可大家都不发一言。突然，他用命令的语气把我叫过去。当我来到他的身旁时，他把记录本递给我，示意我写。我便这样写道："求您别再继续下去了，回家后我将向您说明一切。"看完我的话，他猛地跳到台下，冲我叫道："咱们快回家！"他一口气跑回住所，刚进门，他就瘫软在沙发上，双手掩面，一动也不动。他就这样一直待到吃晚饭的时候。在餐桌上，他沉默不语，脸上一副痛苦不堪、极度颓丧的样子。晚饭后，当我起身想要告辞时，他挽留我，告诉我他不愿意一个人孤单地待在家里。就在我们分别时，他恳求我陪他去看在治疗耳疾方面很有名的一

---

[1] 需要指出的是，从这一年的作品第一百零一号起，贝多芬的音乐风格发生了变化。他的谈话记录手册共有一万一千页，现存于柏林三家图书馆。

位医生……在我和贝多芬的所有交往中，我从没有见到过有哪一天能与十一月里这致命的一天相比。他的心受到了致命的打击，直到临死之前，他都不曾忘记这可怕的一幕。①

两年后的 1824 年 5 月 7 日，贝多芬在指挥（或按节目单上所说是"参与音乐会的指挥"）《第九交响乐》时，全场观众向他发出排山倒海的喝彩声，可他根本听不见。直到一位女歌手拉起他的手，请他转过来面对观众时，他才突然看到全场观众都激动得站了起来，挥舞着帽子向他致敬，为他鼓掌喝彩。一位英国旅行家曾在 1825 年见过贝多芬弹钢琴，说他想弹奏柔和的节奏时，琴键却没有发出任何响声，沉寂中他无比激动，手指都在不安地抽搐，此情此景，真令人无比感伤。②

他远离人群，将自己完全封闭起来，唯有大自然能给他一些慰藉。特蕾兹·迪·布伦瑞克说，"他唯一的知音就是大自然"，大自然是他的庇护所。1815 年，认识贝多芬的查理·纳德说，他从没有见过一个人像贝多芬那样喜爱花草、云彩和自然的人，③他好像就是依靠着这些而活着的。贝多芬自己也曾这样写道："世界上没有任何一个人能像我这样地喜爱田野……我对一

① 自 1814 年起，辛德勒便与贝多芬有联系，到了 1819 年，辛德勒则成为了贝多芬的密友。不过，在最开始的时候，贝多芬骄傲自大，瞧不起辛德勒，并没以朋友相待。

② 对于贝多芬耳聋的事情，瓦格纳在 1870 年出版的《贝多芬评传》中，有十分精彩的描述。

③ 贝多芬喜欢动物并且对其抱有很强的怜悯心。根据历史学家封·弗里梅尔的母亲回忆说，她小的时候很喜欢捉蝴蝶，但贝多芬却总是用手帕将蝴蝶统统赶跑，故意让她捉不到。所以她始终都因为这件事而怨恨贝多芬。

棵树的爱甚至要多过对一个人的爱……"——在维也纳的那段时间里，他每天都要沿着城墙转一圈。在田野中，他经常从早到晚地独自散步，而且不戴帽子，顶着烈日或冒着风雨。"全能的上帝啊！——在树林里我是快乐的，因为这里的每一棵树都在传达你的旨意。——上帝啊，这真是太美妙了！在森林里，在山丘上，一片平静——这是奉献给您、供您役使的平静。"

精神上的焦虑在大自然中找到了暂时的慰藉，但金钱的烦恼却又让他疲于应付。1818 年，他这样写道："我几乎快要沦落到乞讨的地步了，但我还要装作一副衣食无忧的样子。"接着他还写道："作品第一百零六号就是在一种窘迫的情形下创作出来的。为换取面包而进行创作真是一件苦不堪言的事。"施波尔说，因为鞋子上有破洞，他经常出不了门。他欠出版商很多债，而他的作品又卖不了好价钱。《D 大调弥撒曲》在预订时，仅仅只有七个订购者（里面没有一个是音乐家）。他创作了好几首优美、温柔的奏鸣曲，每一首都花掉了他三个月的时间，可赚回来的钱却只有三四十个杜加。加利钦亲王要他创作的四重奏（作品第一百二十七、一百三十、一百三十二号），也许是他的作品中最深刻的，是他呕心沥血创作的，但亲王竟然没有付给他一分钱。在窘困的日常生活中，在没完没了的官司里（或是为了要人家履行给他的津贴，或是为了争取到侄子的监护权），贝多芬的精力几乎消耗殆尽。

1815 年，他的弟弟卡尔因肺结核逝世，遗留下了一个儿子。贝多芬将自己对弟弟的满腔温情全部倾注在了这个孩子身上。为此，他又受到了残酷的折磨。冥冥中似乎有一种"慈悲的眷顾"，故意给他以源源不断地苦难，使他的才气并不乏养分。——首先，他就要同那个不配做母亲、又想夺走小卡尔的弟媳争夺监护权。他这样写道：

啊，上帝，我的城墙，我的防卫线，我唯一的庇难所！你能洞悉我的心灵，你清楚地知道，当我必须使那些想要与我争夺查理——我的宝贝的人难受时，我自己又是多么的痛苦啊！① 我不知该如何称呼的神灵啊，请听听我的诉说吧，请答应我这个最不幸的人所发出的苦苦祈祷吧！

啊，上帝！救救我吧！你看吧，我遭到了全人类的抛弃，只因为我不愿意与不公平妥协！满足我的乞求吧，至少，让我未来能与我的卡尔一起生活！……啊，残酷的、不可逆转的命运！啊，啊，我的不幸将永无终日！

可是，这个贝多芬心爱的侄子后来却辜负了伯父对他的信赖。在贝多芬写给他的信中，充满了愤懑与痛苦，就像开朗琪罗写给他的兄弟们的信一样，但更加直白，更加动人：

难道我还得再一次接受这忘恩负义的行为吗？如果我们之间注定要一刀两断，那就随它而去吧！所有有正义感的人知道这些事情后，都会讨厌你的！如果我们维系我们关系的约束让你不堪忍受的话，那么，我愿意以上帝的名义——但愿一切都能顺从上帝的意志！把你交给我至高无上的神明；我已经做尽了我力所能及的一切事情，即使站在最高审判者的面前，我也无愧于心……

你是个被惯坏了的孩子，但学着做个诚实质朴的人是没有丝毫坏处的；我的心因为你的虚伪而疼痛万分，永远无法遗忘……

---

① 在写给斯特莱歇尔夫人的信中，贝多芬说道："我从来不会报复。当我实在忍无可忍而采取行动对付别人时，那仅仅只是出于自卫，或者只是为了阻止他们继续作恶而已。"

名人传

上帝可以为我作证，我只想离你千里万里，远离我可怜的兄弟，远离这个令人憎恶的家庭……我再也无法信任你了。

然后，他签下这样的署名："你不幸的父亲——或者最好不是你的父亲。"可接下来，贝多芬又很快心软了，开始了宽恕他：

我亲爱的儿子！什么都不用说了，快回到我的怀抱里来吧，你再也听不到一句训斥。我将像以前一样地爱你、接受你。至于如何安排你的前程，我们可以再好好地商量。我以我的名誉担保，绝对不会对你有半句责备之言！因为责备已经毫无意义了。我只会给你更多的疼爱与最贴心的照顾。来吧，到你父亲贝多芬温暖的怀抱中来吧。来吧，收到信就立刻回家吧。

在信封的背面，他还用法语写了一句话："如果你不来，必将置我于死地。"

他又哀求地说：

不要撒谎，永远做我最亲爱的好儿子！如果你像人们让我相信的那样，用虚伪来回报我的话，那就实在太肮脏了！再见了，我虽不曾生你但却曾抚养过你，并且为你的智力发育竭尽心力。我对你的爱超越了父爱，我从心底希望你能走上善良与正直的道路。你的忠诚的父亲。

他的这个侄子并不缺乏天分，贝多芬原想将他引上高等教育之路，但在为他的未来作过各种规划之后，贝多芬却不得不答应侄子，让他去经商。可是，侄子却染上了赌博的毛病，欠了大笔赌债。令人感到奇怪的是，贝多芬的伟大情操不但没有给侄子带来益处，反而有害于他，使他怨恨，使他产生叛逆之心，他自己所说的一段话就充分体现了他那可耻的灵魂："我更加堕落了，因为伯父希望我能上进。"

1826 年夏天，这个侄子竟朝自己的脑袋开了一枪。可他并没有死，反倒是贝多芬差点为此送了命。这个可怕的打击再次重创了贝多芬早已脆弱不堪的心。[①] 卡尔被治愈了，可他的伯父至死都饱受这件事的折磨。此外，贝多芬之死，与他也脱不了关系。甚至在贝多芬临终前，卡尔都没有陪伴在他身边。几年前，在写给侄子的信中，贝多芬说："上帝从没有遗弃过我，将来一定会有人为我送终。"可遗憾的是，为他送终的并不是他称作"儿子"的那个人。

即便深陷忧伤的深渊，贝多芬仍然歌颂欢乐。这是他终生的计划。早在 1793 年，他还在波恩的时候，他就开始考虑这件事。他终生都想谱写《欢乐颂》，并想以此作为他作品中的一部终曲。他一直都在思考歌颂欢乐的确切形式，以及把它放在哪一部作品中更为合适，即使在创作《第九交响曲》时，他都在犹豫之中。直到最后一刻，他还准备把《欢乐颂》放到第十或第十一交响曲里去。需要注意的是，《第九交响曲》本来的标题并非是大家现在所听到的《合唱交响曲》，而是《以欢乐颂歌为终曲的合唱交响曲》。《第九交响曲》差一点就有了另外一种结尾。1823 年 7 月，贝多芬还在想用某种器乐演奏它的终曲，后来他把这个器乐演奏曲用在了作品第一百三十二号中那个四重奏里去了。车尔尼和松莱特纳肯定地说，在 1824 年 5 月《第九交响乐》的演奏结束后，贝多芬都不曾放弃这一想法。

---

① 辛德勒当时见到贝多芬时，说他好像一夜之间变成了一个七十岁的老人，他精神委顿、步履蹒跚、全身乏力，没有一点生气。假如卡尔死了，他也不想活。——的确，在几个月后，贝多芬就去世了。

名人传

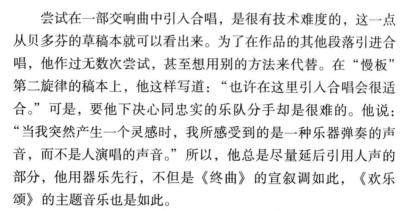

　　尝试在一部交响曲中引入合唱，是很有技术难度的，这一点从贝多芬的草稿本就可以看出来。为了在作品的其他段落引进合唱，他作过无数次尝试，甚至想用别的方法来代替。在"慢板"第二旋律的稿本上，他这样写道："也许在这里引入合唱会很适合。"可是，要他下决心同忠实的乐队分手却是很难的。他说："当我突然产生一个灵感时，我所感受到的是一种乐器弹奏的声音，而不是人演唱的声音。"所以，他总是尽量延后引用人声的部分，他用器乐先行，不但是《终曲》的宣叙调如此，《欢乐颂》的主题音乐也是如此。

　　对于这些延后和犹豫，我们还应该作更深一步地了解。因为其中还有更深远的原因。这个饱经磨难的不幸者，一直都渴望着歌颂欢乐，可他却年复一年地延后着这个任务，因为他不断地被卷入激情和忧伤的旋涡。直到生命的最后时刻，他才得偿心愿，并成就了一部伟大的杰作！

　　当欢乐的主题即将出现时，乐队突然中止。瞬间，一片寂静。这使歌唱的开始带有一种神秘、神明般的气氛。的确，这个主题是个神明。欢乐从天而降，包裹于非现实的平静之中：它用轻柔的气息抚慰着人类的痛苦；当它悄悄渗入初愈者的心灵时，最初的抚摸是那么温柔，让人如同贝多芬的那个朋友所说的一样，"因看到他那双温柔的眼睛而为之流泪"。当主题接着转入人声演唱的部分时，先是由低音表现，带有一种严肃而压抑的情调。渐渐地，欢乐抓住了人的身心。这是一种征服，一种对痛苦的战争。接下来是进行曲的节奏，就像浩浩荡荡的大军在行进一般，男高音那热烈而急促的歌唱，在所有这些沸腾的乐章，我们可以听到贝多芬的气息，他呼吸的节奏，他发出的呼喊，似乎他正奔驰在田野上进行创作，如痴如醉，激动狂放，宛如置身于雷雨之中李尔王。战斗的欢乐之后是宗教般的陶醉。随即又是神圣的狂欢，一种爱的兴奋。整个人类向苍穹张开双臂，发出强烈的欢呼，冲向前去迎接欢乐，把它紧紧地搂在怀中。

巨人的杰作终于征服了听众的平庸。维也纳的轻浮之风也为之动摇、震撼，可当时人们喜欢的依旧是罗西尼和意大利歌剧。感觉到尊严被伤害的贝多芬于是想移居伦敦，并计划在那里演出《第九交响曲》。像1809年一样，几位尊贵的朋友再次恳求他千万不要离开祖国。他们说：

　　我们知道您新创作了一部圣乐①，其中表达的是您深刻的信念所激发的那些情感。超现实的、圣洁的光照进了您那伟大的心灵，也照亮了这部作品。我们知道，您的那些伟大的交响曲的桂冠上又将增添一朵永不凋零的鲜花……您最近几年的隐遁使所有关心、关注您的人怅然若失。② 大家都悲观地想，当外国音乐设法扎根到我们的舞台，企图使德国艺术完全被人们遗忘时，那位在人们心中占有崇高地位的天才却一直保持沉默……整个民族都把希望寄托在您的身上，期待着一种新的生命、新的荣耀，抛开时尚的束缚，建造一种真与美的新世界，唯有您才能担起这个重任……但愿您能让我们的这份心愿尽快实现……但愿仰仗您的天才，即将到来的春天会对我们，对整个世界，绽放出更多更美的鲜花！

通过这封言辞恳切的信件，不难发现，贝多芬在德国的精英人物中间，在艺术和道德方面都享有十分高的威望。崇拜者们在

---

　　① 这里指的是《D大调弥撒曲》（作品第一百二十三号）。

　　② 贝多芬贫困潦倒的同时，为琐碎的家事所困扰。1816—1821年五年间，贝多芬只创作了三部钢琴曲。他的敌人说他已经才思枯竭，可是，在1821年，他又重新全力投入到创作之中。

称赞他的才华时，想到的第一个词既非学问也非艺术，而是信念。

这些话深深地打动了贝多芬，他决定留下来。1824 年 5 月 7 日，《D 大调弥撒曲》和《第九交响曲》在维也纳举行了首场演出。演出十分成功，可以说是盛况空前。当贝多芬出场时，观众们给予他雷鸣般的掌声，而且是连续五次。在这个极为讲究礼仪的国家，即使是皇室驾临，按惯例也只是鼓掌三次致意。演出引起了人们狂热的骚动，这种骚动甚至惊动了警察。许多观众激动得当场痛哭。演出结束后，贝多芬因为过于激动而晕了过去。他被人们抬到辛德勒的家里，他迷迷糊糊地和衣而睡，整夜未吃未喝，从晚上一直睡到次日上午。但是，荣耀瞬间即逝，这次演出对贝多芬来说，并没有丝毫实利，没有让他挣到一分钱，在物质生活上，他依然贫穷。他贫病交加，① 孤立无援，但他却是个征服者：征服了人类的平庸，征服了自己的命运，征服了人生的苦痛折磨。

你要抛弃，抛弃生活中的平庸与无聊，为了你的艺术——这个凌驾于一切之上的上帝！

他已经达到了他的终生目标，他获得了欢乐。然而，他能在这控制着暴风雨的心灵高峰长期停留吗？当然，在一段时间后，他还是会跌落到往日的忧愁与痛苦之中。他最后的几部四重奏里充满了怪异的阴影。可是，《第九交响曲》的胜利似乎在他身上

———————

① 1824 年 8 月 16 日，贝多芬在写给巴赫医生的信中提到他经常担心自己会猝死。"我同亲爱的祖父在各方面都有相似之处了。"他胃痛得很严重。1824 年冬天，贝多芬的病情有所好转，但到了第二年，他开始呕血并且流鼻血。他写信给侄子说："我衰弱到了极点……恐怕将不久于人世。"

印下了光荣的印记。他未来的计划是：《第十交响曲》①、《纪念巴赫的前奏曲》、为格里尔巴则的《曼吕西纳》谱的曲子、为科尔纳的《奥德赛》和歌德的《浮士德》②谱写的曲子，以及《大卫和扫罗》这部圣经清唱剧，这一切都表明他的思想仍旧倾向于德国古代音乐大师们所营造的那种宁静恬适的境界，就像巴赫和亨德尔。而且，他特别倾向于明媚的法国南方，以及他经常想去游历的意大利。

1826年，施皮勒大夫曾见过贝多芬，他说贝多芬容光焕发，精神饱满。同年，当格里尔巴则最后一次见到贝多芬时，反倒是贝多芬比这个落魄颓废的诗人更要有活力。格里尔巴感慨地说："啊！如果你的力量和意志能分我千分之一就好了！"时事艰难，反动的专制势力奴役着人们的思想。格里尔巴则叹息道："我已经被审查制度谋杀了。如果想要拥有言论和思想的自由，那就只能去北美了。"但是，没有任何权势能够左右贝多芬的思想。诗人库弗雷在写给他的信中说："文字可以被禁锢，但幸运的是，声音依旧自由。"贝多芬就是伟大的自由之声，也许还是当时德国思想界唯一的自由之声。他自己也意识到了这一点。他经常提到他自己所必须承担的职责，就是要通过自己的艺术为"可怜的人类"，"将来的人类"作贡献，为人类造福，给他们以勇气，让

---

① 1827年3月18日，在写给莫舍勒斯的信中，贝多芬说道："我已经完成一部交响乐的草稿和一首新的序曲。"但这份草稿从未被发现。根据贝多芬的笔记，我们发现《终曲》大合唱并没给《第九交响曲》，而是留给了《第十交响曲》。之后，贝多芬解释道，他想通过《第十交响曲》实现"现代世界和古代世界的和解"，这也正是歌德在《浮士德》的第二部中想要达到的目的。

② 从1808年起，贝多芬便有意为《浮士德》谱曲，这是他一生最重视的计划之一。

他们从迷梦中苏醒，使他们摆脱自身的懦弱。他在给侄子的信中这样写道："我们的这个时代，需要坚强的心灵去鞭策那些可悲的人们去反抗。"1827年，米勒医生说："面对政府、警察或贵族时，贝多芬总是肆无忌惮地表达观点，甚至在公众面前也是如此。① 警方对此很清楚，但他们容忍他的嘲讽和批评，将其视作没有恶意的梦呓，所以也就对这位光芒四射的天才不予深究了。"

就这样，没有什么力量能使贝多芬的这种不屈不挠的意志屈服。现在，他似乎要戏耍痛苦了。在最后的几年里，尽管创作条件很恶劣②，但他这时谱写的音乐却具有一种全新的讽刺、蔑视而欢快的特点。1826年11月，也就是他去世前四个月，他完成了自己的最后一部作品，即为四重奏重新创作的《终曲》（作品第一百三十号），这首曲子就是非常欢快的。严格地说，这并不是常人所讲的那种欢快。而是像莫切特斯所说的："时而是断断续续的苦涩的嬉笑，时而是战胜痛苦后的感人微笑。"无论如何，他是最后的胜利者。他不相信死亡。

可死神还是降临了。1826年11月底，贝多芬因为着凉，患上了胸膜炎。为了侄子的前程，他在寒冷的冬天四处奔走，在回到维也纳不久之后便病倒了。③ 他的朋友都住的很远。他让侄子

---

① 在贝多芬的谈话记录簿里，可以发现这样的词句："欧洲政治已经走上了一条离不开金钱与银行的道路。""处于统治地位的贵族们什么也没有学会，什么也没有忘记。""五十年后，世界上将到处都有共和国成立。"

② 这里指的是他的侄子的自杀事件。

③ 贝多芬的病情可分为两阶段：第一阶段是肺部偶发症，六天后就有所控制。"到了第七天，他感觉好多了，而且可以起床走动、看书和创作了"；第二阶段是消化系统紊乱。"到了第八天，我发现他的精神很不好，全身发黄，夜里出现了上吐下泻的症状，几乎当晚就送了命。"从那时起，贝多芬身上的水肿开始加重。这次发病也有可能有精神上的因素。

替他去请医生。可据说这个冷血的家伙竟然忘了这件事，直到两天之后才想起来。当医生赶来时，已经为时已晚，而且医生的治疗也不够认真。三个月里，贝多芬凭借运动员似的体魄与病痛苦苦抗争。1827 年 1 月 3 日，他立至爱的侄子为全部财产的正式继承人。此时，他想起了自己在莱茵河畔的朋友们，于是给韦格勒写信说："……我多么想与你聊聊啊！可我的身子实在太虚弱了。我只能在心里拥抱你和你的太太洛恩。"① 如果不是几位英国朋友的慷慨资助，贫困的痛苦将笼罩在他生命最后的时刻。他变得很温顺，脾气不再急躁。1827 年 2 月 17 日，他做了三次手术，正等着做第四次手术时②，弥留之际，躺在床上的他清醒地写道："我耐着性子想：任何病痛都一定会随之带来些好处。"这个好处就是解脱，正如他临终时所说"是喜剧的终结"，——但我们要说，这是他一生悲剧的终结。

在一场夹杂着雪花的暴风雨里，在电闪雷鸣中，贝多芬咽下了最后一口气，离开了人间。一只陌生的手为他合上了眼睛③，时间是 1827 年 3 月 26 日。

亲爱的贝多芬！多少人为他伟大的艺术而惊叹。但他又何止是音乐家中的第一人，他更是现代艺术最勇敢的力量。他是那些受苦而不屈的人们最伟大、最亲密的朋友。当我们因世界的苦难而忧伤的时候，他就会来到我们身边，好像坐在一位痛失子女的母亲的身边，寂然无语，一边弹奏钢琴，一边唱出一曲隐忍的悲

① 洛恩即韦格勒夫人的昵称。

② 贝多芬这四次的手术时间分别是 1826 年 12 月 20 日，1827 年 1 月 8 日、2 月 2 日和 2 月 27 日。据格哈德·冯·勃朗宁在信中提到的，当时，可怜的贝多芬在病床上饱受臭虫的骚扰。

③ 这个陌生人就是青年音乐家安塞姆·胡滕布瑞纳。勃朗宁曾这样写道："赞美上帝，感谢他结束了这长期而痛苦的受难历程。"

歌，以此安慰这位伤心的母亲。当我们因为和道德沦丧的丑恶现象进行毫无效果却又无休止的争斗后，感到精疲力竭时，假如能重新回到这片意志和信仰的海洋中浸润一下，那就将获得奇妙无比的慰藉和力量。他身上散发出来的是一种勇气、一种斗争的欢乐、一种感到与上帝同在的陶醉，我们被深深地感染。仿佛在与大自然的频繁沟通中①，他终于从中汲取了深邃而磅礴的力量。格里尔巴则对贝多芬的仰慕中含有一种敬畏，他在谈到贝多芬时说："他一直深入到一个可怕的境界，艺术竟然与充满野性和变幻莫测的古怪元素混合在了一起。"舒曼对他的《第五交响曲》也作过这样的评价："虽然我们时常听到它，但它仍然对我们有着一种永恒的威力，就像自然现象的每一次发生都让我们充满恐惧和惊愕。"他的挚友辛德勒说："他抓住了大自然的精华所在。"千真万确。贝多芬是大自然的一股力量，一股原始的力量，在与大自然其他的力量碰撞冲击后，便产生了荷马史诗般的壮观气象。

贝多芬的整个人生就像是一个雷雨天。最开始的时候，是一个清新明媚的早晨，唯有几丝懒洋洋的微风。然而，在这静谧的空气中，早已经隐含了一种威胁，一种不祥的预感。突然，乌云笼罩，雷声隆隆，静寂中夹杂着恐怖的声响，狂风怒号，这就是《英雄交响曲》和《第五交响曲》。尽管如此，但白昼的清纯尚没有遭受损害，欢乐依然是欢乐，忧伤中依旧存有一线希望。但在1810年以后，心灵的平衡被打破了，光线显现出一些异样。那些如明镜般的思想，仿佛水汽一般升腾，散而复聚，凄惨而变幻无常地骚动笼罩着人们的心。欢乐的希望常常在雾气中浮现一

① 辛德勒曾说道："贝多芬传授了我很多大自然的学问，他像指导我研究音乐一样，指导我发掘大自然的秘密。他陶醉于大自然的威力之中。"

两次之后，便消失无踪，唯有在曲终时才能在一阵狂飙中重现。甚至快乐也显得苦涩而狂野。他所有的情感都掺杂着一种狂热的毒素。随着夜幕的降临，暴风雨也在酝酿。接着，沉重的乌云蓄满了闪电，天空一片漆黑，暴雨倾盆而至，《第九交响曲》开始了。忽然，在狂风骤雨之中，黑暗被撕裂了一道口子，在纯粹意志力的作用下，被驱逐殆尽，白昼的明媚重新出现在眼前。多么荣耀的征服啊？拿破仑的哪一场战役可与之媲美？奥斯特利茨（1850 年，拿破仑曾在这里取得大胜）哪一日的阳光能达到这种超凡的荣耀？它们如何能与这个疾病缠身、孤苦无依的人所获得的辉煌的精神胜利相比呢？他是悲伤的代表，一个世界不给予他欢乐的人，却创造了欢乐，并把这份欢乐奉献给世界！他以自己的苦难来铸就欢乐。他用一句豪言壮语浓缩了他的一生，这句话已经成为一切勇敢的心灵的箴言：

"用苦难赢取欢乐。"

贝多芬的遗书

给我的弟弟卡尔和约翰·贝多芬

啊，你们这些人，怎么能把我看作或让我被别人看作是一个心怀怨恨、执迷不悟、愤世嫉俗的人呢？这对我真是太不公平了！你们根本不明白隐藏在外表下的真相！从童年时起，我的心灵和精神便趋向于温柔仁慈的情感，而且我一直准备着做一些伟大的事业。然而，你们想想吧，这六年来，我的身体一天比一天糟，还因为一些庸医的误诊而加重病情。日复一日，年复一年，那些医生总是用会好转的借口欺骗着我，可最终我却只能面对顽疾。即使这种病有治愈的希望，那也要等上许多年。我虽然生来就具有一种积极而热情的性格，甚至能适应社会上的各种消遣，但却过早地被人类驱除，成为孤零零地一个可怜人。有时，我想竭尽全力克服这一切，但每次我都无可奈何地被耳聋这个悲惨的缺陷所阻止！但是我又没有办法跟别人说："请您大声点说，大声点，因为我是个聋子！"啊！你叫我怎么说得出口，说我的一个器官出了问题吗？这个器官对我来说，应该要比别人的更加完美、更加优秀。而从前它的确是最完美的，在从事音乐这一行的人之中，没有几个人的听力能像我一样完美！啊！我说不出口！所以，当我本想与你们作相处而你们又看到我孤僻自处时，请你们原谅，这并不是我的本意。我的不幸让我痛苦不堪，而人们的误解则更让我承受加倍的折磨。在交往中、在微妙的谈话中、在大家彼此倾诉彼此安慰中得到慰藉，于我来说是不可能的。孤独，彻底的孤独。我越是想在交际场合露面，就越是不能冒险。我只能过着放逐者的生活。假如我走近一个交际场合，我心里总是忐忑不安，唯恐被人发现我是个残疾。

所以，我在乡下住了半年。我那高明的医生建议我要保护好听觉，这当然也是我的心愿。虽然很多次我都渴望与人沟通，而且禁不住地想走过去。可是，当我旁边的人能听见远处有笛声而我却什么都听不到时，或者他听见牧童在歌唱而我却什么都听不到时，那真是奇耻大辱啊！这样的经历让我彻底陷入了绝望的深渊：我几乎结束了自己的生命。是艺术挽救了我。啊！看来在完成被赋予的全部使命之前，我是无法离开这个世界的。于是，我苟且偷生，过着一种悲惨无比的生活。我的身躯是多么的虚弱啊！即使是最微小的变化都能使我从最佳状态转入死亡的边缘！"要有耐心！"别人都这样劝诫我，目前，我也只能将它当做向导。我已经有耐心了，希望我勇于抵抗的决心能够长久保持，直到无情的死神将我带走。二十八岁，我不得不看破一切，被迫成为了一个哲学家，这并非易事。尤其对于一个艺术家来说，要做到这一点更是难上加难。

神灵啊，你能从天空之上俯视我的灵魂，你明白它，你深知它抱有对人类的爱和为人类谋取福祉的愿望！啊，人啊，如果有一天你们能读到这些文字，不要忘记你们曾经是怎么不公平地对待我。愿不幸的人在看到一个像他一样不幸的落难者依旧在苦难面前用尽全力拼搏时，能得到一些安慰，进而不顾自然的种种障碍，竭尽全力，以无愧于人的称号。

你们，我的兄弟，在我死后，如果施密特教授健在的话，就以我的名义请求他将我的病情详细地描述出来，并在后面加上这封信，我想，在我死后人们会与我重归于好。同时，我承认你们是我那微薄的财产（如果可以这么称谓的话）的继承人。愿你们能公平分配，以后要和睦相处，同舟共济。你们心里应该清楚，我早已原谅你们带给我的伤害。卡尔兄弟，我要特别感谢你在这段时间里对我的关怀与体贴。我祝愿你们生活得更加美好，远离忧愁，不要像我这样被烦恼所困扰。一定要让你们的孩子养成美德：因为并不是金钱使人幸福，而是美德。这是我的经验之谈。美德在我穷困潦倒时支撑着我。除了艺术之外，多亏了它，我才没有以自杀来结束我的生命。

永别了，你们要相亲相爱！我感谢所有的朋友，尤其是李希诺夫斯基亲王和施密特教授。我希望你们中有一个能将李希诺夫斯基亲王赠送给我的乐器当传家宝来收藏，① 但千万不要因此而发生争执。如果你们确实很缺钱的话，那大可以卖掉它们。如果还能帮你们一把，那么即使躺在墓穴中，我也会高兴万分！

如果真能这样，我将坦然地迎接死亡。如果死神在我还没有一展艺术天赋之前来临，那么尽管我命运多舛，我还是觉得它来得太早，希望它能晚点到，但即使是这样，我还是很高兴。难道不就是它把我从一种无穷无尽的痛苦中解救出来的吗？死神想什么时候来就什么时候来吧，我随时欢迎，而且是勇敢快乐地直面

① 此处指的是李希诺夫斯基亲王送给贝多芬的一套弦乐四重奏乐器。

死神。永别了，我死之后，别把我完全遗忘；我还是值得你们思念的，因为我在世时经常思念你们，想使你们幸福。但愿你们幸福！

路德维希·冯·贝多芬
1802 年 10 月 6 日写于海林根施塔特

在遗书的第四面还有这样一段：
给我的兄弟，在我死后拆阅并执行。

海林根施塔特，1802 年 10 月 10 日。我在今天向你们告别，这当然是令人悲伤的。是的，我的愿望，至少是我曾抱有的在某种程度上治愈的希望几乎彻底破灭了。宛如秋叶的枯萎与凋落，这希望对于我来说也已经枯萎了。我要走了，几乎同我来时一样。甚至连一直支撑着我的那份不凡的勇气也消失无踪了。啊，上帝啊，请赐给我真正的快乐吧！哪怕只有一天！我没有听到快乐的声音已经很久了！上帝啊！我什么时候才能再听见呢？……难道永远也听不见了吗？——啊！不，这太残酷了！

贝多芬书信摘录

致阿曼达尔牧师的信（1800 年 6 月 1 日，于维也纳）

我亲爱的、善良的阿曼达尔，我全身心挚爱的朋友：

我怀着既痛苦又快乐的心情接到并拜读了你的来信。你对我的忠诚和关爱实在无法比拟！啊！一直以来，你始终珍视我们之间的友情，没有比这更令人开心的了。是的，我曾经考验过你的忠实，但我能把你同其他人区别开来。你不是一个维也纳朋友，而是我的家乡朋友中最亲切的一个！我多希望你能经常守候在我身边啊！你的贝多芬现在太痛苦了。你知道吗？我身体上最高贵的部分，我的听力已经大大下降。就在我们在一起的那段时间里，我就已经发现了此病的征兆，可我没有说出来，一直瞒着你和其他人。打那之后，情况越来越糟了。

现在我还不知道这个病能不能治。我想这与我的肚子不舒服或许有关，但肚子的不适症状现在基本消失了。那么，我的病还能治好吗？我当然盼望如此，但是机会似乎很渺茫。因为这类病是无法根治的。我只能悲惨地活着，逃避我热爱的、我珍惜的一切。生活在这悲惨、自私的世界上！

在所有人当中，对我而言，最值得我信赖的是李希诺夫斯基了。从去年到现在，他先后给了我六百弗洛令。这些钱再加上我出售作品的钱，足以使我不必每天为面包发愁了。我现在所写的作品，可以立刻卖给五个出版商，而且价钱也还不错。我近来写了不少东西；我得知你在某某铺子订购了钢琴，我可以把我的各种作品和一架钢琴寄去你那里，这样，你就可以省下一些钱了。

目前，让我欣慰的是一位新结交的朋友。和他交往很令我愉快，我可以享受到一些谈话的乐趣和无私的情谊。他是我少年时期的朋友之一。① 我时常向他提到你，告诉他说，你是我离开家乡后最贴心的朋友。他也不喜欢某某，那个人太软弱，无法承载我们之间的友情。我把他和那位某某看作是我高兴时弹奏的乐器；但他们永远都无法了解我崇高的行为，也无法真心地融入到我的生活；我仅仅根据他们给我的回报来帮助他们。啊！如果我现在拥有完美的听力，那我该是多么的幸福啊！这么一来，我就会向你奔去。可事实是，我不得不远离这一切；我最美的年华从身边匆匆而过，凭借我的才华和力量可以成就的一切我都还没有实现。我只能选择听天由命！我何尝不想战胜所有的灾祸；但有这种可能吗？是的，阿曼达尔，如果半年后我的病依旧没有起色，我请求你放下一切来我的身边，那时我就将去旅行（我的病对我的演奏和作曲还没有特别大的影响，只是在与人交往时令人头疼），而你将是我的旅途的伙伴：我深信幸福不会离我而去。现在还有什么是我不能与之一较高低的呢？自从你走了之后，我几乎什么都写，甚至还写了一些歌剧和宗教音乐。

是的，你不会拒绝我，你会帮助你的朋友逃离病魔的迫害。我的钢琴演奏水平也大幅度地提高了，我希望你也能从这次旅行尽情享受快乐。然后，你就会永远地陪伴在我的身边。你的信我都如期收悉。虽然我很少回信，可我的心里却始终惦记着你，我的心一如既往地为你的温情跳动。我所告诉你的关于我的听力方面的事，请你为我严格保守秘密，无论对谁都不要提起。希望你能常来信。你的信，即便是寥寥数语，也能让我感到慰藉，令我

---

① 此处指斯特凡·冯·布罗伊宁。

55

获益匪浅。最亲爱的朋友，我期待着你的来信。我没有把你的四重奏①寄还给你，这是因为从我能够正式创作四重奏之后，我对它们作了大量的改动。你再收到信时，就会看到这一点。

现在，再见了，我亲爱的好友！如果你觉得我或许能为你做点令你感到愉快的事情的话，不用我说，请你第一时间如实地告诉告诉我。

你忠实的、真诚地爱你的，路德维希·冯·贝多芬

名人传

致弗兰茨·格拉德·韦格勒博士的信

（1801 年 6 月 29 日，于维也纳）

我最亲爱的韦格勒，谢谢你对我的关心！我真的受之有愧，更不敢奢望你的关心；但是，你却这样的善良，即使我不可原谅地沉默都不能使你沮丧；你是我永远忠诚、善良、正直的朋友。绝对不要以为我会忘了你，忘了你们，忘了对我来说珍贵万分的大家，不会的！有时候我十分思念你们，想在你们身边待上一会儿。我的家乡，我出生的那块美丽的地方，至今依然真实地浮现在我的脑海中，就像我离开时一样。当我再次见到我的父亲河——莱茵河，并向它致敬时，那会是我人生中最幸福的时刻。不知道什么时候我才能得偿心愿，这真的无法确定。但我至少可以告诉你们，到那时，你们会发现我又长大了，我说的不是艺术方面，而是说为人处世。你们将看到一个更善良更完美的我。如果说我们的国家还没有什么改变，那么我的艺术就将为改善穷人们的命运出一份力。啊，能够以此作为我们国家发展的基点，对我来说是何等的幸福啊！

你想了解一些我的近况，还好，并不算特别差。自去年以

---

① 此处指作品第十八号。

来，李希诺夫斯基（尽管我告诉了你，但你觉得难以置信）始终都是我最热心的朋友（当然，我们之间也有过小小的误会，但这反而增进了我们的友谊）。他给我建立了每年六百弗洛令的津贴，这些津贴一直持续到我后来找到一个比较合适的工作为止。我创作的曲子也为我赚到不少钱，订单也是应接不暇。我的每件作品都有六七家出版商愿意合作，如果我愿意的话，还会有更多的出版商希望与我合作。他们现在不再同我讨价还价了；我定什么价，他们就按什么价照付。你瞧！这是多么美妙的事情啊。比方说，我发现某位朋友经济困难，而我又没有足够的财力帮助他时，只要我坐到书桌前伏案工作，不用多久，便能帮助他摆脱困境。同时，我也比以前更节俭了。假如我想在这里定居的话，我一定会每年都举办一次音乐会，而且我已经这样做了。

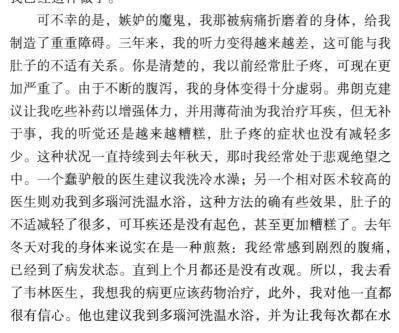

名人传

可不幸的是，嫉妒的魔鬼，我那被病痛折磨着的身体，给我制造了重重障碍。三年来，我的听力变得越来越差，这可能与我肚子的不适有关系。你是清楚的，我以前经常肚子疼，可现在更加严重了。由于不断的腹泻，我的身体变得十分虚弱。弗朗克建议让我吃些补药以增强体力，并用薄荷油为我治疗耳疾，但无补于事，我的听觉还是越来越糟糕，肚子疼的症状也没有减轻多少。这种状况一直持续到去年秋天，那时我经常处于悲观绝望之中。一个蠢驴般的医生建议我洗冷水澡；另一个相对医术较高的医生则劝我到多瑙河洗温水浴，这种方法的确有些效果，肚子的不适减轻了很多，可耳疾还是没有起色，甚至更加糟糕了。去年冬天对我的身体来说实在是一种煎熬：我经常感到剧烈的腹痛，已经到了病发状态。直到上个月都还是没有改观。所以，我去看了韦林医生，我想我的病更应该药物治疗，此外，我对他一直都很有信心。他也建议我到多瑙河洗温水浴，并为让我每次都在水里放一些强身健体的药酒。他没给我开任何药物，直到四天前才给我开了点治疗胃病的药片和一种治耳疾的草药。现在，我感觉好一些了，全身也有力气了；只是耳朵还是不分昼夜地嗡嗡作响。我的生活极为凄惨。两年来，我谢绝了一切社交活动，因为我没有办法和人交谈，我是个聋子！假如我所从事的是其他职业，或许还可以与人交往，但在这一行里，耳聋无疑是非常可怕的情况。我的敌人并不少，他们会怎样说呢！

名人传

为了让你对我耳聋的严重程度有些认识，我要告诉你，在剧院里，我不得不尽可能地靠近乐队，这样我才能听见演员们在说什么。假如离得稍微远一点，我甚至连乐器和演唱者的高音都听不见。当别人说的很慢时，我勉强可以听清；可是当人家一大声嚷嚷，我就忍受不下去了。说到将来会如何，只有天晓得。韦林医生说，即使不能完全康复，情况也一定会有所好转。很多时候，我都会诅咒自己！诅咒自己为什么要活着！普鲁塔克教导我要学会听天由命。但可以的话，我更愿意向命运挑战；可是，在我生命中的更多时候，我仅仅只是上帝最可怜的造物。听天由命！多么让人伤心的避难所啊！可这却是为我所能选的唯一出路！我请求你严守这个秘密，千万不要跟任何人说起，即使是对洛恩也不要有所透漏。我只把它作为一个我最大的秘密告诉了你。如果你能就这个问题写信和韦林医生讨论一下的话，我将不胜感激。假如我的情况依旧不见起色，那我将在明年春天时去你的身边。你可以在某处美丽的地方为我租一间乡下房舍，这样我就可以重新做一回乡下人，即便只有半年的时间，也许这对我而言都会有很大的益处。听天由命！这是多么可悲的一种逃避啊！更可悲的是，它却是我目前唯一的出路了！请原谅我，在你众多的烦恼之中，还要给你带来这份友谊的烦恼。

斯特凡·冯·布罗伊宁现在也在这里，我们几乎每天都待在一起。回想起往昔的时光，我倍感欣慰！他真的成长为了一个善良、优秀的青年，而且对事情颇有见地，像我们一样，心地纯正善良……

此外，我也非常想给洛恩写信，尽管我很久没有和你们联系了，但我从没有忘记你们中的任何一个。亲爱的、善良的好人们，对于写信，你们是了解的，我并不擅长，即使我最要好的朋友也都是好几年收不到我写的信了。我只是生活在音符之中，一部作品刚创作完，另一部就又开始了。我现在的工作方式往往是同时做三四件事。

你要常给我来信啊！我会尽量地抽出时间来给你回信。代我向大家问好。

再见了，我最忠诚、善良的韦格勒！请相信我的爱和友谊。

你的好友，贝多芬

致韦格勒的信 （1801 年 11 月 16 日，于维也纳）

我善良的韦格勒：

感谢你再次关心我，因为我自感不配。你想知道我身体健康的近况，虽然这不是我喜欢谈论的问题，但我还是很乐意和你谈谈。

最近几个月来，韦林总要给我的两只胳膊上敷发疱药，这种药是用一种树皮制成的。这种治疗方法让我十分难受，因为在这种树皮彻底蔫掉之前，我的胳膊是不能活动的，至于痛苦，就更不必说的。是的，我不否认耳鸣症的确比以前减轻了许多，尤其是左耳——我的耳疾就是从左耳开始的。不过，听觉却直到现在都没有丝毫改善；我不敢肯定病情是否已经变得更加糟糕了。但至少我的肚子好多了，特别是在洗了几次温水澡后，将近十天的

59

时间都感觉很好。我一直遵照你的意思按时服用健胃药物，并开始用草药敷肚子。韦林对淋浴的方法不屑一顾，可我对他也不太满意。他对我的病已经不怎么关心了，经常敷衍我。去他那里是很麻烦，但假如我不去找他的话，那就根本见不到他。你看施密特的医术怎么样？我并不是心血来潮，忽然想另换医生，而是觉得韦林过于重视手术治疗，不肯从书本中学习新知识、新观念、新方法。就这一点来说，我认为施密特完全不一样，他可能不会像韦林那样敷衍了事。我听说直流电疗法效果很好，你觉得呢？有一个医生告诉我说，他曾见过一个聋哑儿童通过这种疗法最终恢复了听觉，还有一个聋了七年的人也是通过这种方法治好的。我还听说施密特正好在这方面有一些经验。

现在，我的生活变得有意思多了，也开始习惯与别人交往了。你根本无法想象这两年来我过的日子是多么的孤单而痛苦。我的残疾就像一个恶魔一般阻挡在我前面，使我不得不躲避着人们。在别人眼里，我显得愤世嫉俗，尽管事实并不是如此！我之所以有这种变化，完全得益于一位温柔可爱的姑娘。她爱我，我也十分爱她。两年来，这是我第一次享受幸福时光，也是我第一次觉得婚姻可以给人带来幸福。可不幸的是，她与我生活的境况不同，说实话，目前我们还不可以结婚，我还必须勇敢地挣扎一番。假如不是讨厌的耳疾阻挡，我可能早已走遍半个世界了，而这是我很想去做的。对我来说，再也没有什么能够比创作音乐并展现它更让我感到快乐了。别认为我在你们家里就是快乐的。谁还能让我快乐呢？你们的关爱甚至对我都是一种伤害，我时刻都能看到你们脸上同情的表情，这让我更加痛苦。我美丽的故乡啊，是哪里一直在吸引着我？可能只是希望环境能变得更好罢了。假如我没有耳疾，这个希望或许早就实现了！啊！如果能摆脱这疾病的折磨与困扰，我就会拥抱整个世界！

比起以往，我的体力与智力都有所增加。我感觉到我的青春似乎刚刚开始。我每天都在接近那个只可意会而不可言传的目标。唯有在这种思想中，你的贝多芬才能生存下去。除了睡眠，我不知还有什么休息。遗憾的是，我必须花比以前更多的时间在睡觉上。哪怕我的病情能好一半也行，那么，我将成为一个更加自由、成熟的人，到那个时候，我就会奔向你们，拉紧我们之间的友谊的纽带。

你们应该看到，我可以在这个世界上获得幸福，而不是个不幸之人。——不，我再也无法继续忍受下去了，我要扼住命运的咽喉，它绝不会使我屈服。啊，假如能千百次地享受人生，那该是多么美妙的事啊！——不，我清楚地知道，我生来就不是能过平静生活的人。

……代我问候洛恩……

——你真的有些爱我，不是吗？你要相信我的友爱和情谊。

你的贝多芬

致韦格勒博士的信（1826 年 10 月 7 日，于维也纳）

我亲爱的老伙计：

收到你和你的洛恩的来信令我高兴万分啊，我简直无法用语言形容。当然，我本应该马上给你们回信的，这都怪我太过疏懒，尤其是在写信方面，因为我认为，最好的朋友即使不写信，他们也会很了解我。我常常在脑海里构思着如何回复你们的信，可每当落笔准备写信时，我却总是将笔扔得老远，因为文字表达的总不同于我的真实感受。我铭记着一直以来你对我的所有的爱，比如，那次你叫人为我粉刷房间，使我感到意外的欢喜。我也忘不了布勒宁一家。天下没有不散的宴席，分离是世间的常理。每个人都有自己的目标，都要各赴自己的前程。但永远不变的美德原则始终把我们紧紧地联系在一起。很可惜，今天的我不能随心所欲地给你写信，因为我正抱病在床……

我的心里始终装着你的洛恩的倩影，我这样说，你就知道她是我年轻时所有美好的和心爱的东西，永远对我是万分宝贵的。

……我的箴言始终都是：无日不动笔。即使偶尔我让艺术之神小憩，那也是为了让它醒来之后更加精神饱满。我希望自己能再有几部好作品流传于世。而后，我就会像个老顽童一样，在善良正直的人们中间结束我的尘世生活。

……在我获得的所有荣耀中，我要告诉你（我知道，你听了一定很高兴），法国已故国王曾赠予我一枚勋章，上面镌有"国王赠与贝多芬先生"的字样，另外，还附有皇家侍从长夏特尔公爵的一封十分谦逊的亲笔信。

再见了，我亲爱的老伙计，今天就在这里搁笔吧。对往事的回忆牵动着我的心，寄出这封信的时候我会禁不住流下热泪。今天这封信只不过是个引子，不久你就会收到我的第二封信；而你写给我的信越多，我就越高兴，当我们的友情达到这种程度，这一点是无可置疑的。再见了。请代我亲吻你亲爱的洛恩和孩子们。别忘了我。愿上帝与你们同在！

永远爱你的，你的忠实的、真正的朋友
贝多芬

贝多芬论音乐

名人传

为了美，没有任何一条规则是不可以打破的。

音乐应该使人类的精神迸发出火花。

音乐是一种比所有智慧、所有哲学更至高无上的启示……凡是能参透我的音乐内涵的人，必定能摆脱常人所无法摆脱的苦难。

（1801 年《致贝蒂娜得信》）

最美好的事莫过于接近神明，并在人间散播它的光芒。

为什么我要创作？——我心里面蕴含的东西必须表现出来，我正是为此而创作的。

你相信吗？当神明跟我说话，我写下它告诉我的一切时，我心里想的是一把神圣的小提琴！

（《致舒潘齐希的信》）

按照我写曲子的习惯，即便是创作器乐的时候，我心里也有一个整体的轮廓。

（《致特赖奇克的信》）

应该不用钢琴而能够写曲，这是必要的，可以逐渐培养一种能力，把我们所向往的、所感受的东西准确地表达出来，这对于高贵的灵魂必不可少。

（《致鲁道夫大公的信》）

描写属于绘画。就这一点来讲，诗歌与音乐相比可以说是幸运的，它的领域不像音乐那样受限制。但另一方面，音乐的领域能够在其他区域扩展得更远，而且，普通人要到达音乐的王国也很难。

（《致威廉·热拉尔的信》）

自由与进步是整个人生的目标，也是艺术的目标。假如说现代人不如我们的祖先那么坚定，那么，文明的精炼至少开阔了我们的视野。

（《致鲁道夫大公的信》）

我没有在创作完成后再作修改的习惯，因为我相信一个真理：即便是最微小的变更也会影响作品的特点。

（《致汤姆逊的信》）

除了荣耀归于主或其他这类作品，纯粹的宗教音乐只能用声乐来表现。所以我偏爱帕莱斯特里纳的作品。然而，如果在不具备他的精神以及他的宗教观的前提下去模仿他，那则是荒谬的。

（《致管风琴手弗罗伊登贝格的信》）

当你的学生在弹奏钢琴时，能做到指法恰当，节拍准确并且音符也弹得很准确，那么你只需注意风格，不要因为一点小错误而打断他，等一曲终了时再向他指出来。这种方法可以造就音乐家，无论如何，这都是音乐艺术的最初目的之一……有关表现技巧的段落，可以让他自由运用所有手指……当然，如果手指用得少些，能获得人们所说的"贵如珍珠"的美誉，但有时我们也会喜欢其他珠宝。

（《致车尔尼的信》）

在古代大师中，只有德国人亨德尔和赛巴斯蒂安·巴赫才是真正的天才。

（1819 年，《致鲁道夫大公的信》）

我的心全都在为"和声之父"赛巴斯蒂安·巴赫的崇高而伟大的艺术跳动。

（1801 年，《致霍夫迈斯特的信》）

我一直崇拜着莫扎特，直到我生命的最后一刻，我都崇拜着他。

（1826 年，《致斯塔德勒神甫的信》）

我欣赏您的作品，甚于欣赏其他一切戏剧作品。每当我听说您有一部新作问世，我都十分高兴，比对我自己的作品更感兴趣：总之，我敬佩您，欣赏您……您将永远是同时代人中我最敬重的一个。假如您能给我写几句回信，我将会倍感欣慰。艺术将人们联系在一起，尤其是真正的艺术家，或许您会认为我有资格归入此列。

（1823 年，《致凯鲁比尼书》）

米开朗琪罗传

引　言

　　佛罗伦萨的国家博物馆里，有一尊大理石雕像。这尊雕像被米开朗琪罗①称为"胜利者"。这尊雕像雕刻的是一个全身赤裸的青年，他昂首挺立，低低的额头上盖满了卷曲的头发，单膝跪在一个大胡子囚犯的背上。那个囚犯蜷曲着身子，脑袋像一头牛一样一直伸向前方。但是，青年人并没有看他。正当他举起拳头将要打下去时，他停住了，把略显悲伤的嘴巴和踌躇不定的目光移向了别处。他的胳膊向肩头折回，身子开始往后仰。他已经不再需要胜利了，因为胜利让他感到厌倦甚至是厌恶。他虽然是胜利者，但同时他也意识到自己被征服了。

　　这尊"胜利者"雕像是米开朗琪罗最喜欢的作品，也是唯一一部到他死都还留在他的工作室中的作品。这个折翼的胜利之神，这个表示质疑的英雄形象，曾经在多少个日日夜夜引起米开朗琪罗的思考！米开朗琪罗去世后，挚友达涅埃尔·迪·沃尔泰拉②深知他的心思，想把"胜利者"安置在他的墓地旁——因为他知道那就是米开朗琪罗自己，是他整个人生的真实写照。

　　痛苦伴随着生命永无止尽地存在，它有各种各样的形式。有时它是因为世事无常而引发的，如贫穷、疾病、命运的不公、人

───────────

　　①　米开朗琪罗（1475—1564），意大利文艺复兴代表人物之一，著名的雕塑家、画家、建筑师和诗人。他所创作的艺术形象，雄伟有力，充满着旺盛的战争精神。

　　②　达涅埃尔·迪·沃尔泰拉（1509？—1566），意大利雕塑家、画家，米开朗琪罗的挚友，也是米开朗琪罗身边最有天赋的追随者之一。

心险恶等；有时它又是源于人自身，这时，人同样悲哀与无奈，因为他无法选择自己的存在。他既不曾要求活着，也不曾要求成为现在这副样子。

而追随米开朗琪罗一生的痛苦正属于后一种。他拥有力量，而且是天赋的战斗力量，这也让他从出生起就始终处于战斗状态之中，而且总是能取得胜利，可是，到底是怎么了呢？他并不想要胜利，那不是他所期盼的。这真的是一个哈姆雷特式的悲剧！拥有成为英雄的能力，却没有成为英雄的意志，有强烈的激情，却没有执著的愿望，这是多么令人心痛的矛盾啊！不要认为我们在看到许多伟大之后又发现了另一个伟大！我们永远都不会说，因为一个人实在太伟大了，这个世界就因此而容不下他。精神的忧虑并非伟大的标志。即使是被认为是伟大的人，如果他们个人与世界之间、生命与生命法则之间缺乏和谐，那么也无法成就其伟大：因为它是弱点。——为什么要努力隐瞒这一弱点呢？难道软弱的人就不值得去爱吗？——其实他才是更值得爱的人，因为他更需要爱。我并不认为英雄是高不可攀的。我厌恶卑怯的理想主义，他们没有勇气正视人生的苦难和心灵的脆弱。应该去对那些轻易相信豪言壮语、甘愿被骗的民众说：高调的谎言只是一种懦弱的表现。这个世上只有一种英雄主义，那就是根据这个世界的本来面目去认识它，并且全心全意地去爱它。

我要在此叙述的悲剧命运，表现的是一种与生俱来的痛苦，这种痛苦源自每一个人内心的最深处，它不停地吞噬着生命，直到生命终止前它绝不会离开。这是人类伟大群体中最具有代表的典型，一千九百多年来，他一直向西方世界发出痛苦和信仰的呼喊，他，就是基督徒。

将来，在很多个世纪之后，可能有一天——假如人们还能记住我们这个世界的话——未来的人们会俯身于这个消失的种族的深渊之中，像但丁站在第八层地狱的边缘一样，心中满怀怜悯、惊叹和厌恶的复杂感受。

然而，有谁能比真正置身于这些复杂情感之中的我们的感受更深呢？从儿时起，我们就对此有深刻的感受，我们就曾见过我们最亲爱的人在其中苦苦挣扎，我们已经尝到了基督教悲观主义苦涩而又醉人的味道，可在有所怀疑时，我们又必须去努力，这样才不至于像其他人那样，在犹豫之中不自觉地堕入虚幻的神圣中去！

上帝啊！永恒的生命，你是那些受难者的庇护所！信仰只不过是大多数人对生活缺乏信心的一种表现，对未来、对自己、对能够拥有勇气与欢乐的不自信！……我们应该知道，对痛苦的胜利是多少次失败才换来的啊！……

基督徒们，正是因为如此，我才爱你们，因为我同情你们，我也欣赏你们。你们使世界变得悲伤，但你们又把世界装扮得更加美丽。假如你们的痛苦不复存在，世界便变得更加贫乏、凄惨。在这个懦夫的时代里，他们既在痛苦面前颤抖，又叫嚣着索要幸福的权利，而这往往只会导致别人的痛苦。让我们勇敢地面对痛苦并尊敬痛苦吧！不仅让欢乐受到赞颂，也让痛苦受到赞颂！欢乐与痛苦就像两姐妹，她们同样神圣。她们创造世界，并培养伟大的心灵。她们是力量，是生命，是神明。只有真正体验、品味过她们的人，才能真正了解活着的价值和死亡的温馨。

罗曼·罗兰

序 篇

他是佛罗伦萨城中的一位中产市民。

——那时的佛罗伦萨，四处都是黑沉沉的宫殿；塔楼如长矛一样直戳天空；蜿蜒枯索的山峦，线条柔和而清晰，像人工裁剪般的陈列于紫色天际；低矮的小杉树和银色的橄榄树犹如波浪般起伏摇曳。

——那时的佛罗伦萨，高贵典雅。有面容苍白且带有讽刺表情的洛伦佐·迪·梅迪契①，有大嘴巴的、十分狡黠的马基雅维利②和桑德罗·波提切利③的名画《春》，还有颜色枯黄的金发维纳斯④。他们在此相聚。

——那时的佛罗伦萨，是一座狂热、骄傲、神经质般的城市，而且容易沉溺在所有疯狂、盲目的信仰之中，不断因为各种宗教与社会的歇斯底里而动荡不安。在这座城市中，每个人都是自由的，可每个人又都是专横的。在这里的生活既舒适快乐，又

---

① 洛伦佐·迪·梅迪契，十五世纪佛罗伦萨城中最具权势与声望的政治家和文学艺术的保护者。他生前曾创办了一所雕塑学校，米开朗琪罗十五岁时就曾在这所学校就读。

② 马基雅维利，意大利著名政治家、思想家、外交家和历史学家。被西方人誉为"政治学之父"，其名著《君主论》是文艺复兴的代表作之一，在后世有广泛而深刻的影响。

③ 桑德罗·波提切利，十五世纪末佛罗伦萨的著名画家，也是意大利肖像画的先驱者。

④ 这里指的是桑德罗·波提切利的名画《维纳斯的诞生》。此画与《春》是他的代表作品。

同在地狱中生活没有两样。

——那时的佛罗伦萨，居民聪明、偏执、热情、易怒，他们伶牙俐齿，生性多疑，动不动就相互窥视、嫉妒、攻击。这座城市容不得列奥纳多·达·芬奇①的自由思想，波提切利也只能像苏格兰清教徒那样，在神秘主义的幻想里了其一生。而目光炽热、形似山羊的萨伏那洛拉②让他的僧侣们围着焚烧的艺术作品的火堆跳舞，可三年后，那堆火重新燃起时，烧死的却是他这位先知者。

名人传

在那个时代的那个城市里，米开朗琪罗他就是褊狭、激情、狂热的佛罗伦萨居民之一。

当然，他对他的同胞也没有丝毫温情可言。他眼界宽广、豪放不羁，瞧不起他们那些社团的艺术，瞧不起他们那种矫饰的精神、平庸的写实、感伤的情调和病态的生活。他对待他们时的态度是冷漠而粗暴的，可他却真实地爱着他们。他并没有像达·芬奇那样含着微笑的冷漠对待自己的祖国。当他远离佛罗伦萨时，他就会为思乡之情所苦。③ 他一生都想方设法地想留在佛罗伦萨，但却往往不能如愿。在战争的悲惨年月，他曾想，"既然活着的时候不能够呆在佛罗伦萨，那么，至少死后要回去"。④

---

① 列奥纳多·达·芬奇，文艺复兴时期最杰出的画家。他学识渊博、多才多艺，对科学与哲学也有一定的贡献。代表作有《蒙娜丽莎》、《最后的晚餐》等。

② 萨伏那洛拉，意大利宗教改革家。他反对罗马教廷，曾在佛罗伦萨发动"焚烧虚妄"的运动，将首饰、纸牌、淫画等投入火中，并毁掉了若干书籍和艺术品。最后在一次暴乱中，他被处以绞刑及火刑。

③ 原文见 1497 年 8 月 19 日寄自罗马的信。"我的心常常涌起阵阵哀愁，就像远离家乡的游子一样。"

④ 原文见米开朗琪罗《诗集》卷 73 "死亡对我来说是快乐的，因为我死后便能回到我生时所不能回到的故乡了。"

米开朗琪罗的家庭在佛罗伦萨历史悠久，他一直都以自己的血统与种族为傲，甚至比对自己的天才都更加自豪。他还不允许别人把他称作艺术家："我不是雕塑家米开朗琪罗……我是米开朗琪罗·博纳罗蒂……"①

他在精神上堪称一位贵族，也具有贵族阶层的所有偏见。他甚至说："从事艺术的只应该是贵族，而不是贫民。"

对于他的家族，他怀有一种宗教般的、古老的甚至野蛮的观念。他愿意为这个高贵的的家族奉献一切，而且希望别人能和他一样。就像他自己所说的，"为了整个家庭，卖身为奴也心甘情愿"。在这方面，为了一点点小事，他都会真情流露。他蔑视自己的兄弟，对他的侄子——他的继承人——也是极为不屑。然而，另一方面，对于作为家族代表的兄弟和侄子，他又表示尊重。他在信札中不断提到他的家族：

"我们的家族……我们的家族……维系我们的家族……不要让我们的家族没有继承人……"

这个家族所特有的迷信、狂热，他一样都不少。他与他的家族就像是上帝用迷信与狂热的泥团创造出来的，但是，从这种泥团中却也迸发出了一道澄清的光焰，将这一切都净化了，这就是天才。

不相信存在天才，也不知道天才是什么样的人，好好看看米开朗琪罗吧。从没有一个人像他那样为身为天才所困扰。这种天才好像与他本人的气质并不相符：那是一个征服者，侵占了他的内心，将他奴役。虽然他意志坚定，但也对此无能为力。而且，几乎可以说：连他的精神与心灵都被奴役了。这是一种疯狂的爆

---

① 他还曾说："我从来就不是画家，更不是雕塑家。为了我的家族的荣耀，我在努力避免成为这样的人。"

发，一种可怕的生命力，是他那过于柔弱的身躯和心灵所无法控制的。

他奋力生活在这种持续不断的疯狂中。过度旺盛的力量让他痛苦不堪，也促使他工作，不断地工作，一刻也难得休息。

"为了工作，我已经精疲力竭了，从来没有人像我这样拼命过，"他写道，"除了不分昼夜地工作之外，我什么都不去想。"

这种病态的工作状态不单让他的工作量越来越大，也给他增添了许多无法按期兑现的订单。他简直成了一个工作狂，堕入到了偏执的深渊之中。他甚至想要雕刻整座山。如果他想建造某座纪念性建筑，他就会耗费数年的时间跑到石料场去挑选石头，同时还要修筑道路来运输石头。他什么都想干：工程师、凿石工、手工制作者。他凡事亲力亲为，比如修建宫邸、教堂，他都是自己动手。事实上，他过的就是一种苦役犯的生活。他甚至连吃饭、睡觉的时间都挤不出来。在他的信札里，我们经常可以看得到这样令人心痛的字句：

> 我根本顾不上吃饭……因为没有这个时间……十二年来，我把自己的身体累垮了，连日常生活的必需品我都没有……我分文皆无，身体上还忍受着各种疾病的折磨……我生活在贫困和痛苦之中……同苦难进行着无休止地斗争……

其实，他说的这种苦难都是他自找的。米开朗琪罗很有钱，他挣了很多钱。[1] 但是钱对他来说有什么用呢？他还是像穷人那

---

[1] 在米开朗琪罗去世后，他的家人在他罗马的寓所里发现他藏有七千到八千金币。在佛罗伦萨，他也有大量存款和地产。但他攒钱并不是为了自己花，而是为了别人，他自己始终十分节约，生活从不追求奢华。

样活着，像拉磨的驴子一样被自己的活计奴役着。没有人清楚他为什么要自讨苦吃，谁也搞不明白他为什么不能有节制地工作，没有一个人能明白这种苦对他来说已经是自身的一种需求。就连同他脾气极其相似的父亲也责怪他说：

你的弟弟对我说，你过日子很节俭，甚至节俭到了清贫的地步。节俭当然是好的，但弄到清苦就不是好事了，这是上帝和人类都不喜欢的一种坏习惯，它会损害你的心灵和身体。在还年轻的时候，你或许感觉不到这种损害，但当你慢慢衰老时，以往清苦生活所带来的疾病与痛苦会——出现。不要再过得那么清苦，工作要适可而止，一定不要缺乏营养，不要太过劳累……①

然而，无论什么样的劝说都无济于事。他从不想改善自己的生活。他只吃点面包，喝点葡萄酒，每天只睡几小时。当他在波伦尼亚忙着为尤利乌斯二世②雕刻铜像时，他和他的三个助手竟然挤在一张床上睡觉，因为他只有一张床，又不想添置新床。睡觉时，他往往和衣而眠，连衣服靴子都不脱。有一次，一觉醒来，他发现腿肿了，于是只能把靴子割破。靴子被割下来时，他的腿皮因为连在靴子上而被一起扯了下来。

这种令人吃惊的卫生状况，让他正如他父亲所预料的那样常常因此生病。我们在他的信件中，发现他一生得过十四五次大病。其中几次高烧，差点儿让他一命呜呼。他的眼睛、牙齿、

---

① 在这封信的后面，父亲还有几句关于卫生方面的劝告，从中可以清楚看到当时文明匮乏的程度："注意保护好你的头，要注意它的保暖，千万别洗澡，让人为你擦拭一下就好了。记住，千万别洗。"

② 尤利乌斯二世，罗马教皇，是一位为政教合一事业而奋斗的政治家。

头、心脏都有病。神经痛更是时刻折磨着，特别是在睡觉的时候，因此对他来说，睡觉成了一件苦不堪言的事情。他未老先衰，四十二岁时，他便感觉到自己已经进入老年了。四十八岁时，他在信中说，如果工作一天，他就必须休息四五天。但他却固执地不肯去看医生。

比起这种疯狂工作所带来的肉体的痛苦，精神上的损害也是有过之而无不及，他忍受着悲观主义情绪的侵蚀。对他而言，这是一种家族遗传病。在他的青年时期，他就想尽办法宽慰他那受妄想症迫害的父亲，而他的病情比他的父亲更严重。不知疲倦地的工作导致的高度疲劳，使他多疑的精神毫无防备地陷入种种迷惘、狂乱之中。他开始猜疑他的敌人、他的朋友，甚至他的家族、兄弟和养子。他一直怀疑他们迫不及待地盼着自己早点死。

一切都让他忐忑不安①；他的家人嘲笑他这种神经质的状态。② 就像他自己所说的，他处在"一种悲伤或者说癫狂的状态"③。因为长年累月的痛苦，他竟然将痛苦变为了一种嗜好，并且从中找到了一种享受痛苦的快感："越是让我痛苦，我就越是快乐。"（《诗集》卷 152）

一切都成了痛苦的主题，包括爱和善④。"忧伤就是我的欢

---

① "我痛苦地生活在无休止的猜疑中……我不相信任何人，即使睡觉我也会睁着眼睛……"

② 1515 年，在写给他的兄弟博纳罗托的信中，米开朗琪罗说道："……不要对我所写的东西不屑一顾……任何人都不应该随便嘲笑别人。在这个年头，为了自己的灵魂与肉体而提心吊胆，并非坏事……任何时候，都应小心为妙……"

③ 米开朗琪罗常称自己是"忧郁与疯狂的人"，或者是"疯子与恶人"。他也曾为自己的这种疯狂辩护，说"疯狂只会对自己有害"。

④ 米开朗琪罗曾经写道："任何事物都让我感到悲哀，甚至是善，也因为它的短暂而让我的心灵充满痛苦。"

乐。"（《诗集》卷81）

没有一个人会像他那样地倾向痛苦而拒快乐于门外。他的眼中充满了痛苦，甚至在无限的宇宙之中，他所唯一感受到也是痛苦。世界上所有的悲观全都凝聚在这句绝望、偏执的呐喊中："所有的欢乐都抵不过小小的痛苦！……"（《诗集》卷74）

"他那没有地方发泄的精力，"科蒂维①说，"几乎让他与整个人类社会完全隔绝。"

他孤零零一人。——他恨别人，也被别人恨。他爱别人，却不被别人所爱。人们对他的感情是钦佩中带有惧怕。晚年的他，在人们心中引起了一种宗教般的敬畏。他凌驾于他的时代之上，这让他的心稍微平静。他从高处向下看人们，而人们则从低处向上看他。他始终单身，一直忙忙碌碌，即使最卑微的人所享受的那种温馨他从没有享受过，在他的一生之中，连一分钟都不曾在别人的温柔爱抚中安然入睡。他与女人之间注定没有爱情，在这荒凉的天地间，唯有维多丽亚·科洛娜②的友谊，曾像纯洁闪亮的星光，划过他的夜空。可之后，他的周围又是一片漆黑，只有他炽热的思想像流星一般，飞驰而过，这是他欲望与狂乱的梦幻，是贝多芬从未经历过的黑夜。因为这夜晚本就只存在米开朗琪罗的心底。贝多芬的悲愤源自人们的过错，他本人却积极乐观、渴望欢乐。至于米开朗琪罗，他的忧伤烙印在他的骨子里，致使周围的人本能地感到害怕，对他敬而远之。于是，他的周围就成了一片空虚。

这还算不了什么，孤独并不是最糟糕的，最糟糕的是他自己

① 科蒂维，意大利画家、雕塑家和作家，也是米开朗琪罗的学生兼好友。

② 维多丽亚·科洛娜，意大利著名女诗人。

与自己过不去。他甚至没有办法好好生活，没有办法控制自己，总是自我否定，自我斗争，自我摧残。他的心永远在背叛他的天才。有人说他拥有一种"反抗自我"的宿命，也正是这种宿命，阻止他实现那些伟大的计划。这所谓的宿命，就是他自己。他不幸的关键，以及他一生全部悲剧的所在——人们很少看到或不敢去看的东西——就是他缺乏意志力和坚定的性格。

在艺术和政治上，他一切的行动和思想都显得优柔寡断。如果有两件作品、两项计划或两种建议让他选一个，他便不知所措。比如，在修建尤利乌斯二世的纪念碑、圣·洛朗教堂的正门、梅迪契家族的陵墓时，都充分表明他的犹豫。他总是不断地开始，却始终无法理出头绪。他既想要又不想要，刚一作出决定，便马上又产生怀疑之心。到晚年时，他再也没有完成什么大作品：他对一切都产生了厌倦之心。有人说，他的工作都是别人强加给他的。有人把他的这种瞻前顾后、犹豫不决的责任归咎于他的买主们。可是人们忘了，如果他想要拒绝的话，那么那些买主们是绝没有任何办法逼迫他的。但是他没有勇气拒绝。

他非常软弱，在各方面都是如此，这既是因为道德也是因为胆怯，还有太过认真的因素。他对什么事都要反复考虑，如果换做一个果断的人，那么这些考虑往往就会变得多此一举。然而，米开朗琪罗的责任心很强，他认为即使他也必须去干一些平庸的工作，[①] 事实上，这类工作交给任何一个普通工匠，说不定都要比他做得好。他既不懂得如何履行合同，又不肯放手让别人去做。

他的软弱源自谨慎与害怕。尤利乌斯二世称他是"可怕的

[①] 在他为圣洛伦佐雕塑墓像时，他甚至在塞拉维扎采石场待过好几年时间。

名人传

人"，而瓦萨里①的眼中，他却只是个"谨小慎微的人"。他的确太谨慎了。这个"令所有，乃至教皇都害怕的人"却也害怕着所有人。与王公贵族们在一起时，他虽然软弱，可他比任何人都看不起那些在王公贵族面前软弱的人，称他们是"为王公贵族们负重的驴子"②。他一直都想躲开教皇，但却始终没躲开，而且还得唯命是从。他甚至能够容忍买主们带有侮辱性的信件，答复他们时也是恭敬有加。③ 有时，他也会被气得跳起来，用傲慢的语气说话，但最后他都是让步者。一直到死，他都在挣扎，但却是无力的挣扎。克莱蒙七世是所有教皇中对他最仁慈的一个，他与其他人的说法恰恰相反，他最了解米开朗琪罗的弱点，并且对他怀有很强的怜悯之心。④

在爱情方面，米开朗琪罗已经完全丧失了尊严，即使在像怀博·特·勃齐奥这类的混蛋面前，他都抬不起头来。他甚至能够把托马索·特·坎瓦尼里这样一个可爱但却十分平庸的人称作"伟大的天才"。

然而，不可否认的是，爱情让他的这些弱点十分感人。当他因为胆小畏惧而变得软弱时，这些软弱也只是痛苦的——不敢说是"可耻的"表现。因为忽然被巨大的恐惧攫住了，他惊慌失

————————

① 瓦萨里，意大利著名画家、艺术史学家，其著作《美术家传记》在 1550 年出版后，引起巨大轰动。

② 见他与瓦萨里的谈话。

③ 1518 年 2 月 2 日，红衣教主尤利乌斯·梅迪契（也就是未来的克莱蒙七世）怀疑米开朗琪罗被他人收买，于是给他写了一封带有侮辱性的信。米开朗琪罗屈服了，在回信时，他说："在这个世界上，我一心只想讨你的欢喜。"

④ 参看佛罗伦萨被攻陷后，米开朗琪罗与塞巴斯蒂安诺·德尔·皮翁博之间的信件。克莱蒙七世关心他的健康、担心他的苦恼，还曾发诏书为他辩护，给他说好话。

名人传

措，只能在意大利四处奔窜。1494 年，他被一个幻象吓得逃离了佛罗伦萨。1529 年，佛罗伦萨被围，他受命负责守卫城池，可他却再次逃走了，逃到了威尼斯，甚至作好了逃往法国的准备。之后，他对自己的这种行为感到羞愧万分，决定弥补自己的错误，于是返回佛罗伦萨，完成了自己的使命，一直坚守到城破。佛罗伦萨被攻陷后，城里许多人都被流放，他又被吓得魂不附体！他甚至还去巴结放逐官员华洛利——那个刚刚把他的朋友、高贵的巴蒂斯塔·德·巴拉处死的法官。可悲！他甚至不愿意承认那些被流放的佛罗伦萨人是自己的朋友，与他们划清了界限。

他又开始害怕，他为自己的畏惧而羞愧。他看不起自己，以至因为厌恶自己而使自己病倒了，他甚至还产生了自杀的念头。周围的人都认为他快死了，但他死不了，在他的身体中，还存有一种疯狂的求生力量。这种力量每天都会提醒着他、紧紧拉住他，而这也让他的痛苦日复一日。假如他能不再工作该多好！可是他做不到，他必须继续工作。但是，他的工作却不是出于主动，他是在被迫地工作，他像但丁笔下的罪人那样，被卷进自己那激烈的矛盾的激情旋涡中，苦苦挣扎。

他该有多苦啊！"啊，啊，让我不幸吧！继续不幸吧！在往日的岁月里，没有哪一天是真正属于我的！"

他曾向上帝发出绝望的呼救："啊，上帝！啊，亲爱的上帝！有谁能比我自己更能了解我自己？"

他之所以渴望死亡，那是因为在他看来，死亡可以结束这种令人发疯的奴役生活。在谈到死去的那些人时，他是多么的羡慕啊！

你们不比再为生命的嬗变和欲念的转换而感到忧惧……

今后的岁月不会对你们施暴；

必须与偶然都不可能再操纵你们了……

写这些话时，我又怎么能不羡慕呢？①

死亡！离开这世间！脱离万物的桎梏！摆脱对自己的幻想！
"啊！使我，使我无法再回复我自己吧！"

卡皮托勒博物馆里，我们似乎依然能听见这悲怆的呼声从那
张痛苦的脸上发出来，他的那两只惶恐不安的眼睛仍然在注视着
我们。②

他中等身材，宽肩膀，肌肉结实而发达。因为工作太过劳
累，身体有些变形。走路时，他的头往上仰着，佝偻着背，腹部
往前突。这就是弗朗西斯科·特·奥兰达③为米开朗琪罗画的一
幅肖像画：他侧身站立，身穿一件黑衣服，肩披一件罗马式大
衣，头缠一条布巾，戴着一顶深黑色宽毡帽，压得很低。他的脑
袋略圆，布满皱纹的额头向外突出，黑色微卷的头发有点稀疏。
眼睛很小，目光忧伤但却很敏锐，深褐色眼珠里，有着黄褐和蓝
褐色的斑点。鼻子饱满宽直，中间隆起，曾被托里吉雅④的拳头
打破过。从鼻孔到嘴角有一些很深的皱纹。嘴唇很薄，嘴唇微微
前突。鬓毛稀疏，像牧神般的胡须不算浓密，都有了分叉，长约
四五寸，环绕着突起的颧骨和塌陷的面颊。

整个面部笼罩着他的那份悲哀与犹豫的神情。这完全是诗人
塔索时代的典型面像，深深地烙印着不安，显得充满怀疑之心。

---

① 此句出自 1534 年米开朗琪罗为悼念去世的父亲创作的诗篇。

② 这里的描写是根据后世众多画家、艺术家所画的米开朗琪罗的肖
像而得的。

③ 弗朗西斯科·特·奥兰达，葡萄牙画家、作家。

④ 塔里詹尼，意大利雕刻家、画家。

凄凉而忧伤的目光启迪、呼唤着人们的同情。

我们就不要再和他斤斤计较了，就把他盼望一生而并未能获得的那份爱给了他吧。他已经尝到了一个人所能尝到的最大的痛苦。他亲眼目睹自己的祖国遭受奴役，整个意大利落入他人之手达数百年；他看到自由的泯灭，他看到他所爱的人一个个相继死去，他看到艺术明灯，一盏盏地熄灭。

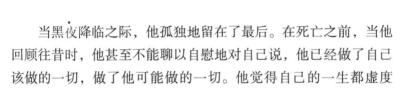

当黑夜降临之际，他孤独地留在了最后。在死亡之前，当他回顾往昔时，他甚至不能聊以自慰地对自己说，他已经做了自己该做的一切，做了他可能做的一切。他觉得自己的一生都虚度了。他放弃了自己的欢乐，为艺术牺牲了自己的一生。

他称得上高寿，活了整整九十岁，但他没有一天是快乐的，没有一天能够享受真正的生活。他一直在强迫自己去做那些艰苦的工作，可是，却未能实现他伟大计划中的任何一项。他认为最伟大的那些作品，那些他最看重的作品，竟没有完成一件。命运的嘲弄使得这位雕塑家①只能完成那些他不愿意做的作品。在那些曾给他带来自豪、希望和无数痛苦的作品中，有的在他生前就被毁了，如《比萨之战》的图稿、尤利乌斯二世的青铜像等，另外一些如尤利乌斯的陵墓、梅迪契家族的教堂也都被毁掉了，剩下的只是写有他构思的草图。

在雕塑家吉贝尔蒂②的《回忆录》中，讲述了巴纳德公爵手下一个可怜的德国首饰匠的故事。故事中说，此人足"以同希腊古代雕塑家相媲美"，但到了晚年，却目睹自己花费了无数心血

---

① 米开朗琪罗称自己是"雕塑家"而不是"画家"。
② 吉贝尔蒂，文艺复兴时期意大利著名的青铜器雕塑家。

创作的作品被毁掉了。——他看到自己所有的辛劳都被毁掉，于是便跪倒在地，高声喊道："啊，主啊，你是这天地的主宰，万物都由你创造，请别再让我迷失方向，除了追随你，我不会再追随任何人了，请你可怜可怜我吧!"他随即把自己所有的财产全都分给了穷人，然后退隐山林，了却残生……

名人传

　　和这个可怜的德国首饰匠一样，米开朗琪罗到了暮年，痛苦地看到自己的一生如同虚度，看着自己的努力付之东流，看着自己的作品不是尚未完成，就是被毁掉。于是，米开朗琪罗退隐了。文艺复兴时期的骄傲，胸怀自由且威严的灵魂，同他一起返璞归真。"遁入神明的爱，那神明在十字架上正张开双臂欢迎我们"。

　　"欢乐颂"壮美的声音没有喊出。直到生命的最后一刻，他发出的都只是"苦难颂"和解脱一切的"死亡颂"。他被完全地击败了。

　　这就是征服世界的成功者之一。我们在享受着他天才般的杰作的同时，就像享受先辈们的功绩一样，再也不去想，他们为之流过多少鲜血。

　　我愿将这鲜血展现给所有人，我愿高举英雄们的旗帜，让它们在我们的头顶迎风飘扬。

上篇　搏斗

一　力量

　　大卫用他的弹弓，我用我的弓箭。

　　1475 年 3 月 6 日，米开朗琪罗出生在意大利加森廷省的卡普雷塞镇。他的出生地崎岖不平、"空气清新"①，周围布满了岩石和山毛榉，远处耸立着亚平宁半岛怪石林立的山脊。距卡普雷塞镇不远的地方，就是达西斯看见基督在阿尔维尼亚山上显圣的地方。

　　他的父亲是卡普雷塞和丘西两个地区的最高行政官。生来就是个暴脾气和"害怕上帝"的人。米开朗琪罗六岁时，母亲去世，留下他们五个兄弟，分别是：莱昂纳多、米开朗琪罗、博纳罗托、乔凡·西莫内和吉斯蒙多。②

　　米开朗琪罗幼年时期曾被寄养在塞蒂涅阿诺的一个石匠家中。后来，他经常开玩笑说，他之所以想成为雕塑家是源于这位石匠妻子的乳汁。进入佛罗伦萨的学校读书后，米开朗琪罗最初只对素描颇感兴趣。"为此，他常受到父亲及叔叔伯伯们的白眼，并且还经常挨他们的毒打，因为他们十分痛恨艺术家这个职业，

---

　　① 米开朗琪罗曾说，自己的天赋源自于故乡"清新的空气"。

　　② 在五个兄弟中，莱昂纳多后来当了教士，所以米开朗琪罗成为了长子。

出于对艺术的无知，他们认为家族里如果出了一个艺术家那将是一大耻辱。"① 所以，米开朗琪罗自幼便知道了人生的残酷与精神的孤独。

不过，他的执著最终战胜了父亲的暴虐。十三岁时，他就进入了佛罗伦萨最大、最权威的多梅尼科·吉兰达约②画室学习。他最开始的几件作品就获得了很大的成功，据说连他那位堪称大艺术家的老师都对他忍不住产生嫉妒之心。③ 一年后，师徒二人就分道扬镳了。

慢慢地，米开朗琪罗开始厌倦了绘画，他开始心仪另一种在他看来更了不起的艺术。于是他转学到罗内·迪·梅迪契在圣马可花园开办的雕塑学校进行学习。梅迪契亲王十分赏识他的才华，他让米开朗琪罗住进自己的宫殿里，并允许他同自己的儿子们同席共餐。就是如此，年幼的米开朗琪罗置身于意大利文艺复兴的心脏，被众多的古代收藏品所围绕，沐浴在伟大的柏拉图派艺术家——玛西尔·菲辛④、伯尼维埃尼⑤、昂吉·勃里齐安诺⑥

名人传

---

① 　根据科蒂维的记述。

② 　多梅尼科·吉兰达约（1449－1494），意大利文艺复兴时期著名画家。长期在佛罗伦萨开绘画作坊，培养了一批青年画家，米开朗琪罗即出自其门下。

③ 　一位如此伟大的艺术家，怎么会妒忌自己学生的天赋，这实在让人难以置信。无论如何，我都不愿意相信这是导致米开朗琪罗离开的主要原因。因为直到晚年，他仍十分尊敬自己的第一位老师。——原注

④ 　玛西尔·菲辛，意大利著名哲学家、神学家和语言学家。他所翻译并注释的柏拉图著作以及其他古典希腊作家的作品促成了佛罗伦萨的文艺复兴，影响欧洲文化整整达两个世纪之久。

⑤ 　伯尼维埃尼，意大利诗人，因将菲辛的精神恋爱理论以诗歌的形式演绎而闻名。

⑥ 　昂吉·勃里齐安诺，意大利诗人，人文主义者。

——的博学和诗意的环境之中。他陶醉于这些人的思想，沉湎于古典的生活之中，怀古之情自然而然地产生了：于是他成为了崇尚古希腊文化的雕塑家。在"极为喜爱他的"勃里齐安诺的引导下，他完成了《半人马怪与拉庇泰人之战》这组雕像。

这组英气焕发的浮雕，是由无情的力与美占主导的优秀作品，反映了少年米开朗琪罗所具有的武士心魂，及其粗犷坚实的雕刻手法。

之后，他同洛伦佐·迪·克雷蒂、布贾阿迪尼、格拉纳奇及托里贾诺·迪·塔里詹尼等人一同前往卡尔米尼教堂临摹马萨乔[1]的壁画。他对那些不如他有天赋的同伴们肆意嘲讽。有一天，当他把攻击的矛头指向虚荣心极强的塔里詹尼时，恼羞成怒的塔里詹尼一拳重重地打在了他的脸上。后来，塔里詹尼对别人大肆宣扬这件事，他对贝韦洛克·切利尼[2]讲述说，"当时，我握紧拳头用力地打向他的鼻子，我都能感觉到他的鼻梁骨像鸡蛋卷一样全部被击碎了，软塌塌的。就是这样，我给了他一个终身难忘的教训。"

异教思想并没有浇灭米开朗琪罗心中对基督教的信仰之火，于是，这两个敌对的思想开始对他的灵魂展开无休止地争夺。

1490年，宣教士萨伏那罗纳开始狂热地宣传《启示录》。当时他三十七岁，而米开朗琪罗才十五岁。他看到这位身材矮小瘦弱的宣教士全身被上帝的光芒照耀着，用他那可怕的声音，在布道台上对教皇发出最猛烈的抨击，把上帝那把血淋淋的利剑高悬在意大利的上空，向整个意大利宣扬上帝的威力。米开朗琪罗同

---

① 马萨乔，十五世纪初期，意大利著名画家，也是率先把人文主义融入到艺术之中的先驱人物。

② 贝韦洛克·切利尼，意大利佛罗伦萨著名镂金匠、雕刻家。

佛罗伦萨城的其他人一样，被吓得瑟瑟发抖。人们纷纷奔上街头，疯子般的啼哭呐喊。那些最富有的公民，像鲁切莱、萨尔维亚蒂、阿尔比齐、施特洛等，都强烈要求加入这位宣教士的教派。而像比克·迪·米朗多尔、勃里齐安诺这些博学之士和哲学家，也都不再坚持自己的立场。连米开朗琪罗的哥哥莱昂纳多也成为了多明我会的成员。

米开朗琪罗自然也没有避开这种惊惧情绪的传染。当那个小丑人法国国王查理八世逼近佛罗伦萨时，他被吓坏了，因为这个丑陋的魔头，曾被那位先知预言为上帝之剑。而一个噩梦也让他濒临崩溃。

他的一位朋友，诗人兼音乐家坎尔迪亚雷在一天夜里，梦见罗内·迪·梅迪契的阴魂出现在自己眼前，那个人衣衫褴褛，半裸着身子，还带着孝。阴魂命令他告诉他的儿子皮埃罗，说他马上就会被驱逐出国土，而且永远都无法回到故土。后来，坎尔迪亚雷把这个梦告诉了米开朗琪罗，米开朗琪罗劝他将这件事如实地讲给亲王听。但坎尔迪亚雷害怕皮埃罗，不敢去说。之后的某天早晨，他又跑来找米开朗琪罗，慌里慌张地对他说，阴魂再次又出现了：穿着同样破烂的衣服，一声不响地盯着躺在床上的坎尔迪亚雷，还打了他一记耳光，责怪他没有听从命令。米开朗琪罗把坎尔迪亚雷狠狠地骂了一顿，并强求他马上徒步前往位于佛罗伦萨附近卡尔奇的梅迪契的庄园。半路上，坎尔迪亚雷碰上了皮埃罗。他叫住皮埃罗，把他的梦告诉给了皮埃罗。后者听完哈哈大笑，不以为意，并命令自己的侍从将坎尔迪亚雷赶走。亲王的总管比别纳蔑视地对他说："你真是个傻子。你认为罗内最爱谁？是他的儿子还是你？即便他要显灵，那也是向他的儿子而不是向你！"

坎尔迪亚雷遭到辱骂和奚落后，回到了佛罗伦萨。将此行的遭遇告诉给了米开朗琪罗，并且对米开朗琪罗说佛罗伦萨真的要大祸临头了，米开朗琪罗听后，害怕极了。于是便在两天之后仓皇出逃。①

这是米开朗琪罗第一次因为迷信而被惊吓得惶恐不安。事实上，在他的一生中，像这样被惊吓而做出傻事的事并不止这一次，尽管后来他对此羞愧不已，但他却不能克制自己。

从佛罗伦萨逃出来，他一直逃到了威尼斯。

在离开谣言四起的佛罗伦萨后，米开朗琪罗那颗焦虑不安的心马上平静下来了。——当他折回博洛尼亚过冬时，已经将那位预言者及他的预言忘得一干二净。世界之美让他再次陶醉其中，也使他重新振作起来。他开始阅读彼特拉克②、薄伽丘和但丁的作品。到了1495年春，在狂欢节的宗教庆典与党派斗争最为激烈的时候，米开朗琪罗返回了佛罗伦萨。

但此时的他对身边那份你死我活的狂热已经不再感兴趣，为了要向萨伏那罗纳派的疯狂发起进攻，他雕塑了被同代人视为是颇有古风的作品《熟睡的爱神》。在佛罗伦萨，他只待了几个月，之后就去了罗马。直到萨伏那罗纳死去，他都是众多艺术家中最具异教色彩的一个。就在萨伏那罗纳焚烧那些被认为是"虚荣与邪说"的书籍、饰物、艺术品的那一年，他又雕刻了《醉了的酒神》、《垂死的阿多尼斯》和巨型的《爱神》③。他的哥哥，成为教士的莱昂纳多因为当时听信预言而被放逐。此时，萨伏那

---

① 根据科蒂维的描述，米开朗琪罗是在1494年10月逃跑的。

② 彼特拉克，意大利文艺复兴先驱之一，著名诗人。

③ 这三部作品均创作于1497年，而且都是以希腊神话和罗马神话为题材。

罗纳陷入四面楚歌之中，可米开朗琪罗并没有返回佛罗伦萨来捍卫他。萨伏那罗纳最终被烧死，对此米开朗琪罗不作置评。在他的所有信件中，也找不出关于这件事的任何痕迹。

尽管米开朗琪罗不作置评，但他雕塑了一件伟大的作品《基督之死》：死去的基督躺在年轻的圣母的腿上，似乎睡着了一样。希腊艺术的古典美呈现在纯洁的圣女与受难的神明的脸上。然而，其中却夹杂着一种难以描绘的哀伤，这种哀伤浸染着这两具美丽的躯体。此时的米开朗琪罗，心灵已经被哀伤填满。

令他忧心的不仅是那充满苦难与罪恶的景象。一股专横的力量进入到他的心里，再也没有放过他。他被天才的狂热所控制，到死都没能松一口气。他对胜利从未有过幻想，但他曾发誓要为他自己及家族的荣誉去赢得胜利。他毅然决然地承担起了家族的全部重担。他的家人缠着他向他要钱，他没有那么多钱，可他的骄傲却使他无法拒绝他们。为了寄钱给他的家人，他宁肯把自己卖掉也在所不辞。由于营养不良、住所寒冷潮湿、过度劳累等原因，他的身体已经每况愈下。他常常感到头疼，而且胸腹的一边有肿胀的现象。他的父亲虽然常责备他不规律的生活方式，但却从未想过要对此负责任。

"我所受的所有罪，都是为了你们。"米开朗琪罗后来在写给父亲的信中这样说道。

"……我所有的担心，都是为了保护你们而产生的。"①

1501 年春，他再次回到佛罗伦萨。

四十年前，佛罗伦萨大教堂的事务委员会曾将一块巨大的大理石交给安格斯蒂诺，委托他雕塑一尊先知像。这项雕刻工程刚

---

① 见 1521 年写给父亲的信。

画出草图便停下来了。之后再也没有人敢接手。后来，米开朗琪罗把这个工程接了下来，并最终雕制了一尊巨大的大理石雕像，那就是著名的《大卫》。

据说，当地的一位行政长官皮耶尔·索德里尼是一个自认为品位高雅的人，在他去察看这尊雕像时，为了显示自己的品位，他对作品提出了若干批评，认为人物的鼻子太厚，显得有些笨拙。米开朗琪罗于是拿起凿子和一点大理石粉爬上脚手架，在上面一边轻轻地晃动凿子，一边将大理石粉慢慢撒落，但并没有对那鼻子作丝毫修改。然后，他转过身来对这位行政长官说："现在，您觉得怎么样呢？"

索德里尼如此回答："现在嘛，我觉得好了很多。您改得更有活力了。"

于是，米开朗琪罗一边爬下脚手架，一边偷偷地暗笑。

从这件事情上，我们不难发现米开朗琪罗的那种无声的轻蔑。这是他心灵中所蕴涵的骚动的力，它包含着轻蔑与悲伤。这种力在博物馆墙壁之内仍让人感到窒息，它需要户外更广阔的空间。正如米开朗琪罗自己所说，需要"直接照射的阳光"。①

1504 年 1 月 25 日，艺术家委员会（其中包括菲比利诺·利比②、波提切利、佩鲁古诺和列奥纳多·达·芬奇）共同商讨了该把《大卫》放置于什么地方。最后，在米开朗琪罗的请求下，艺术家委员会决定把它放在市政议会的大厦前。这尊雕像的搬运工作则交给了大教堂的建筑师们来完成。5 月 14 日晚，这个庞然大物被移了出来。因为这尊雕像实在是太大了，所以在移出来

名人传

---

① 有一位雕塑家想重新调整自己的工作室的光线，以使作品看上去更完美。米开朗琪罗说："不必那么费事，直接接受阳光的照射是最好的。"

② 菲比利诺·利比（1457 – 1504），佛罗伦萨画家。

之前，不得不将门上方的墙壁都拆除掉。晚上，当地一些民众向《大卫》投石头，想把它砸毁。为此，有关部门不得不专门派人严加防范。雕像被捆得严严实实的，笔直吊起，为的是移动时不会碰到地面。它被慢慢地向目的地移动。从多莫广场搬到旧宫前，整整花了四天时间。5 月 18 日中午，它终于被搬到了指定的地点。晚上，为了保证雕像的安全，工作人员严加防范，不敢有丝毫疏忽。然而，不怕一万，就怕万一，在一天晚上，它还是被石块给击中了。

这就是佛罗伦萨人，人们不时作为榜样的佛罗伦萨人。①

1504 年，佛罗伦萨市政议会使米开朗琪罗和列奥纳多·达·芬奇成为了死对头。

这两个人原本就不投机。两个同样孤独的人本应该相互亲近。然而，假如说他们与其他人之间相隔很远的话，那么他们两人之间的距离就更远了。两人中更孤独的是达·芬奇。当时他已经五十二岁了，比米开朗琪罗大二十岁。从三十岁时起，达·芬奇就离开了佛罗伦萨。他无法容忍佛罗伦萨的狂乱与激情，他细腻、腼腆、平静、善疑，能接受一切，理解一切，但却实在与佛罗伦萨格格不入。所以他选择了离开。这位伟大的艺术家是一个享乐主义者，一个崇尚绝对自由和绝对孤独的人。他对他的祖国、宗教乃至全世界都很冷淡，始终保持着一定的距离，只有与和他有着同样思想、追求自由的君王在一起时，他才会感到自在。1499 年，他的保护人卢多维克·勒摩尔下台，达·芬奇被

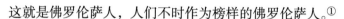

---

① 整个佛罗伦萨人的羞耻心被大卫圣洁的裸体触犯了。1545 年，阿雷蒂诺指责米开朗琪罗的作品《最后的审判》极其下流，并写信给米开朗琪罗说："好好向佛罗伦萨人学习一下端庄与谦虚吧，用金叶子将他们身上可耻的地方遮起来。"

名人传

迫离开了米兰。1502 年，他投效于凯撒·博尔吉亚亲王。1503
年，这位亲王的政治生涯也结束了，达·芬奇只能再次回到佛罗
伦萨。在这里，他带着讥讽的微笑与阴沉而狂躁的米开朗琪罗相
遇了，他的讥讽激怒了后者。当时的米开朗琪罗正全身心地沉浸
在自己的激情与信仰之中，他痛恨那些与自己敌对的人，尤其是
那些毫无激情且没有什么信仰的人。所以，达·芬奇愈是伟大，
米开朗琪罗就愈是对他反感；并且他绝不放过每一次向他展示自
己反感的机会。

　　达·芬奇长相俊美，举止温文尔雅。一天，他与一个朋友在
佛罗伦萨的街头散步。他身穿一件长及膝盖的玫瑰色外套，修剪
得非常精致、卷曲的长髯飘逸在胸前。在圣·特里尼塔教堂旁，
有几位中产者正在聊天，讨论的是但丁的一段诗文。他们看到达
·芬奇走过来时，就上前和他打招呼，请他替他们解读一下这段
诗文的意境。恰巧就在这时，米开朗琪罗经过此地。达·芬奇于
是就说：“米开朗琪罗将为你们解读这些诗句。”米开朗琪罗认
为达·芬奇是想让自己出丑，于是针锋相对地反击道：‘还是你
自己来吧，你这个做了个青铜马模子却浇铸不出青铜马①，还恬
不知耻地就此住手的人！”说完便转身走开了。达·芬奇被气得
面红耳赤。但米开朗琪罗还是不肯罢休，于是进一步中伤达·芬
奇，他嚷道：“米兰那些纨绔子弟还真以为你有能力完成这样一
件作品哩！”（见《一个同代人的记述》）

　　就是这样两个水火不容的人，行政长官索德里尼竟然让他们
俩共同完成一项工作：装饰市政议会大厅的画像。这是文艺复兴

---

　　① 指的是达·芬奇未能完成的弗朗切斯科·斯伏尔扎的雕像。

时期最强大的两股力量的奇特战斗。1504 年 5 月，达·芬奇开始着手创作《安吉亚里战役》①的图稿。3 个月后，米开朗琪罗接到了《卡希纳战役》的订单。佛罗伦萨一时间也为这两个伟大人物分成了两个阵营。——但时间把一切问题都解决了，这两件作品都已经消失了。

1505 年 3 月，米开朗琪罗被教皇尤利乌斯二世召到罗马。从此，他开始了生命中的辉煌岁月。

尤利乌斯二世与这位艺术家生来就有一种默契。他们二人都属于气魄宏大而性格急躁的人，只要他们之间不发生强烈的冲突，还是十分投机的。他们的头脑中迸发出庞大的计划：尤利乌斯二世想要米开朗琪罗为自己建造一座能够与古罗马城相媲美的陵墓。米开朗琪罗则为帝王的这种气势磅礴的设想而热血沸腾。他设计了一个巴比伦式的计划，想要建造一座大山一般的建筑，并在上面安放四十多尊巨型雕像。教皇对此兴奋不已，立即把他派到卡拉雷采石场去，让他在那里挑选所有用得上的大理石原料。米开朗琪罗在山中一待就是八个多月，他好像被一种超人的激情所控制。"一天，他骑马四处闲转，看见一座俯临海岸的山头。他突发奇想，想要把这座山雕刻成一尊巨大的石像，使在海中航行的人在很远的地方就能看见它……如果时间足够，别人也允许他这样做的话，他肯定会完成的。"②

1505 年 12 月，他从卡拉雷回到了罗马，他所选的大理石材料也陆续运到了圣彼得广场，也就是他居住的桑塔·卡泰里纳教堂后面。"石料堆积如山，惊呆了当地的所有民众，连教皇也惊

---

① 在安吉亚里战役中，佛罗伦萨人击败米兰人取得战争的胜利。这个画题就是想让达·芬奇难堪，原因是他在米兰城有许多朋友和保护人。

② 据科蒂维的记述。

喜万分。"之后，米开朗琪罗便开始着手这项工作。性急的教皇三天两头跑来看他的工作进度，"和他交谈，像兄弟一般亲热"。为了方便来往，教皇令人在梵蒂冈的走廊和米开朗琪罗的住所之间建起一座吊桥，作为会见米开朗琪罗的秘密通道。

可是，这种优厚的待遇并没有持续多久。尤利乌斯二世的性格和米开朗琪罗一样变化多端。他一会儿一个计划，一会儿一个想法。不久他又提出了一个新计划。在他看来，这个计划更能让他的荣耀永存于世：他想要重建圣彼得大教堂。这是受了米开朗琪罗的仇敌们的怂恿。这帮仇敌的人数众多，而且势力强大。他们的领导者是一个才气与米开朗琪罗互为瑜亮但意志力要比其更强大的人，他就是布拉曼特·迪·乌尔班①——教皇的建筑师和拉斐尔的朋友。在这个极其理智的翁布里亚②伟人与佛罗伦萨那位狂野的天才之间，注定不可能产生好感或体谅。然而，如果说布拉曼特之所以下决心要攻击米开朗琪罗的话，那么，很明显，挑起这场战斗的一定是后来米开朗琪罗曾随性地指责布拉曼特，指责他在工程中收取贿赂。布拉曼特当即进行反击，并下决心要除掉他。

布拉曼特的出现让米开朗琪罗在教皇面前失宠。他利用尤利乌斯二世的迷信思想，告诉教皇说人们都认为生前建造墓地十分不吉利。就这样，他轻易地就让教皇将米开朗琪罗的计划束之高阁，以自己的计划取而代之。

1506 年 1 月，尤利乌斯二世决定重建圣彼得大教堂。而修建陵墓的计划被无限期地搁置了。米开朗琪罗因此倍感羞辱，而

① 布拉曼特·迪·乌尔班，文艺复兴时期意大利成就斐然的建筑师、画家。

② 意大利一地区名。

且还为修建陵墓欠下了不少债务。他除了无奈地诉苦，不能改变任何事情。教皇也不再像以前那样喜欢他了，而且，在他再次求见教皇时，教皇命令自己的马夫将米开朗琪罗逐出了梵蒂冈教廷。

亲眼目睹这一场景的洛克主教对那位马夫说：

"你难道不认识他吗?"

马夫对米开朗琪罗说：

"请谅解，先生，我也是执行命令。"

回到居所的米开朗琪罗马上就上书教皇：

"圣父，根据您的圣命，我在今天早晨被驱逐出了宫殿。现在我想告诉您，从今天起，如果您有什么用得着我的地方，可以派人到罗马之外的任何地方找我。"

他把信寄出之后，便叫来同他住在一起的一个商人和一个石匠，对他们说道：

"你们去帮我找个犹太人来，让他将我屋子里的全部东西都处理掉，然后，你们就到佛罗伦萨来找我吧。"

接着，米开朗琪罗便骑马出发，准备回佛罗伦萨。教皇收到他的封信后，立刻派了五名骑手去追赶他。晚上十一点左右，这些骑手在坡西彭亚追上了他，给他带来了教皇的一则手谕："接到谕，马上返回罗马，否则严惩不贷。"米开朗琪罗当时的回答是：他可以回罗马，前提是教皇遵守自己的诺言，否则，尤利乌斯二世永远都不会再见到他。

他还给教皇写了一首十四行诗：

大人啊，如果民间的俗语是真的，
那就正好："非不能也，是不欲也。"
你听信了谎话与谗言，

还赐予真理的敌人以酬报。

而我，过去是，现在还是你忠实的仆人，

我依附着你，像光芒依附着太阳；

我为你消耗了大量的时间，可你却不曾珍惜！

我越是累死累活，你就越是不喜欢我。

我曾希望因你的伟大而使自己伟大，

曾希望你公正的天平和你那锋利的宝剑

能成为我唯一的仲裁，而不是谎言的回应。

只可惜，上帝让德行降临人间后，

却总要捉弄它，

让德行在一棵已经干枯的树①上等待开花结果。

其实，导致米开朗琪罗逃走的原因，并不只是尤利乌斯二世的侮辱。在写给朱丽安诺·迪·森加洛②的一封信中，还流露出布拉曼特想派人暗杀他的信息。③

米开朗琪罗离开罗马，布拉曼特终于得偿心愿，成为了唯一的大师。就在他的敌人逃走的第二天，布拉曼特举行了圣彼得大教堂的奠基仪式。无处发泄的仇恨让他对米开朗琪罗的作品死咬不放，他想尽方法要把米开朗琪罗的作品给毁掉。于是他派人将堆放在圣彼得广场上为修建尤利乌斯二世陵墓用的大理石料洗劫一空。

名
人
传

———————

① 干枯的树，比喻的是尤利乌斯家族族徽的图案。

② 朱丽安诺·迪·森加洛（1445－1516），意大利文艺复兴时期的建筑师、军事工程师、雕刻家。

③ 米开朗琪罗曾说："这并不是我离开的唯一原因，还有别的事情，只是我觉得还是不说为好。我只能说，假如此刻我还留在罗马，那么罗马必将成为我的葬身之处。这是我离开的主要原因。"

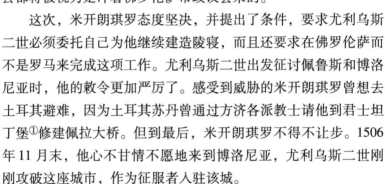

而在此时，教皇对米开朗琪罗的反抗也极为恼怒，他向接受米开朗琪罗避难的佛罗伦萨市政议会发出敕令。市政议会于是把米开朗琪罗找来，对他说："你胆子太大了，竟敢戏弄教皇！连法国的国王都不敢这么做。我们可不想因为你与教皇发生争端，所以，你现在必须回到罗马；不过，我们会给你一些很有分量的信函，你可以一同带过去，上面有这样的声明：对于你的任何不公都将被视为是冲着佛罗伦萨市政议会来的。"

这次，米开朗琪罗态度坚决，并提出了条件，要求尤利乌斯二世必须委托自己为他继续建造陵寝，而且还要求在佛罗伦萨而不是罗马来完成这项工作。尤利乌斯二世出发征讨佩鲁斯和博洛尼亚时，他的敕令更加严厉了。感受到威胁的米开朗琪罗曾想去土耳其避难，因为土耳其苏丹曾通过方济各派教士请他到君士坦丁堡①修建佩拉大桥。但到最后，米开朗琪罗不得不让步。1506年11月末，他心不甘情不愿地来到博洛尼亚，尤利乌斯二世刚刚攻破这座城市，作为征服者入驻该城。

有一天上午，米开朗琪罗来到圣彼得罗尼奥教堂做弥撒。教皇的那位马夫看见并认出了他，于是就将他带到正在斯埃伊泽宫里用膳的教皇的面前。教皇一看到米开朗琪罗，立马火冒三丈，生气地说："本来应该是你前去罗马参见我的，但你竟然等着我来博洛尼亚找你！"米开朗琪罗听到教皇的话，马上跪倒在地，大声请求对自己的饶恕，说自己的行为并不是出于恶意，而都是一时意气，因为无法接受被人驱逐的侮辱，才逃走的。教皇垂着头坐在高处，满面怒气，还是不愿意原谅米开朗琪罗。这时，索德里尼派来的一位给米开朗琪罗说情的主教上前劝道："教皇陛

---

① 也就是现在伊斯坦布尔。

下，请您别把他干的那些蠢事情放在心上，他犯错都是因为无知。您是清楚的，画家们除了艺术以外，都喜欢干些蠢事。”教皇听完这话竟然更加生气，他吼道：“你胆敢当面对他说那些连我都从未跟他说过的粗话。你才是个蠢蛋！……滚开，给我见鬼去吧！”这位主教并没有立刻走开，教皇的仆人们于是挥着拳头将他赶了出去。教皇的怒气在那位主教身上得到发泄之后，便宽恕了米开朗琪罗。①

　　为了同尤利乌斯二世和解，重新回来的米开朗琪罗不得不服从教皇的任意安排。而此时拥有绝对权威和意志的教皇又有了新的想法。他不再提修建陵寝的事，而是想在博洛尼亚为自己建一尊大型青铜雕像。米开朗琪罗多次向教皇申明“他对铸铜一窍不通”，可是没用，于是，他只好从头学习起铸铜。接下来又是一段又苦又累的生活。米开朗琪罗住在一所很破的房子里，屋里除了一张床就再也没有任何别的东西。即便是这张床，也不是完全属于他，他要同两名佛罗伦萨助手拉伯与罗多维克以及铸铜匠皮尔纳迪鲁共同在这张床上睡觉。十五个月过去了，米开朗琪罗在数不尽的烦恼中生活，而拉伯和罗多维克竟然还偷盗他的钱财，于是他同他们闹翻了。

　　在写给父亲的信中，米开朗琪罗如此说道：“拉伯和罗多维克那两个混蛋，大家都认为是他们完成了所有的作品，或者至少是在他俩的合作下，我才得以完成的。他们的脑子里完全不清楚谁是他们的主人，直到我将他们赶出去，他们才明白谁是真正的主人，才知道我真正的厉害，才知道他们是被我雇用的。最后，我像赶畜生一样赶走了他们。”

―――――――――――

　　①　根据科蒂维的记述。

对此，拉伯和罗多维克两人极为不满，他们在佛罗伦萨肆意散播攻击米开朗琪罗的谣言，甚至还敲诈米开朗琪罗的父亲，反咬一口，说米开朗琪罗偷了他们的钱。

而在之后，那个铸铜匠的愚蠢与懦弱也慢慢显现出来了。

"我原以为那位聪明的皮尔纳迪鲁师傅懂得如何铸铜，即使是没有火也能铸，但事实证明，是我太过相信他了。"

1507 年 6 月，当铜像浇铸到腰带部分时，这项工程宣告失败。一切不得不重新开始。为了这件作品，米开朗琪罗一直忙到 1508 年的 2 月份。他的健康差点儿被这件事拖垮。

他写信向弟弟诉苦，说道："我的生活极端恶劣，工作十分劳累，几乎没有吃饭的时间。除了不分昼夜地工作，我什么都不想。我已经忍受了普通人难以忍受的痛苦，而且还将继续忍受下去。我觉得，假如我还要再塑这样一座雕像的话，那么我这辈子的时间都是不够用的，因为那简直是巨人才能完成的工作。"

如此辛劳的工作，可结局却是悲惨的。尤利乌斯二世的铜像于 1508 年 2 月在桑佩特罗尼奥教堂落成，可惜在那里只竖立了四年。1511 年 12 月，这尊铜像毁于尤利乌斯二世的敌人本蒂沃利党人的手中，阿方斯·迪·埃斯特则将那些残破的铜片买走，用其铸造了一门大炮。

米开朗琪罗回到罗马后，尤利乌斯二世又命令他去完成另一件让他意想不到而且更加艰巨的任务。教皇命令这位根本不懂壁画技巧的画家去画西斯廷教堂的拱顶画。这位教皇好像就是喜欢强人所难，而且满怀信心地认为米开朗琪罗一定能完成，而米开朗琪罗也就真的执行了。

布拉曼特看到米开朗琪罗重新得宠，于是就想方设法地为难他。布拉曼特认为，这次米开朗琪罗所接受的任务足以让他名誉扫地。至于米开朗琪罗，对他来说，这是带有一次极高危险性的考验，因为正是在 1508 年，他的对手拉斐尔开始制梵蒂冈宫的那组壁画，并获得了空前的成功。所以米开朗琪罗面对的挑战就更为巨大，他竭力地想辞掉这份可怕的荣耀，甚至建议由拉斐尔代替他来做。他再三强调自己不擅长壁画，一定做不好这项任务。但教皇却执意如此，不肯改变主意，米开朗琪罗也只好选择接受。

　　布拉曼特在西斯廷大教堂里给米开朗琪罗建造了一个脚手架，还从佛罗伦萨请来了一些有创作壁画经验的画家给他帮忙。但对于米开朗琪罗来说，这些帮助都是多余的。他刚开始就表示布拉曼特造的脚手架用起来不顺手，自己另外建造了一个。对那些来自于佛罗伦萨的画家，他也很不喜欢，没作任何解释就把他们给打发掉了。"某天早晨，他叫人把他们画的东西全给毁掉了。他经常把自己关在教堂里，不想让那些画家进来，甚至在自己家里，也是关着门不愿意见任何人。这些画家对此深感屈辱，于是就决定回到佛罗伦萨去。"①

　　米开朗琪罗独自留下，他带着几个小工开始工作。重重苦难并没有使他胆怯，反而让他寻找到了新的突破点，他决定不再像原定的那样画拱顶，而且还要画周围的墙壁。

　　1508 年 5 月 10 日，这项宏伟的工程开始动工了。而这一年，是米开朗琪罗人生最为阴暗也最为伟大的一年！他是西斯廷大教堂的英雄，是一个不朽的传奇，他伟大的形象因为这些壁画而被后世之人铭记于心。

　　不过，在创作的过程中，他却十分痛苦。从他当时写的那些信件上，可以明显感受到他的沮丧与绝望，即便他那神圣的构思也无法让他摆脱出来："我现在的精神极其痛苦，已经整整一年

---

　　①　根据万塞里耳记述。

了，教皇没有发给我一分钱。我也没有向他提出任何要求，这是因为我的工作还没有进展到一定程度，所以我认为现在自己不配得到什么报酬。但我的工作的确太困难了，何况这本来就不是我的特长。我觉得，我是在白白地浪费时间。愿上帝保佑我吧!"

壁画的一部分《大洪水》刚画完，就开始发霉，画面变得很模糊，到最后都无法看清楚各个人物的相貌了。米开朗琪罗拒绝继续画下去。可教皇却不允许他停下来。于是他只好坚持下去。

在身体上的疲劳和心理上的焦虑之外，家中人的纠缠也让他焦头烂额。他们全家人不仅都靠他养活，而且还都拼命压榨他、逼迫他。他的父亲整天为没有钱而哀叹、焦虑。米开朗琪罗不得不花费大量的时间安慰和鼓励父亲，让父亲重新振作，尽管他自己已经不堪重负。

您别太着急，这些事并不是什么性命攸关的大事……只要有我在，您就绝对不会缺什么……即使您在这个世界上的一切都被夺走了，但只要有我，您就不用有任何担心……我宁愿自己受穷而让您好好活着，即使占有全世界的财富也抵不过你的存在……假如您无法像其他人那样获得荣誉，那么，只要满足有吃有穿的生活就足够了。就像我目前这样，贫穷却忠诚地与基督生活在一起。我虽是个穷人，但我既不用为生活，也不用为荣誉而苦恼。其实，我是生活在极度的苦难与无尽的猜忌之中。这十五年来，我不曾有一天好日子。我尽心尽力地赡养您，但您却从没有意识到也从不愿意相信。愿上帝宽恕我们所有的人吧! 将来，我已作好了准备，我要继续这样行事，只要我有这个能力![1]

---

① 见 1509 年至 1512 年间米开朗琪罗写给他父亲的信。

他的三个弟弟也都压榨着他，经常要他寄钱给他们，还要他给他们谋求职位。他们肆意挥霍着他在佛罗伦萨积攒下来的那笔小额资产。他们经常来罗马，住他的吃他的。博纳罗托和乔凡·西莫内要求他帮忙盘下一个商店，西吉斯蒙多则要他为自己在佛罗伦萨附近购置田产。但是不管米开朗琪罗为他们做什么，他们都没有感激之心，好像这是他欠他们的。米开朗琪罗明知道自己被他们剥削，但他的骄傲让他无法拒绝，所以他一直都对他们有求必应。可这几个家伙却欲壑难填，他们趁米开朗琪罗不在家时，虐待父亲。这件事彻底激怒了米开朗琪罗，他像对待坏小子那样用鞭子抽打他们。他恨不得将他们全都杀光。

乔凡·西莫内：

老话说得好，善待善人会使善人更善，善待恶人则会让恶人更恶。这么多年来，我一直努力地对你好言相劝，希望你能走回正道，与父亲和我们和睦相处，可是你却得寸进尺……我苦口婆心地同你好好谈，可最后却发现这都是白费口舌。我直接给你说吧，在这个世界上，你是一个一无是处的人，我完全是出于对你的爱而在维持你的生活，因为我觉得你和其他人一样，都是我的兄弟。但此刻，我发现你并不是我的兄弟，因为，假如你是的话，那你就不会恐吓父亲。你真是个畜生啊，以后我也要像对待畜生一样对待你。你应该清楚，任何人看见自己的父亲被恐吓被虐待都会为其拼命……罢了……我已经告诉你了，在这个世界上，你一无是处。如果我再听到关于你的哪怕一点点恶行，我就会收回你所有的财产，并且把不属于你的产业一把火给烧掉。别以为你自己有多了不起，假如我在你身边出现，我将让你看些东西一定会使让你痛哭流涕，让你知道自己是凭借什么才这样恣意妄为……如果你愿意浪子回头，愿意孝敬你的父亲，我还是会帮

助你就像我帮助别的兄弟一样，而且，很快的，我会帮你选一家很好的店铺。相反，你如果继续执迷不悟的话，那我一定会回去好好收拾你。我会让你清楚地知道你自己究竟个什么东西，让你清楚地知道自己在这个世界上到底拥有什么……话就说到这份上了！信中如果还有什么欠缺的话，我会用事实来补充。

米开朗琪罗　于罗马

另外补充一句：在过去的这十二年中，我流浪于意大利各地，过的是一种极为悲惨的生活，我忍受着各种羞辱，经历着各种艰难困苦，过度的劳累已经快拖垮我的身体了，我是在用自己的性命去拼去搏。我为什么要这样做呢？还不都是为了我们这个家。可迄今为止，我只是让我们的家业略有起色，可你却在一旁没心没肺地将我这么多年来吃苦受累创下的一点基业全部给毁掉！……我向上帝发誓，这算不了什么！如果有必要的话，我能把你这样的人碎尸万段。——所以，你最好给我学乖一点，不要把对你还抱有爱的人逼得走投无路！

然后，他又写信给西吉斯蒙多：

我目前的生活得极端苦闷，极度劳累。我在这里没有任何朋友，当然我也不想有什么朋友……往常我很少有时间自由自在地吃顿饭，所以请你不要再和我说那些让人烦恼的事情了，因为我现在已经没有办法忍受任何烦恼了。

最后，是他第三个弟弟博纳罗托，他在施特洛商店里工作。他不断地向米开朗琪罗索要钱财，而且宣称自己花在哥哥身上的钱要远比哥哥给他的多。

在写给这位弟弟的信中，米开朗琪罗写信中说：

你这个忘恩负义的家伙，我很想知道你的钱都是从哪来的；我也很好奇你从新圣玛丽亚银行取走了属于我的二百二十八杜加金币，以及你拿走的我寄回家里的另外好几百金币时，是否意识到你是在用我的钱？你是否知道为了这些钱我是经历了怎样的辛苦？我很想知道你到底是否清楚这一切？如果你还有一点勇气承认事实的话，就请不要再说"我花了自己多少多少的钱"，而且也不要跑到我这里来诉说你那些令我烦躁的事情，而把我过去为你们所做的一切都忘得一干二净。可能你会说："米开朗琪罗记得他对我们说过什么，假如他现在还没有做，那肯定是他被那些我们不得而知的事情给耽误了，就让我们我们耐心等待吧。"当一匹马正在奋力向前奔跑时，就不应该再用马刺去轻易戳它，让它跑得超出它的能力所限的速度。你们从来都不了解我，过去现在都是。愿上帝宽恕你们！是上帝赐我恩宠，让我能竭尽全力地帮助你们。可能只有当我不在人世时，你们才会真正地了解我。

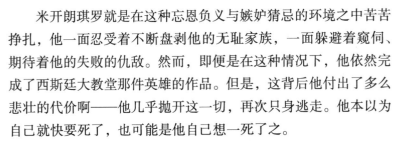

米开朗琪罗就是在这种忘恩负义与嫉妒猜忌的环境之中苦苦挣扎，他一面忍受着不断盘剥他的无耻家族，一面躲避着窥伺、期待着他的失败的仇敌。然而，即便是在这种情况下，他依然完成了西斯廷大教堂那件英雄的作品。但是，这背后他付出了多么悲壮的代价啊——他几乎抛开这一切，再次只身逃走。他本以为自己就快要死了，也可能是他自己想一死了之。

教皇因为米开朗琪罗的工作进度的缓慢和坚持不让他看作品而极为愤怒。这两个人高傲的性格就像雷阵雨来临前乌云互相激烈碰撞一般。科蒂维曾经说："一天，教皇问他什么时候才能完工，米开朗琪罗还是按照自己的习惯回答他：'当我能画完的时候。'教皇听后，火冒三丈，二话不说，举起手中的权杖就向他打去，嘴里还不断重复：'当我能画完的时候！当我能画完的时候！'米开朗琪罗跑回自己的住所，便连忙收拾行装，准备逃离罗马。但教皇又赶紧派了一个人到他家中，并且带给他五百杜加的金币，竭力抚慰他，代表教皇向他道歉。米开朗琪罗接受了教皇的致歉。"

但是在第二天，两个人之间又爆发了冲突。终于有一天，教皇极为愤怒地对他说："你难道是想让我命人将你从脚手架上扔下来吗？"米开朗琪罗见状不敢再争辩，只好让人撤去脚手架，显露出自己的作品，而这一天刚好是 1512 年的万圣节。

这一天可以说是一个盛大而又忧伤的节日，是接待亡灵最好的日子，也是最适合让这件伟大的作品揭幕的日子。这部作品充满着生杀一切的神灵，这神灵像暴风雨般聚集着一切生命之力，具有横扫一切的力量。

二 崩溃的力

巨大的支柱。

从这项需要赫拉克勒斯般巨人之力的工作解脱出来，米开朗琪罗尽管备感荣耀，却也已经精疲力竭了。长年累月地仰着头画西斯廷大教堂的拱顶，"他的眼睛都被弄坏了，以至于在好长一段时间里，当他读信或看东西时，总习惯把它们举到头顶上，才能勉强看清楚。"[1] 有时，他会拿自己的病态自嘲：

这项艰苦的工作使我走了样，
就像那些让水泡胀了的伦巴第猫，
……我的肚子几乎抵住了下巴，

---

① 根据瓦萨里的记载。

名人传

我的胡子冲向天，我的头弯向后背，我的胸像只鹰一样
丰厚；

画笔滴下的颜料滴在我的脸上，

让我的脸成了一幅富丽图案。

我的腰部缩进体内，使臀部成为维持平衡的关键。

我摸索前行，却无法看清自己的脚在哪里。

我的皮肤在前面拉长而在后面缩短，

就像一张叙利亚的弓。

我的智力同我的身躯一样的古怪，

因为弯曲的芦苇是没有办法吹出曲子来的……①

我们可不要被米开朗琪罗这种玩笑式的话语所欺骗。他为自己变得如此丑陋而苦恼不已，因为他比其他任何人都更醉心于形体之美。对他来说，丑陋就是一种莫大的耻辱。② 这一点，在他的某些短小的情诗中看以看出一二。米开朗琪罗终生因为爱情的煎熬而忧伤不已，可他的一生却没有得到任何爱的回报。所以，他常常把自己关闭起来，通过诗歌来倾诉他的情感和苦恼。

早在童年时期，米开朗琪罗就开始创作诗歌，而写诗也成为他必不可少的需求。在他的素描、信件、散页上，涂满了经过他反复加工、润色的诗句。令人惋惜的是，1518 年，他把自己青年时代创作的大部分诗稿都给焚烧掉了，而剩下的部分在他死前也大多被毁掉了。不过，遗留下来少数诗歌也足以表明他对诗歌创作的激情。

---

① 见米开朗琪罗《诗集》卷9。

② 在亨利·托德的《米开朗琪罗与文艺复兴的终结》中，就特别指出了他的这一性格特征。

米开朗琪罗最早的诗应该是 1504 年在佛罗伦萨时创作的①:

爱神啊!

假如我能成功地抵抗住你的疯狂,

我的生活该有多么幸福啊!

可是现在,唉!我哭泣不已,

这皆因感受到了你强大的力量……

创作于 1504 至 1511 年间的两首短小的情诗,有可能是写给同一个女子的,其中的词句饱含忧伤之情,读来令人唏嘘不已:

是谁强行将我拉到你的身边?

唉!唉!唉!

我被死死地捆绑住了。

可我还是自由的!

我怎么能不再属于我自己呢?

噢,上帝啊!噢,上帝啊!噢,上帝啊!

是谁在将我硬生生地与自己分离?

是谁占据我的心胜于我自己?

噢,上帝啊!噢,上帝啊!……"②

1507 年 12 月,在一封发往博洛尼亚的信件的背面,写着一首充满青春气息的十四行诗。诗中对于肉欲的风雅描绘,令人很容易想起波提切利笔下的幻象:

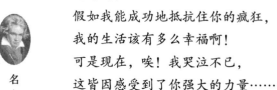

鲜艳的花冠戴在她金色的秀发上，那花冠是多么的幸福啊！
鲜花竞相轻抚她的额头，谁有幸能第一个亲吻到她呢？
整天紧束着她的胸部的长袍真是幸福啊：
金色长发不知疲累地摩擦着她的面颊与香颈。
可是最幸运的，要数那条轻束着她的丰乳的金丝带。
它好像在说："我将永远地搂住她……"
啊！……可我的双臂又能怎么样呢！"

在一首包含自省意义且带有隐私性质的长诗中——这里不容易确切引述，米开朗琪罗运用十分露骨的词语表达了自己在爱情上的忧伤：

一日不见你，我就无法得到片刻安宁。
一旦见到你，就像久旱逢甘霖……
当你对我微笑，或者在街上向我打招呼时，
我的心便会扑扑地跳个不停……
当你与我说话时，
我的脸红得厉害，最终一句话都说不出来，
我那强烈的欲望刹那间就会消失……"
接着是一声声痛苦的呻吟：
啊！无休止的痛苦啊，
一想到我钟情的女子根本不爱我时，
我就肝肠寸断！
这让我可怎么活下去呀？……

在梅迪契小教堂圣母像的旁边，米开朗琪罗还曾写下这样几行诗：

当和煦的阳光普照大地时，

我却一个人在黑暗中忍受着煎熬。

当每个人都沉浸在欢乐时，

而我却躺在冰冷的地面上，

在痛苦中呻吟，在痛苦中哭泣。

在米开朗琪罗最具代表性的雕刻和绘画中，只有爱是缺少的。在这些作品中，他只让人们看到自己最具英雄气质的思想。他好像羞于在其中体现自己情感脆弱的一面，而只是在诗歌中倾诉自己内心软弱的情感。也只有在诗歌中，才能寻找到这颗被粗犷外表包裹着的懦弱而温柔的心灵的秘密：吾爱，我为何来到人世？

西斯廷工程完成时，尤利乌斯二世也去世了。① 米开朗琪罗得以重返佛罗伦萨，回到了他一直念念不忘的事业上来，那就是建造尤利乌斯二世的陵墓。他签了七年的契约来完成这项工程②。在之后的三年时间里，他全身心地投入到这项工作之中③。在这段相对平静的时间——其实，这是一段伤感却宁静的成熟时期，西斯廷时期的激情已经逐渐平息，就像波涛汹涌的大海重归平静。这一时期米开朗琪罗创作了最完美的作品，激情与意志均达到平衡的作品：《摩西》和现藏于卢浮宫的《奴隶》。

----

① 尤利乌斯二世死于 1513 年 2 月 21 日，正好是西斯廷拱顶画完成的三个半月后。

② 这条契约中的新计划要比旧计划更加令人惊讶，原因是其中包括了三十二座巨型雕像。

③ 在这段时间，米开朗琪罗只接了一份额外工作，也就是《弥涅瓦的基督》。

可是，这平静极为短暂，生命的狂风暴雨几乎立刻就重新掀起，他再度堕入黑暗之中。

新任教皇利奥十世力图将米开朗琪罗从对上任教皇的颂扬中拉出来，而让他为自己的家族树碑立传。对于新教皇来说，这只是关心自己自尊心的问题，并不是真的欣赏米开朗琪罗的才华。原因在于，只凭借他那伊壁鸠鲁派的思想，是绝不可能理解米开朗琪罗那忧郁的天赋的。他将所有的恩宠都集中在拉斐尔一个人的身上。可是，为西斯廷大教堂增光的那个人是整个意大利的骄傲，所以利奥十世也想让这个人成为自己的奴仆。

利奥十世要米开朗琪罗建造圣·洛朗教堂的正门，也就是梅迪契家族教堂的正门。在米开朗琪罗不在罗马时，拉斐尔已经成为罗马艺术界的权威，米开朗琪罗想要与拉斐尔一争高低，这也使他不由自主地增加了一项新的任务，可他又不想放弃之前的工作——修建陵寝。而想要兼顾这两项工作显然是不可能的，这让他陷入无穷无尽的烦恼与愁苦之中。他努力让自己相信自己可以同时开展这两项工作。他打算把大部分工作交给一名助手去干，自己只塑那几个主要的雕像。可不久后，他又无法容忍他人与自己分享荣誉。此外，他还担心教皇收回命令，于是央求利奥十世把这新的锁链上拴在自己身上。

他已经不能再建造前任教皇的纪念性建筑了，更可悲的是，他甚至连圣·洛朗教堂的正门也没能更多地完成。他不止是赶走了所有合作者，而且他那事必躬亲的可怕怪癖，使他无法踏实地在佛罗伦萨做自己的事情，他跑到卡拉雷去监督采石工作。结果在那里，他遇到了各种预想不到的困难。梅迪契家族想要使用佛罗伦萨最近刚被收购的皮耶特拉桑塔采石场的石料，而不喜欢用卡拉雷采石场的石料。而米开朗琪罗的观点则与之相反很难说服，于是，米开朗琪罗被新教皇无端地指责，说他是被人收买了。为了服从教皇的命令，他又遭到卡拉雷采石场的刁难，他们与航运水手串通一气，让米开朗琪罗找不到一条船来运送他的石料。他只能再修筑一条穿山越岭的路来运输石料，其中的一段路还是架在木桩上的，这是为了穿过沼泽地带。当地人不肯为筑路出钱出力，也不怎么会干活。采石场是新建的，工匠们也都是新手。米开朗琪罗诉苦说："我想征服山峦，好把艺术带到这里来，但这件事却如同让死人复活一样的困难。"

虽然如此，但他还是坚持着：

"我已经承诺过的事，就一定要做到，无论碰到什么样的困难，我都将成就一项在意大利从未出现过的最宏伟的事业，假如上帝愿意帮助我的话。"

那么多力量，那么多热情，那么多才气，全都白白浪费了！因为疲劳同忧虑，再加上要做的事太多，在塞拉韦扎，米开朗琪罗病倒了。他十分清楚自己的健康与梦想都被这苦役给毁掉了。他被总是有一天要重新开始工作且迟迟不能如愿而焦虑不安。还被其他无法兑现的承诺①所折磨。

我急得要死，这该死的厄运总是让我无法做我想做的事情……我实在太痛苦了，我的行为让别人误会，认为我是个大骗子，尽管这并不是我自己的错……

再次回到佛罗伦萨后，米开朗琪罗焦虑不安地等着石料运过来。可在此时，阿尔诺河却干涸了，满载着石料的船没有办法溯流而上。

最后，石料终于被运到了。这次，总可以开工了吧？但是不

---

① 这里指的是《弥涅瓦的基督》同尤利乌斯二世的陵墓。

行。他又一次回到了采石场。和当初建造尤利乌斯二世的陵寝一样，他坚持必须等到石料足够方能开工。他一再延迟开工日期，可能是他害怕开工。他是不是一不小心夸下了海口？他承诺修建这么巨大的一项建筑工程是不是太过草率？他并不擅长于这一行，他要到哪儿去学呢？此时此刻，他进退维谷。

他费尽千辛万苦也没有确保石料安全运到。在运往佛罗伦萨的六根巨大石柱中，有四根在路途中断裂了，还有一根是在刚到佛罗伦萨时断裂的。很明显，他被自己的那些工人欺骗了。

教皇和梅迪契红衣主教眼看着这么多宝贵的时间被白白浪费在采石场和泥泞的路上，变得不耐烦起来。1520 年 3 月 10 日，教皇发布了一道敕令，取消了在 1518 年与米开朗琪罗签订的关于加高圣·洛朗教堂正门的契约。可米开朗琪罗却直到看见一队队代替他的工人到达皮耶特拉桑塔时才得知消息，他再一次受到了残酷的打击。

后来，米开朗琪罗说："我不和红衣主教计较我在这里所浪费掉的三年时间，我也不想向他抱怨圣·洛朗的工作对我的损毁到了何等的地步，我更不想跟他说这些年别人是怎样侮辱我的。我只是想搞清楚，他为什么这样匆忙地委任我，而又匆忙地取消契约！我不跟他计较我为此所损失的所有开支了……如今，这件事情可以总结为：利奥教皇收回了采石场和已经被我切割好的石块，而我手中则只剩下了五百杜加的金币，还有他们还给我的自由！"

米开朗琪罗应该指责的不是他的保护者们，而是他自己，事实上，他很明白这一点。他最痛苦的地方也在于此。他始终是在和自己争斗。从 1515 到 1520 年，正是米开朗琪罗精力充沛、天才洋溢之时，可他都做了什么呢？平淡无奇的《密涅瓦基督》——一件没有米开朗琪罗特色的米开朗琪罗作品！而且还没有完成。

1515 到 1520 年，也是伟大的文艺复兴的最后几年，当各种灾祸还没有摧毁意大利的春天时，拉斐尔创作了《演员化妆室》、《火室》，以及其他各种题材的杰作，包括修建公主别墅，领导建造圣彼得大教堂，领导众人开展古物挖掘的工作，筹备节日庆典，修建纪念碑，统治艺术界，还创立了一所极受追捧的艺术学校，而后，在收获了丰硕的果实后，拉斐尔溘然长逝。

名
人
传

在经历了幻灭的悲苦、虚度岁月的绝望、意志的瓦解后，米开朗琪罗在后来的一些作品中，充分表达了自己这段时期阴暗的一面，如梅迪契家族的陵墓，以及尤利乌斯二世纪念碑上的那些新雕像①。

重获自由的米开朗琪罗，终身都在从一个羁绊转换到另一个羁绊，他被迫不断地更换着主人。没多久，红衣主教尤利乌斯·迪·梅迪契当上了教皇，更名为克雷蒙七世。自 1520 到1534 年，这位新教皇主宰着他。

上台后，同其他教皇一样，克雷蒙也想独自奴役米开朗琪罗，让其成为宣扬自己家族的工具。米开朗琪罗还是像以前那样对教皇没有太多的埋怨，毕竟，从没有一个教皇能像克雷蒙七世这样，对他宠爱有加，也从没有一位教皇能够对他的作品表现出如此持久而强烈的热情，更没有一位教皇能那样了解米开朗琪罗脆弱的内心，懂得在适当的时候鼓励他，让他振作，阻止他白白浪费精力。即使在经历佛罗伦萨革命和米开朗琪罗反叛之后，克雷蒙七世对他的宠爱依然不减。可是，只靠一个教皇的仁慈是无法医治这颗伟大心灵的烦躁、狂乱、悲观与致命的哀愁。一个主人的仁慈有什么用呢？再怎么说，他也是主人啊！……

_____

　　① 指雕像《胜利者》。

114

米开朗琪罗说："我曾服侍诸多教皇，但都是逼于无奈。"①

少许荣耀和一两件佳作根本算不了什么。这同他的梦想相差还很远！……但他已经老了，在他的身边，所有一切都开始变得暗淡、阴沉。文艺复兴的火焰就快要熄灭了，罗马也将受到异族的入侵与蹂躏。一个悲哀的神的阴影正慢慢地压在意大利的思想上。米开朗琪罗已经感受到悲剧将要降临的预兆，他被一种令人窒息的焦虑所困扰。

克雷蒙七世在把米开朗琪罗从艰难的工作中拯救出来后，希望他能在自己的密切监督下，将才华运用到一个全新的领域中。克雷蒙七世先是委托他主持修建梅迪契家族的小教堂和陵墓②。他想让米开朗琪罗全心全意地为自己服务，于是便劝说他加入教派③，承诺会给他一笔可观的教会俸禄，可米开朗琪罗却拒绝了。执著的克雷蒙七世并不在意，按月给他薪金，比他所要求的还要高三倍，并且赠送给他一幢与圣·洛朗教堂相邻的房子。

所有一切好像都很顺利，教堂的工程也积极地进行着。可是，忽然间，米开朗琪罗放弃了那幢房屋，而且还拒绝了克雷蒙七世给他月薪。他再次灰心失望了。因为尤利乌斯二世的继承人无法宽恕他放弃已经开始的工作；他们恐吓说要指控他，并说他人格上有问题。一想到要打官司，米开朗琪罗就惊慌失措。他的良心告诉他，人家的确言之有理，于是他自己也开始责怪自己失约。所以，他觉得只要还没将他从尤利乌斯二世那里拿到的并已经花掉的钱还清，他就不应该接受克雷蒙七世的钱。

---

① 见1548年米开朗琪罗写给他的侄子的信。

② 这项工程早在1521年就开始动工了，但直到1523年11月，在克雷蒙七世的积极推动下，才得以继续修建，此外，米开朗琪罗还接受了圣洛伦佐图书馆的修建任务。

③ 这里指的是方济各教派。

"我没有办法再继续工作了，我快死了。"① 他这样写道。他恳求教皇能够帮他疏通与尤利乌斯二世的继承人的关系，然后再帮他偿还他欠尤利乌斯二世的全部债务："我将卖掉我能卖掉的一切，来偿还欠您的钱。"

他请求教皇，如果不想帮他还清债务的话，那就准许他放下手中的工作，全身心地投入到尤利乌斯二世纪念碑的建造上："我急切地乞求从这项义务中解脱出来，这种急切的乞求比求生的奢望还要强烈。"

一想到克雷蒙七世如果去世，自己就会受到他的敌人们的追逼时，米开朗琪罗像小孩子一样绝望地哭了。他曾这样说道："假如教皇不再管我，那么我肯定无法再存活在这个世界上……我根本弄不清楚自己在写什么，因为我的头脑已经不再清醒……"

但是，克雷蒙七世并没有认真对待这位艺术家的绝望，他坚持不允许米开朗琪罗中止修建梅迪契家族小教堂的工作。就连米开朗琪罗的一些艺术家朋友们也搞不清楚他的种种烦虑，只是劝他不要再闹什么笑话，不要拒绝教皇的月薪。另外一些朋友则认为他这样做是一种不假思索的胡闹，他们警告他以后不要再这样任意而为。还有些朋友给他写信，信中这样说：

听说您拒绝了属于您的月薪，并且还放弃了教皇赐予你的那幢房子，甚至你还中止了你的工作，这在我看来，纯粹是疯狂的行为。我最亲爱的朋友，最善良的伙伴，您这是在自己和自己作对，这样只会让亲者痛，仇者快……请您别再管尤利乌斯二世的陵寝了，痛快地收下您的薪俸吧，教皇是出于好心而给你薪俸的。

---

① 见 1525 年 4 月 19 日写给教皇的管事的信。

116

米开朗琪罗并没有听进去朋友的劝告。而教廷的司库也以此戏弄他，真的按他的要求做了，取消了他的月薪。可怜的米开朗琪罗哪里坚持得住，在几个月之后，他就只能重新向教皇请求他原先拒绝的那份月薪。开始的时候，他是羞惭、畏怯地要求：

我亲爱的乔凡尼，既然笔杆子比舌头更大胆，那么我想把我这段时间想对你说又羞于开口的话，通过写信的方式告诉给您：我想问，我还能获得月俸吗？……即使我确信自己再也不可能获得，我还是不会改变我的态度：我仍将尽自己最大的能力为教皇服务。不过我会相应地调整我所做的工作。

之后，因为生活所迫，他又写了一封言辞更加卑怯的信：

在慎重考虑之后，鉴于教皇如此看重圣·洛朗教堂的这件作品。而且为了不让我为生活所累，又赏赐给我月俸，为的是使我能加快工作进程。可我却拒绝了您的好意，这无异于是在耽误工期。所以，我改变了想法。对于之前我一直拒绝的这份月俸，现在，出于各种一言难尽的原因，我想重新得到它……不知您能否再把这笔钱赐予我，从曾经答应过我的那一天算起……请您告诉我何时可以去取？

或许人家想给他一点教训，便装聋作哑，没有给他任何回应。两个月过去了，他还是没有拿到一分钱。后来，他只能放下自尊心，反复地要求月俸。在烦恼不堪的工作过程中，他抱怨这些烦恼把他的想象力都给扼杀了。

……烦恼极大程度地影响了我……一个人不能手上做着一件

事脑子里却想着做另一件事，尤其是在雕塑方面。有人说，这些烦恼可以启发和刺激我的创作灵感，但我却不以为然，我认为这些只会限制我，让我退步。我已经有一年多没拿到月俸了，我一直在贫困中挣扎，我独自一人应对各种困难，何况我的麻烦已经够多的了，这令我无暇顾及艺术，我也没能力雇人来帮我了。

克雷蒙七世有时也会因他所受的痛苦而感动，于是便命人向他表示自己的同情心。克雷蒙七世向他担保，只要他活着就会永远恩宠他。但总喜欢没事找事的梅迪契家族却不甘寂寞地不断找他的麻烦。他们不仅没有减轻他的重担，反而还提出了更高的要求：其中有一个无聊的巨像，巨像头上要顶着一座钟楼，而胳膊要做成一个烟囱。为了这个古怪的念头，米开朗琪罗不得不浪费了很长一段时间。此外，他还得解决他与他的那些工人们、泥瓦匠们、车夫们之间的问题，因为他们受到了八小时工作制的先驱者们的诱惑，不断闹事。

与此同时，家族里的麻烦事也是有增无减。他的父亲随着岁数越来越大，脾气也是越来越坏，越来越不讲理。一天，他的父亲竟然从佛罗伦萨的家中逃走，还说是被米开朗琪罗赶走的。他于是给父亲写了封令人动容的信：

我亲爱的父亲，昨天回家时我没有看见您，顿时吓得六神无主。今天，我得知您是在埋怨我，还说是我把您赶走的，对此我更加惶恐不安。自我出生以后，我敢保证我没做过任何令您不快的事。而我所经历的一切磨难，也都源于我对您的爱……我始终站在您的一边……就在几天前，我还和您说起，只要我活着，就会用我全部的精力来为您作贡献，现在，我再次向您保证。你为什么这么快就把这一切给忘了呢？这真让我感到吃惊。您应该是很了解我的，三十年来，您已经无数次考验了我，您和您的儿子们都知道，我始终都在尽自己最大的能力善待你们，不管是思想上还是行动上，都已竭尽全力。您为什么还要四处说是我把您赶走的呢？您难道看不出您这样说对我的名声有多大的损害吗？让我心烦的事情现在已经够多的了，实在不能再添加了，何况所有的烦心事都因您而起！您就是这样回报我的吗？……算了，你想怎么样就怎么样吧。我问心无愧，我相信自己从没有让您蒙羞，也从没有给您带来伤害。可是我还是请求您能原谅我，就当我真的对您做了什么不好的事吧。请您原谅我，就如同原谅一个生活放荡、只会给您添麻烦、坏事干绝的儿子吧。我再次恳求您，求您原谅我这么一个可怜人。请您不要再把撵走您的恶名加在我头上了，因为对我来说，我的名誉要比您所想的重要得多。不管怎么说，我总归是您的儿子呀！

这么深厚的爱、这么谦卑的爱，也只能使这位乖戾的老人家暂时平息怒火。一段时间之后，他又对外说儿子偷了他的钱。忍无可忍的米开朗琪罗又给父亲写了一封信：

我真的不知道您到底想要我怎么做？假如我活着已经成为您的痛苦之源，已经让您受够了的话，那么我想您已经找到摆脱我的办法了，很快，您就能够拿到您认为由我保管的财富的钥匙。当然，您做得很好，因为佛罗伦萨的每一个人都知道您是一位巨富，都知道我一直在偷您的钱，都认为我应该受到惩罚。而您将为此受到众人的颂扬！……您想怎么说我，就随便说、随便喊吧，但请您别再给我写信了，因为您让我因此而无法工作。

您逼得我想起您这二十五年来在我这里所索要的一切。我本不想说这个，但最终我不得不说！……您要明白……一个人只能

119

死一次，一旦死了就无法再弥补自己所做的错事。您不要不见棺材不落泪啊。愿上帝帮助您！[①]

这，就是米开朗琪罗从他的家族那里得到的关怀与帮助。

"忍耐吧！"在写给一位朋友的信中，他叹息着说。"但愿上帝别让那些使他感到不快的事也搞得我不愉快！"

处在这些痛苦烦忧中的人，工作相应的也就进展缓慢。1527年，当意大利突然发生翻天覆地的政治大动荡时，梅迪契家族小教堂的雕像一座都没有完工。所以，从1520到1527年这段时间，米开朗琪罗只是在他前一段时期的幻灭与疲惫上增添了更多的幻灭与疲惫。这十多年来，对米开朗琪罗而言，他没有完成一件作品，没有实现一项计划，更谈不上有什么欢乐。

三 绝望

啊，啊，我背叛了他……

对自己以及所有烦恼的事物的厌恶，使他卷入了1527年佛罗伦萨爆发的革命洪流。

这段时间中，在政治上，米开朗琪罗表现出来的同样是犹惧与不安，这与他在生活和艺术上所受的苦难一样。他个人的情感永远无法与他对梅迪契家族所承担的责任相协调。这个性情柔弱而又暴躁的天才在行动中总是畏缩不前。他不敢冒险对抗尘世中政治或宗教势力。他的信件中总是流露出他在为自身、为家人担忧情绪，他害怕因为自己而牵连到家人，害怕因一时的气愤说出反对专制行为的话，由此惹来灾祸。他经常写信叮咛家里人，要

---

① 见1523年6月写给父亲的信。

他们言行谨慎，小心祸从口出，假如出现什么危险就赶紧逃跑。

要像发生瘟疫时那样，尽快逃跑……与钱财相比，生命更加重要……要安分守己，不可轻易树敌；除了上帝，不要随便相信任何人，也不要随便说别人的好话或坏话，因为事情的结局总是无法预料，所以我们只要走好眼前路就行……不要瞎掺和任何事情。

名人传

他的兄弟和朋友们都嘲笑他胆小怕事，把他当一个疯子看。[①]

"请别嘲笑我，"他忧伤地说，"一个人不应该嘲笑他人。"

其实，这位伟大的天才的小心谨慎并没有什么值得嘲笑的地方。倒是他那敏感的神经值得人们体谅，这使他成了被恐惧玩弄的对象，尽管他同恐惧进行了抗争，但最终却以失败而告终。在遇到危险时，他的第一反应就是逃走，但在一番磨难的洗礼下，他竟也能逼迫着自己勇敢地去面对危险，这样一来，更加显出他的不凡。除此之外，我们应该知道，他的确有比别人更害怕的理由，因为他比别人聪明，而他的悲观主义也使他能够更清楚地预料到意大利的种种厄运。然而，以他天生懦弱的个性，要卷入佛罗伦萨这场革命洪流中去，则必须有一种处于绝望的激愤之情。

这是一个惶恐不安、深藏不露的灵魂，但却也充满了强烈的共和思想。有时，在他信心十足或情绪十分激动时，我们能从他无意流露出来的话语中感觉到这种思想，特别是后期他与朋友们的谈话中，比如和路易吉·迪·里乔、安东尼奥·佩特罗和多纳

---

① 1515年9月，在他写给弟弟博纳罗托的信中，米开朗琪罗说："我并不是你们所认为的疯子……"

托·杰罗蒂亚[1]等人的谈话中，表现就更加明显。杰罗蒂亚曾在他的《关于但丁＜神曲＞对话录》中曾引述过他们的谈话。[2] 朋友们对但丁会把布鲁图斯和卡修斯放在地狱的最后一层，而把恺撒放在其上感到十分奇怪，便向米开朗琪罗问及此事，米开朗琪罗则为刺杀暴君的人辩护，说道：

如果你们仔细地阅读过前面的诗篇，那么你们就会看出，但丁其实非常了解暴君们的性格，而且他十分明白暴君们所犯下的罪恶是人神共愤的。于是他便将暴君们归属到"残害他人"这一类人之中，将他们罚入第七层地狱，终日忍受沸腾的血水的煎熬……既然但丁这样看这一问题，那么他必然会将恺撒视为罗马的暴君，而将布鲁图斯和卡修斯刺杀他的行为归属到正义之举，因为他们杀死的是一个暴君，并不是真的杀了人，而只是在杀一个人面兽心的家伙。所有的暴君都很明显地失去了人性中的爱的一面，而只剩下了兽性。对同类他们没有任何怜爱之心，否则他们就不会抢夺不属于自己的东西，更不会成为践踏他人的暴君……所以说，刺杀暴君的人并没有犯杀人罪，而只是杀了头野兽。所以布鲁图斯和卡修斯刺杀恺撒并没有犯罪。首先，他们刺杀的是一个令每个罗马公民都坚持要求按照法律杀掉的人；另外，他们杀的并不是一个人，而是一头披着人面的野兽。[3]

———————

① 《布鲁图胸像》就是米开朗琪罗为多纳托·杰罗蒂亚创作的。

② 那些朋友们谈论的问题是，但丁在地狱中到底度过了多长时间，是从星期五的晚上到星期六的晚上，还是从星期四的晚上到星期天的早上？于是，他们请教米开朗琪罗，因为他比任何人都熟悉但丁的作品。

③ 米开朗琪罗还仔细地将暴君、世袭君王，以及合法的王公贵族区别开来，他说："这里，我并不是指那些拥有百年权威或民意所向的大公，他们凭借与人民协调一致的精神统治着城市……"

所以，当罗马被查理五世的大军攻陷、梅迪契家族被放逐的消息传到佛罗伦萨时，当地民众的爱国意识与共和观念顿时被激发了出来，佛罗伦萨人准备揭竿而起，发动革命。这一次，一向对政治畏首畏尾的米开朗琪罗竟然也冲到了佛罗伦萨起义队伍的最前列。往常，这个劝诫家人要像躲避瘟疫那样躲避政治的人，此刻却激动得无所畏惧了。他留在了瘟疫与革命共同肆虐的佛罗伦萨。他的弟弟博纳罗托因为染上瘟疫而死在了他的怀抱中。1528年10月，米开朗琪罗参加关于守城事宜的会议。1529年初，他被选为城防工程组委会的会员。同年4月6日，他又被任命为佛罗伦萨城的城防工事的总督造，任期一年。这一年的6月，他被派往比萨、阿雷佐和里沃那等城市，视察那里的防御工作。接着，在7月和8月，他被派往到费拉拉，检查那里最著名的防御工事，并且和当地的公爵以及防御工程方面的专家讨论相关问题。

米开朗琪罗认为，佛罗伦萨的重点防御地点应该是圣米尼亚托高地，所以他决定在这个地方修建一些碉堡，以此加强这个地区的防御能力。可是，不知道什么原因，行政长官坎宁培极力反对他的这个决定，此外，还想尽办法要把米开朗琪罗赶出佛罗伦萨。米开朗琪罗也怀疑坎宁培串通梅迪契党人，有意想赶走他，不让他再守护佛罗伦萨城，于是他干脆就在圣米尼亚托住了下来。但是，身陷围城之中，他那生性多疑的性格使他很容易就相信那些流传在城里的种种叛变的传言。而且，这一次的传言并非毫无根据。弗朗切斯科·卡尔杜奇顶替了受到怀疑的坎宁培，成为新任的行政长官，但在同时，马拉泰斯塔·巴利翁这个让人不放心的家伙也被任命为佛罗伦萨军队的司令，这个人后来果然将整个佛罗伦萨拱手让给了教皇。预料到马拉泰斯塔会叛变的米开朗琪罗将自己的疑虑和担心告诉了市政议会。可"行政长官卡尔杜奇非但没有感谢他，还把他臭骂了一顿，骂他是个疑神疑鬼、胆小怕事的人。"① 马拉泰斯塔得知米开朗琪罗在背后举报自己，于是就在城里散播谣言，说"像米开朗琪罗这样胆小的人，为了逃避一个危险的对手，什么事情都做得出来。"马拉泰斯塔在佛罗伦萨有着极高的权势，何况还是军队的司令。米开朗琪罗知道自己是斗不过马拉泰斯塔的，他这样写道：

名人传

> 我早已作好无所畏惧地迎接战争结局的准备。可是，就在 9 月 21 日，星期二的早上，当时我正在圣尼古拉门外的炮台上，有人跑过来悄悄地对我说，如果我还想活命的话，就必须赶紧逃离佛罗伦萨。于是我就请他和我一起回到了我的居所，并和他一起吃了饭。他将我的马牵了过来，直到送我出了佛罗伦萨，才离我而去。②

　　韦尔奇对这件事进一步补充说，"米开朗琪罗将一万二千弗洛令的金币缝在了三件裙式衬衫中。在逃走的时候，他并不是没有遇到麻烦，他是从把守不太严的正义门逃出城的，当时与他一起逃亡的还有里纳多·科尔西尼和他的学生安东尼奥·米尼。"
　　几天后，米开朗琪罗这样写道："我不知道背后是神还是鬼在驱使我。"
　　事实上，他的这种怪异感觉，正是源于他那谨慎恐惧的习惯。据说，在他们逃到卡斯泰尔诺沃时，他曾在前任行政长官坎宁培的住处下榻，他把自己的遭遇和对未来的预感栩栩如生地描

---

　　①　根据科蒂维的记述：卡尔杜奇真应该听取他的建议，因为当梅迪契再次得势，很快便将他处死了。
　　②　见 1529 年 9 月 25 日写给巴蒂斯塔·迪·巴拉的信。

述给坎宁培，结果竟使这位老人惊吓过度，九天后便一命呜呼了！假如事实真是这样，那么就不难想象，当时的米开朗琪罗是处于什么样的恐惧之中。[①]

9月23日，米开朗琪罗来到费拉拉。处在过度恐惧与紧张中的天才拒绝了当地公爵的盛情邀请，不肯留在人家的城堡中，他选择继续逃亡。两天后，他来到了威尼斯。当地市政议会得知这一消息后，马上派人找到他，表示愿意满足他的一切要求。然而，孤僻的性格加上羞愧的心情使他再一次拒绝了人家的好意，他选择在乌德卡隐居。他认为自己躲得还不够远，他想逃到法国去。就在抵达威尼斯的当天，他就写了一封言辞急切的信，送给法国国王弗朗斯瓦尔一世在意大利采购艺术品的代理人巴蒂斯塔·迪·巴拉：

巴蒂斯塔，我亲爱的朋友，我已经离开了佛罗伦萨，我准备去法国。当我来到威尼斯时，我向当地人探听了一下路径。有人告诉我，假如想去法国，就不得不穿过德国境内。这对我来说是十分危险且艰难的。您还有意回法国吗？……请您尽快答复我，我应该在哪里等您好呢？我们好一起走……如果收到这封信，请尽快给我一个回复，因为我现在迫切地想要去法国。如果您没有去法国的意思，也请告诉我一声，以便我下定决心，不惜一切，独自前往……

法国驻威尼斯使节拉扎尔·迪·巴尔夫得知消息后，立即给弗朗斯瓦尔一世和法国陆军统帅写信，请求他们趁此机会，务必把米开朗琪罗这位天才留在法国。而法国国王也立即表示，可以

---

① 根据科蒂维的记述。

125

为米开朗琪罗提供一笔年金和一幢房子。但信件往来需要一定的时间，当弗朗斯瓦尔一世的第二封信到来时，米开朗琪罗已经返回了佛罗伦萨。

　　狂热渐渐退散。在幽居乌德卡的日子里，他有足够的闲暇时间为自己的恐惧而感到羞愧。关于他的逃跑，在整个佛罗伦萨传的是沸沸扬扬。9月30日，市政议会宣布，凡逃亡者，如果在10月7日之前不归，将以反叛罪被判罚。到了指定的那一天，所有逾期未归的逃亡者果然都被宣布为叛逆者，而且没收了他们的一切财产。不过，米开朗琪罗并没有名列其中，市政议会额外给了他优待。这是因为佛罗伦萨驻费拉拉的使节加莱奥托·朱尼提前通知了佛罗伦萨的最高统领，说米开朗琪罗得知这道法令太晚了，而且他还说如果能得到赦免的话，米开朗琪罗随时准备返回佛罗伦萨。最终，市政议会答应宽恕米开朗琪罗，而且还命石匠巴斯蒂阿诺·迪·弗朗切斯科将一张特别通行证带到威尼斯交给了米开朗琪罗。此外，巴斯蒂阿诺还给他带来了十封朋友写的信，信的内容全都是恳求他回去的。在这些信中，仁厚的巴蒂斯塔·迪·巴拉写给他的信尤其充满爱国之情：

　　您全部的朋友，无论持哪种证件，都绝不犹豫、异口同声地恳求您回来，为了您宝贵的生命、伟大的祖国、亲爱的朋友，以及您的财富和荣誉，当然，也为了享受这个您曾经强烈渴求与盼望的新时代。

　　米开朗琪罗坚信，佛罗伦萨的黄金时代就要到来了，于是他满怀希望地憧憬着自己的美好未来。然而，这个可怜的人却成了梅迪契家族回归后的第一批受害者之一。

　　米开朗琪罗被巴蒂斯塔的来信打动了。他回来了，但回来得很慢。巴蒂斯塔前往卢克奎，准备迎接米开朗琪罗，可是等了好几天还是没有等到，到最后他都快绝望了。[①] 终于，在 11 月 20 日，米开朗琪罗重新回到了佛罗伦萨。[②] 三天后，市政议会取消了对他的指控，但却判定他在未来三年内不能进入议会。[③]

回到佛罗伦萨后，米开朗琪罗一直恪尽职守，全心全意地做着自己的工作。后来，他又恢复了在圣米尼亚托的职位，而此时的圣米尼亚托已经被敌人炮击了将近一个月。米开朗琪罗重新加固高地上的防御工事，还创造了一项新的器械。据说，他用棉花和被褥把钟楼覆盖住，使钟楼并没有遭受破坏。关于他在围城期间的最后行动，1530 年 2 月 22 日的一则消息是这样描述的：米开朗琪罗爬到大教堂的圆顶，监视敌人的动向，并且察看圆顶上头的情形。

然而，他曾经预感到的灾祸最后还是不可避免地发生了。1530 年 8 月 2 日，马拉泰斯塔·巴利翁叛变。8 月 12 日，佛罗伦萨当局投降，整座城市交由教皇的特使巴乔·华洛利掌管。之后，屠杀开始了。最初几天，没有人能阻止战胜者们的报复行为。而米开朗琪罗的那些朋友们，如巴蒂斯塔·迪·巴拉，是第一批被杀害的。据说，当时的米开朗琪罗因为害怕而藏身在阿尔诺河对岸的圣尼科洛教堂的钟楼里。当然，他的害怕是有理由的，因为城中传言说他曾经想毁掉梅迪契宫廷。不过，克雷蒙七世并没有因此失去对他的宠爱。按塞巴斯蒂安·迪·皮翁博所说，在得知米开朗琪罗在围城中的表现后，克雷蒙七世很不高

---

① 他又给米开朗琪罗写信，催促他尽快赶回来。

② 四天前，他的薪俸被市政议会下令取消了。

③ 从他他写给巴斯蒂安·德·皮翁博的信中可以发现，他还被罚缴纳了 1500 杜加金币。

兴，但也只是耸耸肩膀说："米开朗琪罗这样做真不应该，我从来都没想过要伤害他。"① 当怒气逐渐消散后，克雷蒙七世便给佛罗伦萨城的当权者写信，要他们全城寻找米开朗琪罗，并且还补允说：假如米开朗琪罗愿意继续修建梅迪契家族的陵寝，那么他便会获得他应有的待遇。②

于是，米开朗琪罗走出了他的隐避所，重新肩负起了他那份曾经遭人反对的光荣工作。不仅如此，这个卑微的人还答应为一个人雕刻一座《搭弓射箭的阿波罗》，这个人就是那个曾替教皇干尽坏事并杀害其好友巴蒂斯塔·迪·巴拉的刽子手巴乔·华洛利。不久，他竟然还否认那些被放逐的人是他的朋友。这样一个伟大的人物，被一个可悲的弱点逼得只能卑怯地在暴虐的物质力量面前低下他那高贵的头颅，为的只是保全自己追求艺术的梦想，不然它就会被这种物质力量所扼杀！他将自己晚年的时间全部奉献在了建造一座超凡脱俗的纪念碑上，这不是毫无缘由的。他和彼得一样，一听到雄鸡啼唱就痛哭流涕。

被逼说谎，被逼讨好华洛利，被逼颂扬乌尔班公爵。这些让米开朗琪罗感到痛苦极了、羞愧极了。他只好将全部心思都放在了工作上，把那些毫无意义的怒气发泄在工作中。其实，他雕刻的并不是梅迪契家族，而是在雕刻自己的绝望之情。当有人指出他所雕刻的朱丽安诺和罗内·迪·梅迪契不像时，他傲慢而巧妙地回答道："等到千年之后，谁还能分辨出他像或者不像呢?"他将其中一个雕成"行动"，另一个雕成"思想"，底座上的那

---

① 见 1531 年 4 月 29 日塞巴斯蒂安·德·皮翁博写给米开朗琪罗的信。

② 根据科蒂维的记述，到了 1530 年 12 月 11 日，教皇便恢复了米开朗琪罗的月俸。

些雕像则是在诠释这两尊雕像，《昼》与《夜》，《晨》与《暮》，它们道出了人世间的痛苦和作者对现实的厌恶。这些象征着人类痛苦的不朽之作于 1531 年完成。讽刺的是，当时没有任何一个人能完全看得懂这些雕像。当意大利诗人乔凡尼·施特洛看到那尊可怕的《夜》时，写下了这样的诗句：

夜，因你的目光而妩媚地睡着的夜，
由一位天使在这块岩石上雕刻而成，
她熟睡着，
却充满了生命的活力。
假如你怀疑，请将她唤醒，
她将与你说话。

对此，米开朗琪罗的回答是：

睡眠是甜美的。
能够成为顽石却是幸福的，
只要说这世间还存在罪恶与耻辱，
不见不闻对我来说就是最大的幸福。
所以，请不要唤醒我，
啊！请你轻一点说话！①

在另一首诗中，他又这样写道：

人们只有在天空中安睡，

---

① 见米开朗琪罗《诗集》卷109。

129

既然那么多人的幸福唯有一个人才能体会！

被奴役的佛罗伦萨也发出同他的痛苦呻吟相呼应的哀号①：

您圣洁的思想，请不要陷入迷茫，
相信把您从我这儿夺走的那个人，
注定无法在罪恶中享受乐趣，
因为他时刻会感到忐忑不安，会心怀恐惧。
对于恋人们来说，
最细微的欢乐都会让他们感到无比的快乐，
因为它浇灭了欲念，
只有苦难才会使希望膨胀，使欲望增强。②

名人传

罗马的被劫、佛罗伦萨的失陷对人们心灵造成的创伤是巨大的：理性的破灭与崩溃，让很多人的精神都因此而堕入到痛苦的深渊，并且一蹶不振。

塞巴斯蒂安·迪·皮翁博成为了一个及时行乐的怀疑主义者："我已经走到了这种境地，哪怕天塌地陷，我都不会放在心上，我嘲笑一切的事物……我觉得自己已经不再是罗马被劫掠前的那个自己了，我再也不能还原以前的我了。"

这时的米开朗琪罗甚至想到要自杀："如果允许自杀的话，那么，对于一个满怀信仰却过着奴隶般悲惨生活的人来说，是最应该获得这种权利的。"③

---

① 米开朗琪罗在想象中与佛罗伦萨的流亡者进行对话。
② 见米开朗琪罗《诗集》卷109，第48。
③ 见米开朗琪罗《诗集》卷38。

米开朗琪罗的精神一直处于极度混乱的状态中。在 1531 年 6 月，他终于病倒了。克雷蒙七世百般抚慰他，可并没有什么效果，又派秘书和塞巴斯蒂安·德·皮翁博转告他，叫他工作时不要太过劳累，生活上也要有所节制，要在宽松的条件下工作，有时间就要多出去走走，别把自己弄得像一个囚犯似的。这一年秋天，人们都开始担忧他的身体，甚至是他的生命。他的一个朋友写信给华洛利说："目前的米开朗琪罗已经精疲力竭了，瘦得都没有人形了。我最近与布贾尔迪尼以及安东尼奥·米尼谈过后，一致认为，如果我们不认真地照料他、关心他，他就没多长时间可活了。他干的活实在是太多了，吃的又少又差，睡眠也是严重不足。一年来，他几乎都是忍着头疼、心疼而工作。"这次，教皇克雷蒙七世真的担心起来。1531 年 11 月 21 日，他下达命令，除了负责尤利乌斯二世的陵寝和梅迪契家族的陵墓，米开朗琪罗不能再做任何别的工作，否则就将开除他的教籍。如此做只是为了能够照顾好他的身体健康，"以便他能继续活下去，能更长时间地为罗马、为他的家族、为他自己增添荣耀"。

克雷蒙七世保护他，使他免受华洛利们和一些有钱的化缘者的纠缠，这些人老喜欢跑来找他讨要艺术品，还强迫他为他们创作新的作品。"如果有人再向你求画，"教皇命人代笔写信给他说，"你就把画笔绑在脚上，随便画一画，然后对他们说：'画完了。'"当尤利乌斯二世的继承人开始对米开朗琪罗施压时，教皇克雷蒙七世还常常为他们作调解。[1] 1532 年，乌尔班公爵（也就是尤利乌斯二世的继承人）的代理人和米开朗琪罗就陵墓事宜签订了第四份契约，米开朗琪罗答应为其另外再制作一座新

---

[1] 1532 年 3 月 15 日，在写给米开朗琪罗的信中，皮翁博说道："如果不是教皇给你当挡箭牌，那些如同毒蛇一样的人非跳起来把你吞掉不可。"

的小陵墓，①允诺在三年内完工，全部费用都由米开朗琪罗承担，另外还要付两千杜加的金币，作为他之前从尤利乌斯二世及其继承者那里得到的一切的补偿。塞巴斯蒂安·迪·皮翁博在信中对米开朗琪罗说，"在你的作品中只要让人感受到你的一点气息就可以了。"何等可悲的条款啊！米开朗琪罗签的契约代表着他的一项伟大计划的破产，因此，他只能为此付出代价！日复一日，米开朗琪罗的每一件绝望之作，都代表了他生命的毁坏，人生的毁坏。

在尤利乌斯二世陵寝的计划宣告失败后，梅迪契家族陵墓的修建计划也流产了。1534年9月25日，教皇克雷蒙七世逝世了。所幸当时的米开朗琪罗并不在佛罗伦萨。长时间以来，他在佛罗伦萨一直活得心惊肉跳，因为城中的亚历山大·迪·梅迪契公爵非常恨他。如果不是出于对教皇的尊敬，公爵早就命人将米开朗琪罗给杀掉了。②自米开朗琪罗拒绝建造一座控制佛罗伦萨全城的要塞后，梅迪契公爵就更加地恨他了。但对一向谨小慎微的米开朗琪罗来说，他这次的拒绝却是英勇豪壮之举，表明了他对伟大祖国的爱。③从那时起，米开朗琪罗就作好了随时迎接来自公爵方面任何攻击的准备。而当克雷蒙七世逝世时，米开朗琪罗凑巧不在佛罗伦萨，这才得以保全性命。此后，米开朗琪罗就再也

---

① 这时，为陵墓修建交付的雕像中，只有后来立在梵柯利圣彼得堡大教堂的六座未完成的作品，包括《摩西》《胜利》《奴隶》和《博力石窟的群像》等。

② 有好几次，克雷蒙七世不得不在侄子亚历山大面前公然保护米开朗琪罗。皮翁博曾给米开朗琪罗讲述了这么一个场景："教皇说话时，情绪十分激动，充满了愤恨与不满，他的语气极为生硬，表情严厉，用语言根本没有办法形容……"

③ 因为建造这样一座要塞，就代表着对佛罗伦萨的奴役和威胁更大。

没有回去，他也不想再回佛罗伦萨。修建梅迪契家族的小教堂计划也泡汤了，永远都没有办法再完工了。我们现在所看到的梅迪契家族小教堂，和米开朗琪罗最开始所设想的相差很大，只有一点点相似之处，就是墙壁上装饰的轮廓有点像。米开朗琪罗不仅没能完成计划中雕塑的一半，甚至他所设想的绘画也没有完成，而且，后来当他的弟子们努力想找回和补全他的设想时，即使他自己都说不清最初的情况了。① 他就这样放弃了自己的一切工作，甚至把一切都忘得干干净净。

1534 年 9 月 23 日，米开朗琪罗回到了罗马，在那里他一直待到去世。② 他离开罗马已经有二十一年了。在这段时间中，他创作并完成了尤利乌斯二世陵寝的三尊雕像、梅迪契家族陵墓原来没有完成的七尊雕像、洛朗教堂未完成的过厅、圣·玛丽·迪·密涅瓦教堂的《基督》，以及为巴乔·华洛利创作的《阿波罗》。他彻底丧失了健康、精力和信仰，彻底失去了对祖国、对艺术的信仰。他还失去了最疼爱的一个弟弟③，失去了他最尊敬的父亲④。为了纪念兄弟和父亲，他写了一首痛心疾首、感人肺腑的诗，即使是这首诗，也同他的其他作品一样，没有完成。在这首遗留的诗句中，充满了对死亡的憧憬：

---

① 人们甚至不清楚把雕塑好的作品放在哪里，也不清楚他准备在空的壁龛里放哪座雕像。负责继续做完米开朗琪罗未完成的作品的瓦萨里和阿玛纳蒂都曾写信向他询问，可他自己也都想不起来了。1557 年 6 月，在回信中，他写道："记忆和思想跑在了我前面，它们已经在另一个世界等我去了。"

② 直到 1546 年 3 月 20 日，米开朗琪罗才取得了罗马市民的身份。

③ 这里指的是弟弟博纳罗托，他在 1528 年死于一场瘟疫。

④ 他的父亲死于 1534 年 6 月。

上帝将你从我们的苦难中搭救出来，

请可怜可怜我吧，我这生不如死的人！……

你因死亡而变为神明，

从此后，你不必再担心生存状态与欲念的改变。

写到这里，我怎能不心生美慕呢……

命运与时间只为我们带来了不切实际的欢乐与痛苦，

却不敢跨进你们的门槛。

任何一片光彩能遮挡你们的光亮，

今后，任何人都无法对你们施暴。

必然与偶然也休想再左右你们。

黑夜无法扑灭你们的光华，

白昼无比的光亮也无法增加你们的光华……

我亲爱的父亲，因为您的死去，我学会了死。

死，并不像人们所想象的那样可怕。

对于死者来说，在人世的最后一天，就是在天堂的第一天，

我希望，并且相信，我能仰仗上帝的恩惠再见到你，

假如我的理智可以将我那颗冰冷的心从尘世的污浊中拉出来的话，

如果理性能像所有德行那样，

我们就能在天上增进父子间的感情。①

　　他对人世已经没有任何留恋，没有任何东西可以牵绊他、留住他，无论是艺术、雄心、温情，还是任何一种期望。他已到了花甲之年，人生的道路就要走完了。他孤苦无依，他不再相信自己的作品，他充满怀疑之心。一心只想着死亡，渴望能最终躲开

---

① 见米开朗琪罗《诗集》卷58。

名
人
传

"生存状态与欲念的改变"，"逃脱命运与时间的暴力"，挣脱"必然与偶然"的束缚。

啊！啊！我被那如箭的光阴背叛了……我有过太多期待……时光飞逝，我已将近暮年。我无力再与死神们抗争，我开始反省……徒劳地哭泣：任何不幸都无法与失去的时间相比……

啊！啊！回首往事，我找不出一个真正属于我的日子！有的都是虚假的希望与虚妄的欲求。现在我得承认，它们把我羁绊住了。哭、爱、激动、悲哀、叹息，没有一种致命的情感是我所不曾经历的，但真理却远离我而去……

啊！啊！我不知道该往何处去，而且我害怕……如果我没有弄错的话——噢！愿上帝让我弄错吧！——我看见了，主啊，我看见自己受到了永恒的惩罚，因为我认识了善却又做了恶。现在的我，剩下的就只有期盼了……①

---

① 见米开朗琪罗《诗集》卷49。

下篇　舍弃

一　爱情

我热爱死亡，我的生命就在其中。

在这颗残遭蹂躏的心中，当他的一切生机都被剥夺后，一种新生活出现了，就仿佛鲜花盛开的春天，爱情的火焰燃烧起来了。但这种爱情几乎没有任何自私和肉欲的成分。这是对卡瓦列里的美貌的神秘崇拜，是对维多利亚·科隆娜的友谊的虔诚致敬，是在神明面前两颗灵魂的热诚的沟通，这是对于他那些失去父亲的侄子们的慈爱，对孤苦的穷人的怜悯，即神圣的爱与德。

米开朗琪罗对托马索·德尔·卡瓦列里的爱情是一般人——不管是正直的或无耻的——所难以了解的。即便是在文艺复兴末期的意大利，它也引起了种种令人恼火的传言；拉莱廷①甚至写了侮辱性的讽刺诗来描述这件事。可拉莱廷的诽谤——他一直都是这样——无法伤害米开朗琪罗。"那些人以自己污浊的心理来筑造一个他们想象中的米开朗琪罗。"

没有一颗灵魂能比米开朗琪罗的更纯洁。没有一个人能像他那样虔诚地对待爱情。

科蒂维曾说："我经常听到米开朗琪罗谈论爱情，在场的人

---

① 拉莱廷（1492－1557），意大利诗人、剧作家，以文风辛辣讽刺而闻名。

都说他的言谈完全是柏拉图式的。对我来说，我不知道什么是柏拉图的主张，但我知道，在我和他那么长久那么亲密的交往中，我在他口中只听到最值得尊敬的言辞，可以有效抑制青年人的强烈欲火的言辞。"

不过，米开朗琪罗的柏拉图式的理想并没有文学意味，也没有掺杂任何冷酷的东西。他沉湎于一切美的事物，对柏拉图式的爱情也是如此。他自己明白这一点，有一天，在谢绝他的友人贾诺蒂的邀请时，他说："当我看见一个具有某种才能或天赋的人，一个敢为人所不敢为、言人所不敢言的人时，我不禁都要为他着迷，我能把自己全身心底交付给他，而不再是属于我。……你们大家都是那么的才华横溢，我假如接受你们的邀请，就将失去我的自由；你们的每个人都会分割我的一部分。包括跳舞与弹琴的人，只要他们擅长自己的艺术，我也可以听任他们摆布！你们的聚会，不但不能使我休息、振作、镇静，反而会让我的灵魂片片凋零，或许在几天之后，我都不知道会死在哪里。"

思想、言谈或声音的美既然能这样地诱惑他，那么，肉体的美丽又会使他产生怎样的依恋呢！

美貌的魅力对我而言是多么的刺激啊！
这世上再没有可以与其相比的欢乐了！

这位外形俊美的伟大创造者，同时又是一位虔诚的信徒，对他而言，一个美丽的躯体，就是神灵在肉身覆盖下的显现。就像面对火棘树丛的摩西，他只是不断颤抖着走近它。他所崇敬的对象正如他自己所说是他的"偶像"。他跪拜在它的面前，这位伟人的这种过分的谦卑，连高贵的卡瓦列里都有些看不过去了。而且，当美貌的偶像有着一颗俗不可耐的心灵时，如费博·迪·波

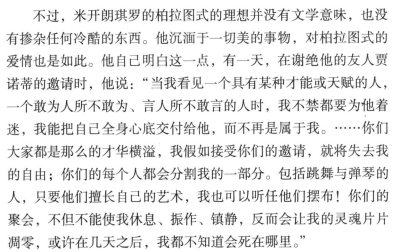

名人传

奇奥，米开朗琪罗的这种谦卑就更加难以理解了，他对此视若无睹……他难道真的是就什么都看不见吗？——不是的，只是他不愿意看到而已，他只在自己的心中构思偶像的轮廓。

在他的那些偶像中，最早的理想情人是 1522 年前后的吉拉尔多·佩里尼。后来，在 1533 年，他又迷恋上了费博·迪·波奇奥，1544 年又恋上了塞奇诺·迪·布拉奇。所以说，他对卡瓦列里的友情并不专一和排他。不过，却是最持久的，而且达到了一种狂热的程度。这不仅是因为卡瓦列里的俊美外貌，也是因为他拥有着高尚的道德。瓦萨里说：他爱托马索·卡瓦列里超过其他任何人。卡瓦列里是一位罗马贵族，年轻，且热爱艺术，米开朗琪罗曾在一张硬纸板上为他画过一张肖像，那是他一生中画过的唯一的肖像画，原因是他厌恶描绘活人，除非这个人美貌绝伦。

瓦萨里还补充说："当我在罗马看到托马索·卡瓦列里先生时，他不仅相貌俊美，无与伦比，而且风度翩翩，言谈举止温文尔雅，的确很值得人爱，尤其是当你进一步了解他时。"

1532 年秋，米开朗琪罗在罗马邂逅了卡瓦列里。米开朗琪罗写给他的第一封信充满了激情的表白，而卡瓦列里的回信则十分庄重：

来信业已收悉，这封信对我来说极为珍贵，因为它实在出乎我的预料。我之所以这样说，是因为我并不认为自己有资格让您这样的人给我写信。至于您对我的称赞，以及对我的那些工作表示敬佩，我认为，像您这么一个举世无双的伟大天才——我的意思是说世上再没有第二个像您一样的天才，给一个刚刚崭露头角、十分无知的年轻人写信是有些不太合理的。但我也不认为您是在说谎。我确信您对我的感情，只是出于像您这样一个艺术大师，对那些献身并热爱艺术的年轻人所必然会有的那种情感。我是那些年轻人中的一个，而且，就热爱艺术而言，我的确不比任何人差。我应承您，我会好好地回报您的爱；我敢说，我还从没有像爱您那样去爱别人，也从没有像盼望您的友情那样去盼望别的任何友情……如果我有机会为您效劳，请尽管吩咐，我将乐意之至。

您忠诚的托马索·卡瓦列里

名人传

卡瓦列里对他好像始终都保持着这种既尊敬又有分寸的情感。直到米开朗琪罗临终时，卡瓦列里都始终忠诚于他，并为他送终。卡瓦列里一直被米开朗琪罗所信任，是唯一被认为能对米开朗琪罗施加影响的人，卡瓦列里难能可贵的地方在于他总是全心全意地为他的朋友的幸福与伟大而效力。是他使得米开朗琪罗下定决心完成圣彼得大教堂圆顶的木制模型，是他为我们保存了米开朗琪罗为建造卡皮托勒山①的圆顶而绘制的图纸，并努力使之付诸实施。最终，也是他，在米开朗琪罗逝世之后，按米开朗琪罗的遗愿，监督工程的进度。

米开朗琪罗对卡瓦列里的友谊如同一种疯狂的爱情。他给卡瓦列里写了很多狂热的信，将他当偶像一样顶礼膜拜，称他为"强有力的天才……奇迹……世纪之光"；他恳求卡瓦列里不要瞧不起他，因为他无法和他相比，没有任何一个人能达到他的高度；他把自己的现在、未来全都献给卡瓦列里，还补充说道：

我不能把我的过去也奉献给您，不能更长时间地为您效劳，这对我来说是一种巨大的痛苦，因为我已经来日无多，我实在是

---

① 卡皮托勒山，希腊神话中朱庇特神殿的所在地。

太老了……我不相信有什么东西能够毁坏我们之间的友谊，虽然我这样说有点自大，因为我远不如您……我或许会忘记我赖以生存的食物，但绝对不会忘记你的名字。是的，我宁可忘记那些毫无乐趣、仅仅支撑着我的肉体的食物，也不愿忘记滋养着我的肉体与灵魂的您的名字，它让我的身心温馨甜美，以至于一想到您，我就不再感到痛苦，不再畏惧死亡——我的灵魂掌握在我把它交付的那个人的手里……如果我不得不停止想念他的话，我想我会立刻死去。

他赠给卡瓦列里很多精美的礼物：

一些令人惊叹不已的素描，用红黑铅笔画的一些精美头像，那是他想要帮助他学会素描而特意画的。他还为他画了一幅《该尼墨得斯①被化为鹰的宙斯掠到上空》、一幅《被鹰啄食肝脏的提堤俄斯②》，还有法厄同③驾着太阳神的金车坠落，孩子们在酒神节上游戏等。全都是最精美、最珍贵的作品，价值连城。

他还给卡瓦列里寄过一些十四行诗，诗风偶尔明亮，但大多是阴暗的，其中有一些不久便在文学圈中流传开来，并在全意大利传唱。有人说，下面这一首十四行诗是"16 世纪意大利最美

---

① 该尼墨得斯，希腊神话中特洛伊王的儿子，宙斯因为喜欢他，将他劫掠去当自己的侍酒童子。

② 提堤俄斯，希腊神话中宙斯的儿子，因为犯有强奸罪，被宙斯罚入地狱接受被鹰不断啄食的的酷刑。

③ 法厄同，希腊神话中太阳神的儿子，曾经驾驭太阳神的金车出游，却因为不善驾驭而使太阳金车离地面太近，几乎将地球毁灭，最后被宙斯用雷击死。

名人传

的抒情诗"：

你的慧眼，让我看到了，
我的盲眼所无法看到的一缕柔和之光。
你的双脚，
助我承受
那行动困难的脚所无法再承受的重负。
你的智慧，
使我飘飘欲仙。
你的意志，
包含了我所有的意志。
我的思想在你的心中形成，
而我的话语则在你的呼吸中诞生。
孤独时，我仿佛月亮，
只有太阳照射到它时，
人们才能在天上看见它。

另一首十四行诗则更加著名，是赞颂完美友情的最美丽的诗
篇之一：

假如两个情人之间
存在着贞洁的爱，
一种崇高的敬爱，一种共同的命运，
假如残酷的命运打击了这两个人，
假如同样的一种精神、同样的一种意志主宰着两颗心，
假如两个躯体上的同一颗灵魂成为永恒，
用同一个羽翼把两人带往天空，

假如爱神之箭，

一下子穿透两人的心，燃起他们的激情，

假如他们彼此相爱，却都不爱自己，

假如他们都把自己的欢乐寄望于同一结局，

假如人世间所有的爱情不及这桩爱情的百分之一，

那么一个冲动的行为，

会不会割裂联系他们之间的纽带？

这种自我遗忘，这种全身心融于所爱之人的献身热情，并不总是宁静安详的。忧郁再次控制了他，痴迷于爱情的灵魂，在痛苦中苦苦挣扎。

我痛哭，我燃烧，我毁灭了自己，

我的心中满是伤痕……

他对卡瓦列里说：

你夺走了我生的欢快。

对于这些热情洋溢的诗，那位"温柔的被爱着的神"卡瓦列里则报之以友爱而平静的感情。这种过分夸张友情的言辞令他心中暗生不快。米开朗琪罗于是请求他的原谅：

我亲爱的神，请不要因我的爱而生气，那只不过是说你身上的美德，因为一个人拥有思想才智，靠的都是他能热爱别人。我从你那俊美的容貌中所想到的、所学到的，不是一般人所理解的那样。谁想理解它，就得先理解死亡。

很明显，这种对美的热爱是单纯的，没有任何其他成分。可是，这份纯洁但却痴狂的爱，毕竟还是让人有些不安而且迷茫的。

幸好，一位女子的明朗的爱接替了这份病态的友情，这份爱可以说是为了否认其生命的虚无和建立他渴求的爱而作的绝望的努力。这个女子善于理解他的孤独，她给他那颗垂死的灵魂注入了一点平和、信心以及理性，让他继续勇敢地去接受生与死的悲苦。

1533年到1534年间，米开朗琪罗对卡瓦列里的爱发展到了顶峰。1535年，他结识了维多利亚·科洛娜。

维多利亚·科洛娜生于1492年。她的父亲是帕利阿诺地区的领主、塔利亚科佐的亲王布里奇奥·科洛娜。母亲叫阿涅丝·迪·蒙泰费尔特罗，是乌尔班亲王费德里戈的女儿。科洛娜的家族在意大利属于最高贵的家族之一，也是受文艺复兴思想影响最深的家族之一。十七岁时，她嫁给了佩斯卡拉侯爵、大将军费朗特·弗朗切斯柯·迪·阿瓦洛，也就是帕维尔的征服者。她很爱他，可他对她却没有一丝爱意。她长得不漂亮。从那些纪念章上可以看到她有一张男性化的、极有个性甚至有点严厉的脸，高额头，长而直的鼻子，上唇较短且后缩，下唇微微前伸，嘴巴紧闭，下巴突出。认识她并且为她作传的菲洛尼科·阿利卡纳塞奥虽然措辞婉转，但依然能让人看出她长得很丑："在她嫁给佩斯卡拉侯爵后，她努力学习以提高自己的才智，因为相貌普通，她便钻研文学，以获取这种不像容貌那样会消失的永恒的美。"她是一个一心追求智慧的人。在一首十四行诗中，她写道："粗俗的感官无法造就一种能产生高贵心灵纯洁之爱的和谐，它们无法激发起欢乐，也无法激发起痛苦……明亮的火焰将我的心升华到如此高度，任何卑劣的思想都会让它恼怒。"——她没有任何可以让风流英俊的佩斯卡拉爱上的地方。然而，爱情从来都是不理智的，她似乎就是为了爱佩斯卡拉并为之痛苦而生的。

她因为丈夫的不忠而陷入痛苦的深渊，佩斯卡拉甚至在家里都欺骗她，他的风流韵事在整个那不勒斯城传得沸沸扬扬。然而，当他在1525年去世时，她却没有因此而减轻痛苦。她遁入宗教，埋首诗歌，先是在罗马，然后在那不勒斯，过着修女般的生活。开始的时候她并没有完全与世隔绝，她追寻孤独只是为了沉浸在对丈夫的回忆之中，只是为了以诗歌吟咏爱情。她和当时意大利的所有大作家都有往来，像萨多莱特、贝姆博、卡斯蒂廖内等，卡斯蒂廖内还把他那部著名的《侍臣论》的手稿托付给了她，阿里奥斯托则在《疯狂的奥兰多》中称颂她，还有保罗·佐夫、贝尔纳多·塔索、罗多维柯·多尔斯等作家，都与她往来密切。从1530年起，她的十四行诗开始在整个意大利广为流传，在当时的女作家中，她是声名最为显赫的一个。退隐伊斯基亚岛之后，在平静、孤寂而又美丽的海岛上，她不知疲倦地歌唱着她那化茧成蝶的爱情。

1534年后，宗教将她彻底俘获了。天主教的改革思想，以及为避免分裂而倾向于复兴宗教的自由宗教思想，完全地征服了她。我们不清楚她在那不勒斯是否认识了胡安·迪·瓦尔德斯①。但是，她无疑是被锡耶纳的贝尔纳迪诺·奥基诺②的宣道给深深吸引住了。她是彼特罗·卡尔内塞基③、基贝尔蒂、萨多

---

① 胡安·迪·瓦尔德斯，当时的西班牙国王查理五世的私人秘书的儿子，1534年起成为那不勒斯宗教改革运动的领袖，信徒众多。

② 贝尔纳迪诺·奥基诺，著名的宣道士，是维多利亚的知己好友，对其影响很大。

③ 彼特罗·卡尔内塞基，克雷蒙七世的秘书，1567年以异教罪在罗马被处以火刑。他和维多利亚交往甚密。

莱特、高贵的雷吉纳尔德·波莱和改革派主教中最伟大的红衣主教卡斯帕雷·孔塔里尼①的朋友。孔塔里尼曾徒劳地想要同新教徒们达成一致，还大胆地写出了如下的词句：

> 基督的律令是一种自由的律令……凡以一个人的意志为意志的政府均不能称之为政府，因为它是倾向于恶的，而且为无数的欲望所控制。不！任何最高主宰都是一种理性的主宰。其存在的目的在于通过正确的途径，指引所有服从于他的人达到正确的目的，这个目的就是幸福。教皇的权威，也是一种理性的权威。一个教皇应该知道，他的权威是施于一些自由人身上的。他不应该随心所欲地或下令或禁止或赦免，而只能依据理性的规则、神的律令和爱（爱是一种将一切引向上帝、引向共同的幸福的准则）的教导去行事。

维多利亚是意大利理想主义小组中最激进的成员中的一个，这个小组代表了意大利最纯洁的灵魂。她与勒内·迪·费拉雷、玛格丽特·迪·纳瓦尔保持通信；后来变成新教徒的彼尔·保罗·韦尔杰奥称她为"一道真理之光"。但是，当冷酷无情的卡拉法②领导的反改革运动开始之后，她陷入一种恐怖的怀疑之中。和米开朗琪罗一样，她也有一颗激烈但却脆弱的灵魂：她需要信仰，她无法抵御宗教的权威。"她守斋苦修，饿得只剩下皮

---

① 卡斯帕雷·孔塔里尼，出身威尼斯名门，1535 年起被教皇保罗三世任命为红衣主教。1541 年，曾出席在北欧举行的国际宗教会议，但在会上没有与新教徒达成一致，同时又被天主教徒猜疑。失望归来，很快就于 1542 年忧郁而死。

② 卡拉法，反对新教的代表，在担任红衣主教和成为教皇后，冷酷地打击新教徒，对参加宗教改革运动的人施以严酷的惩罚。

包骨了。"她的朋友红衣主教波莱①让她克制智者的高傲，强迫自己服从，在神的面前彻底忘掉自己，从而使心灵得到平静。她带着一种牺牲的热情这么做了……如果她只是牺牲了自己就好了！可她还连带着牺牲了自己的朋友们。她背弃了奥基诺，她把他写的东西交给了罗马的宗教裁判所。这颗伟大的灵魂，像米开朗琪罗一样，被恐惧慑服了。她把自己的良知埋入一种绝望的神秘主义之中：

您看到我处在那无知的混沌中，看到我迷失在那错误的迷宫里，看到我那永远在运动着以寻找休息的肉体，看到我为找到平静而一直骚动不安的心。神要我明白，我是一个一无是处的人，让我明白一切均在热爱基督。②

她热爱死亡，呼唤彻底的解放。1545 年 2 月 25 日，她辞别了人世。

当她深受瓦尔德斯和奥基诺的神秘自由主义影响时，她结识了米开朗琪罗。这个忧伤、烦恼的女子，始终需要一位可以依靠的向导，同时她又需要有一个比她更脆弱更不幸的人，以便将她心中充盈着的母爱施于这个人的身上。在米开朗琪罗面前，她竭力掩藏自己的惶恐不安。表面上看，她平静、矜持，且带有点冷漠，她将自己向别人求得的安静传递给了米开朗琪罗。他们的友谊开始于 1535 年，从 1538 年秋天起，关系更加亲密了，但这种

---

① 波莱，生于英国约克郡，因为与英王亨利八世发生冲突而逃亡意大利，后被教皇保罗三世任命为红衣主教。他曾多次劝说改信新教的孔塔里尼派人重新皈依天主教。在 1541 至 1544 年间，维多利亚完全遵从他的教导。

② 见 1543 年 12 月 22 日维多利亚写给红衣主教莫罗内的信件。

关系是建立于对神的信仰上。那时的维多利亚四十六岁，而米开朗琪罗已经六十三岁了。维多利亚住在罗马的平奇奥山下的圣西尔韦斯德罗修道院。米开朗琪罗住在卡瓦洛山附近。一到星期日，他们就会在卡瓦洛山的圣西尔韦斯德罗教堂相聚。阿姆布罗乔·卡泰里诺·波利蒂为他们朗读《圣保罗书信》，他们一起讨论，葡萄牙画家弗朗索瓦·迪·奥朗德在他的四部《绘画对话录》中为我们保存了关于这些场景的回忆，如实地反映了他们之间严肃而亲密的友谊。

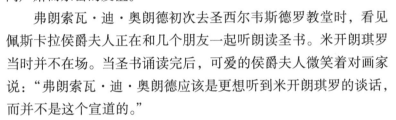

弗朗索瓦·迪·奥朗德初次去圣西尔韦斯德罗教堂时，看见佩斯卡拉侯爵夫人正在和几个朋友一起听朗读圣书。米开朗琪罗当时并不在场。当圣书诵读完后，可爱的侯爵夫人微笑着对画家说："弗朗索瓦·迪·奥朗德应该是更想听到米开朗琪罗的谈话，而并不是这个宣道的。"

弗朗索瓦被这句话刺伤，抢白道："怎么？难道侯爵夫人以为我只会画画，对其他事情都不闻不问吗？"

"请不要多心，弗朗索瓦先生，"拉塔齐奥·托洛梅伊说，"侯爵夫人恰恰是想说一位画家就应该精通很多方面。我们意大利人是非常尊重画家的！她这样说，只是想增加您倾听米开朗琪罗的谈话的乐趣。"

弗朗索瓦尴尬地连声道歉，侯爵夫人对她的一个仆人吩咐道："到米开朗琪罗那里去，告诉他，在宗教仪式完毕后，我和拉塔齐奥先生会留在小教堂里，这里凉爽怡人，假如他愿意浪费点时间前来的话，我们将不胜荣幸……但是，"她知道米开朗琪罗秉性孤僻，便又补充说道，"别告诉他葡萄牙人弗朗索瓦·迪·奥朗德也在这里。"

在等待仆人传话回来的时间里，他们商讨用什么办法可以让米开朗琪罗谈论绘画，而又不让察觉出他们的意图来，因为，假

147

如被他觉察出来的话，他就会马上拒绝谈下去。

在沉默了一会儿之后，有人敲门了。这么快就有消息了？我们都担心大师不会来了，因为仆人回来的太快了。不过，却是个好消息，原来住在附近的米开朗琪罗正好在前来圣西尔韦斯德罗教堂的路上。他沿着埃斯基利纳街向温泉方向走，一路上和他的学生乌尔比诺讨论着哲学。那位传话的仆人在半路上碰到了他，于是就把他领了过来，这时正是他本人到了门口。侯爵夫人站起身，同他单独聊了一会儿，之后才请他在拉塔齐奥和她的座位之间坐下。

弗朗索瓦·迪·奥朗德坐在他旁边，可米开朗琪罗完全没有注意到这位邻座，这让弗朗索瓦大为恼火，他面带愠色，生气地说道："一点儿都不假，不让某人看见的最好办法就是直立在此人的面前。"

米开朗琪罗听了他的话很吃惊，马上很谦恭地向他表示歉意："很对不起，弗朗索瓦先生，我没有注意到您，因为我眼睛一直看着着侯爵夫人。"

这时，维多利亚稍稍停了一下，然后用一种巧妙的方法开始和他闲谈，但就是不谈及绘画。她的言辞就像是在艰难而巧妙地围攻一座坚固的城池。而米开朗琪罗就像是一个随时保持警惕的被围困者，他在这块设岗，那块拉起吊桥，到处挖掘陷坑，并严密地守护着各处的城门和城墙。不过，最终还是侯爵夫人获胜了。说实话，几乎没有人能抵御得住她。"这样的话，"她说，"就一定得承认，当你运用计谋去攻击米开朗琪罗时，结果总是难逃失败。所以说，拉塔齐奥先生，如果想要获胜，想要掌握主动权，我们就应该同他谈诉讼，谈教皇的敕令，之后嘛……再谈绘画。"

通过这种巧妙的转移，她把话题引到了艺术方面。她对米开朗琪罗说，她计划建造一座宗教建筑，米开朗琪罗马上主动提出要去察看场地，绘制草图。

"我本不敢对您要求这么多，"侯爵夫人说，"虽然我知道您在一切的事情上都是遵守抑强扶弱的原则……所以，了解您的人，敬重您本人甚至超过了敬重您的作品，而不像那些不了解您的人，只敬重您最弱的部分，即您创作的那些作品。而且你也不是总给那些跑来求您的王公贵族画画，而是把您的大半生都奉献给了艺术。"

米开朗琪罗对她的这番恭维，谦逊地表达了谢意，并表达了对那些有闲且多嘴之人——王公贵族与教皇的反感，他们任性妄为，强迫一个艺术家去陪着他们散心，却不知道这个艺术家已来日无多，连自己的使命都快要难以完成了。

之后，谈话的主题转入艺术的最崇高的题材上，侯爵夫人严肃发表着自己的看法。对她和米开朗琪罗来说，一件艺术作品，应该就是一个信念在行动上的表现。

"好的绘画，"米开朗琪罗说道，"一定接近于神，并与之结合……它只是神的完美形象的复制品，是神的画笔、音乐、旋律的影子……所以，画家光有伟大与灵巧还不够。我认为他在生活中也应该是纯洁和神圣的，以便圣灵能指导他的思想……"

时光就这样在圣西尔韦斯德罗教堂里，在庄严肃穆的氛围中，在神圣地交谈中慢慢地流逝。有时，朋友们更喜欢到花园中继续交谈，就像弗朗索瓦·迪·奥朗德向我们描述的那样，"在喷泉边，在树荫下，我们坐在靠着长满藤蔓的一堵墙的石凳上。"从那儿，他们俯瞰着在他们脚下不断延伸的罗马城。

可惜，这些美好的交谈并没有持续多久。佩斯卡拉侯爵夫人所经历的信仰危机使其突然中止。1541 年，她离开罗马，隐居在奥尔维耶托的一个修道院，之后又去了维泰尔贝的一座修道院继续隐居。

不过她常常离开维泰尔贝回到罗马，目的只是为了看望米开朗琪罗。他为她那神圣的精神所陶醉，她也使他得到心灵的抚慰。他收到并保存着她的许多信，这些信中洋溢着一种圣洁而温柔的爱，只有一颗高贵的心灵才能写得出这样的信。

依照她的想法，他画了一张裸体的基督像。画上的基督从十字架上被放了下来，假如没有两位天使挽住他的胳膊，他就会像瘫软的尸体那样落在圣母的面前。圣母坐在十字架下，泪痕满面，痛苦不堪，她张开双臂，举向苍天。在十字架的木头上，刻有这样一行字：再也无法想起流过多少鲜血。出于对维多利亚的爱，米开朗琪罗还画了一张十字架上的基督像，但和一般基督画不一样的是，基督不是死了，而是活着，他的脸转向圣父，喊道："哎呀！哎呀！"他的躯体不是瘫软的，而是在临终前的最后痛苦中扭曲着、抽搐着。

如今藏于卢浮宫和大不列颠博物馆中的那两张优秀的画像《复活》，很可能也是受了维多利亚的启迪而创作的。在卢浮宫的那张画像上，大力神似的基督正在愤怒地推开墓穴上的沉重石板，他的一条腿还埋在墓穴中，他高昂着头，举着双臂，激动地冲着天空呐喊，令人想起卢浮宫中收藏的《囚徒》。回到上帝身边，离开这个尘世；离开这些他不屑一顾、匍匐在他面前的惊愕且被吓坏了的人，终于挣脱了！挣脱了这丑恶的人生……大不列颠博物馆的那一张则显得宁静安详，那里面画的基督已经走出了墓穴，他翱翔于天上，健壮的身躯在轻抚着他的空气中漂浮，他两臂环抱，头向后仰，双目紧闭，神游物外，如同一缕阳光，升到那光明的世界。

　　就这样，维多利亚为米开朗琪罗的艺术重新打开了信仰的大门。此外，她还激活了他那因为爱卡瓦列里而苏醒的诗才。她不仅为对宗教怀有悲观预感的米开朗琪罗开启了宗教的启示，而且正如索德所说的那样，还为他在诗中歌颂宗教做出了榜样。在他们友谊产生的初期，维多利亚就写出了《灵智十四行诗》，她一面写，一面把这些诗逐首地寄给米开朗琪罗。

　　米开朗琪罗从中汲取了一种温馨的慰藉、一种新的动力。在回赠她的一首漂亮的十四行诗中，他表达了自己的感激之情：

让人幸福的精灵，以那炽热的爱，
使我那颗垂死的心得以保全，
在你的善意与欢乐当中，
在诸多高贵的生灵当中，
你唯独对我青睐有加。
就像以前你出现在我眼前一样，
现在你又显现在我的心灵里，
为的是安慰我……
你想起了生活在患难中的我，
我也应该感谢得之于你的帮助。
假如我认为送给你几幅不值一提的画，
就足以回报你对我的关爱，
那真是不知羞耻、狂妄自大。

　　1544 年夏，维多利亚再次返回罗马，在圣安娜修道院隐居，直到逝世。米开朗琪罗经常去看望她。她也深深地思念着米开朗琪罗，总是想着让他的生活安慰些、舒适些，她时常偷偷地送他一些财物。然而，这位固执的老头却"不愿接受任何人的礼物"①。即使他最爱的人也不例外，他没有接受她的馈赠。

她去世了。他亲眼看着她去世的，他说的那些动人肺腑的话，足以表明他们之间的爱是多么的矜持和圣洁："一想到亲眼看着她死去，我却没有像吻她的手那样吻一下她的额和脸，我就追悔万分。"

"维多利亚的死，"科蒂维说，"让他在很长一段时间里陷入痴呆麻木的状态。他好像失去了所有感觉。"

"她将我当做一件奇珍异宝，"然后他哀伤地说，"我也是如此。死神夺走了我的一位最伟大的朋友。"

他为悼念她的去世写了两首十四行诗。一首浸满柏拉图式的狂乱理想主义，如同黑夜中划过一道闪电，风格十分高雅和讲究。在这首诗里，他把维多利亚比作雕塑神手中的锤子，从物质上迸发出崇高的思想火花：

假如我那粗糙的锤子，能将坚硬的岩石
时而凿出这个形象，时而凿出那个形象，
那只是因为握着它的那只手在引导与指挥我，
锤子挥动着，它是被一种外在的力驱动。

---

① 根据瓦萨里的记载，有一次，米开朗琪罗与好友德尔·里奇奥发生矛盾，原因就是后者送给他礼物。米开朗琪罗指责他："你的好意太过头了，比起你从我这偷窃更让我难堪。朋友之间应该平等相处，假如一个给的多，一个给的少，就一定会产生争执。一个是征服者，另一个就一定不会原谅他。"

名人传

雕塑神的锤子举了起来，

他只靠着自己的力量，

创造着自己和其他事物的美。

没有任何其他锤子能够打造自我，

只有它能使其他的一切富有生气，

锤子举得越高，

锤击的力量就越大，

而这把雕塑神的锤子举在天空，直达天堂。

只要雕塑神的锤子能帮我，便能使我的作品更加完美。

到现在为止，在这片天空下，它还是唯一的。

另一首十四行诗则是温柔的，且宣布爱战胜了死亡：

当那个把我从悲伤中拯救出来的女子，

从我面前悄然而去，离开了这个人世，

那些认为能与她相提并论的大自然为之愧疚，

所有目睹此情此景的人无不为之痛哭。

然而，死神啊，你且别急着得意。

你熄灭了这一太阳中的光辉，但她却衍生出了别的光辉

那就是爱的胜利，这胜利使她在天上，在人间，

在圣人的行列中重生。

可恶的不公正的死，

自以为是地以为让她的灵魂之美黯淡了，

阻止了她美德的回响，

可她的诗文却得出相反的结论：

它们使她的光华甚至超过了她生前，

而死亡，让她征服了她未能征服的天国。

就是在这严肃而平静的友情中，米开朗琪罗完成了他的绘画与雕塑的最后杰作：《最后的审判》、波利内教堂的壁画和尤利乌斯二世陵寝。

1534 年，当米开朗琪罗离开佛罗伦萨赶往罗马安家时，他心想克雷蒙七世既然已经死了，他应该就可以从他交待的工作中摆脱出来，安心完成尤利乌斯二世陵寝的工程，卸下良心上的负担后再了却残生。然而，一到罗马，他又被一些新的主人套上了锁链。

保罗三世召见他，要他为教皇做事……米开朗琪罗婉拒了，说他不能这样做，因为他与乌尔班公爵的契约规定他必须先完成尤利乌斯二世的陵寝。教皇于是火冒三丈，说道："三十年来，我始终有此愿望，可现在我已经是教皇了，难道还不能得偿夙愿？我可以撕毁你签那张合同，不管怎么样，我都要求你为我做事。"

米开朗琪罗差点儿又逃跑了。

他想躲到热那亚附近的一座修道院去，那里的阿莱里亚主教是他的好友，也是尤利乌斯二世的好友。那里离卡拉雷采石场不远，他可以更方便地完成自己的作品。他还想到去乌尔班隐居，那里的环境十分安静，他希望那里的人念在尤利乌斯二世的面子上善待他。他已经派了一个仆从去打探，想在那里先替自己买一幢居所。

然而，等到要下决心的时候，他又像以前那样失去了勇气，他害怕自己这样做会导致严重的后果，他本想通过某种妥协的方法脱身，但却被那永远的幻想、永远在破灭的幻想所欺骗。他再次被套牢了，继续承受着沉重的负荷，直到生命终结。

1535 年 9 月 1 日，保罗三世的一道敕令使他成为了圣保罗大教堂的总建筑师、雕刻师和绘画师。此前，在 4 月份，米开朗琪罗就已经接受了《最后的审判》的工作。从 1536 年 4 月到 1541 年 11 月，也就是维多利亚在罗马小住的时候，他全身心都投入了这一工作。在从事这项巨大任务的过程中，大约是在 1539 年，这位老人曾从脚手架上摔下来，导致腿部遭受重创。"他既生气又苦恼，还不愿意让医生帮他诊治。"他延误求医，当他听说亲友中有一位冒失地为他求医时，他在信中就表达了一种可笑的担忧。

幸运的是，在他摔下来之后，他的朋友、佛罗伦萨的巴乔·隆蒂尼是一位十分聪明的医生，而且十分敬重米开朗琪罗，对他的伤很关心，有一天巴乔去看望米开朗琪罗，敲门时，没有人应声，巴乔便径直上楼，挨个房间寻找，一直找到米开朗琪罗正睡觉的那间房子。米开朗琪罗一看是巴乔，表现的很不高兴。但巴乔却并不想离开，直到给他作了诊治之后才离开。

和以前的尤利乌斯二世一样，保罗三世也经常来看米开朗琪罗作画，还不时地发表自己的意见。教皇手下的司仪长比阿吉约·迪·切塞纳经常陪教皇一起来。有一次，教皇让切塞纳发表自己对米开朗琪罗的作品的看法，据瓦萨里说，这个切塞纳是一个非常迂腐的人，他声称，在这么庄严的地方画如此多的不雅的裸体画是很不合适的。他还补充说，这种画只适合装饰浴室的休息厅或旅店。他的话激怒了米开朗琪罗，等切塞纳走后，米开朗琪罗就凭着记忆把瓦萨里画进了地狱，把他画成了判官米诺斯的样

名人传

155

子，让他待在地狱的一群魔鬼中间，一条大蛇缠住了他的双腿。切塞纳于是去教皇面前告状。保罗三世开玩笑地说："假如米开朗琪罗把你放在炼狱里的话，我还可以想办法把你救出来，可他把你放在了地狱，这我就没有办法了，在地狱是没有任何赎罪可言的。"

认为米开朗琪罗的画不雅的人，并非只有切塞纳一个。当时的意大利正在整肃世风，而且，那时离韦罗内塞①因他的《最后的晚餐》而被宗教裁判所传讯已经不远。在看到《最后的审判》后，大呼其有伤风雅的有很多人。其中喊得最凶的是阿莱廷。这个淫秽的作家想要给纯真的米开朗琪罗上一堂廉耻课②。他给米开朗琪罗写了一封无耻的伪君子式的信。在信中，他指责米开朗琪罗画的是"一些连妓女也会脸红的东西"，他还向新成立的宗教裁判所揭发米开朗琪罗亵渎宗教的行为。他说："因为，他亵渎他人的信仰比自己没有信仰更加罪恶。"他极力恳请教皇将那些画毁掉，指控米开朗琪罗是路德派信徒，还卑鄙地影射米开朗琪罗在道德上有污点，最后，为了置米开朗琪罗于死地，他还指控米开朗琪罗偷了尤利乌斯二世的钱。这封卑鄙无耻的信彻底侮辱和败坏了米开朗琪罗心灵中最深刻的东西——虔诚、友谊、荣誉感。

对于这样一封信，米开朗琪罗读完后并没有予以理睬，他没有因受辱而痛哭，也没有给予回击。他可能是想到了自己在提到某些敌人时，曾以不屑一顾的神情说过的话："他们根本不值得

---

① 韦罗内塞（1528－1588），意大利威尼斯画派代表画家，对色彩的运用尤其出色。

② 这是阿莱廷的一种报复行为，他曾多次向米开朗琪罗索要艺术品，而米开朗琪罗并未理睬他，而他为《最后的审判》设计的一幅草图，也被米开朗琪罗拒绝了。米开朗琪罗的蔑视让他气急败坏，决定予以报复。

回击，战胜他们没有任何意义。"而且，一直到阿莱廷和切塞纳对他的《最后的审判》的攻击大占上风时，他也还是不作回应，没有做任何事情反击。当他的作品被看做"路德派的垃圾"时，他仍然不做回应。即使当保罗四世要将壁画毁掉时，他也没有采取任何行动。当达涅埃尔·迪·沃尔泰拉奉教皇的命令给他的英雄们"穿上短裤"①时，他还是无动于衷。当人家征询他的意见时，他毫不动气地，带着讥讽与怜悯的语气回答道："请转告教皇，这是一桩小事，不难整顿。假如陛下愿意把世界也整顿一下的话，那整顿一幅画还不是轻而易举。"他很清楚，自己是怀着多么虔诚的信念，在与维多利亚的宗教谈论中，在这颗纯洁无瑕的灵魂的庇护下，完成这件作品的。他羞于为自己的那些寄托了英雄思想的纯洁的裸体人物辩护，羞于以此来反击那些伪君子们的卑劣灵魂的肮脏猜测和影射。

西斯廷的壁画完工之后，米开朗琪罗以为自己终于有权利来完成尤利乌斯二世的陵寝了。但欲壑难填的教皇却逼迫这位七十岁高龄的老人创作波利内教堂的壁画。他因此差一点儿就没能完成尤利乌斯二世陵寝的几尊雕像，那是用来装饰小教堂的。米开朗琪罗应该感到庆幸，这是因为尤利乌斯二世的继承人同意和他签第五份也就是最后一份契约。根据这份契约规定，他交付已完成的几尊雕像，并出资雇用两名雕塑家来结束陵寝的最后的收尾工作。这样一来，他便永远地摆脱了其他一切责任。

但是，他的不幸却并没有因此而结束。尤利乌斯二世的继承人不断地逼他还清他们声称的那些以前支付给他的预定金。教皇则命人告诉他，不要去想这件事，一心搞他的波利内教堂的壁画

---

① "穿裤子"是沃尔泰拉对自己的修改工作的戏称。沃尔泰拉是米开朗琪罗的好友，他认为，表现裸体是一件很下流的事情。

就行。米开朗琪罗回答说:

名人传

　　然而,我们是用脑子而不只是用手去创作的,做事不动脑子的人迟早会丧失荣誉,所以,只要我心里有担心的事,我就创作不出来好的作品……我整个人生都和这个陵寝拴在了一起,我葬送了自己的青春,在利奥十世和克雷蒙七世面前为自己无罪而辩白,我因为过分讲究良心而毁了自己。这是我无法逃避的命运啊!我看见很多人每年都能收入两三千埃居;可我呢,我耗尽心力,可生活最终还是贫苦。现在,还被人当做了小偷!……在人面前(我不说是在神的面前),我认为自己是一个诚实的人;我从没有骗过任何人……我不是小偷,我是佛罗伦萨的绅士,我出身高贵,是一位受人尊敬的人的儿子……当我不得不和那群混蛋斗的时候,我真的成了疯子!……

　　为了赔偿所谓的预定金,他亲手创作了《积极生活》与《冥思生命》这两尊雕像,尽管合约上并没有要求他这样做。

　　最后,在 1545 年 1 月,尤利乌斯二世陵寝终于在温科利的圣彼得大教堂落成了。最开始的美好计划现在还剩下什么呢?只剩下《摩西》了,在原先的计划中,它只是个陪衬,可现在却变成了重点雕塑。一个伟大计划的讽刺像!

　　不管怎么说,这件事终于结束了。米开朗琪罗从一生的噩梦中解脱出来了。

二　信仰

　　尊敬的神灵啊,我的太阳,
　　是您,消除了我的那些无谓的烦恼。

维多利亚去世之后，米开朗琪罗原本想返回佛罗伦萨，以便"在父亲身边使自己的那把老骨头得以休息"。他毕生都在为几位教皇效劳，现在，他想把自己的余年奉献给上帝。也许是受维多利亚的鼓励，也许是想了却自己最后的一个遗愿。1547年1月1日，在维多利亚去世后的一个月，米开朗琪罗被保罗三世任命为为圣彼得大教堂的总建筑师，受命全权负责这座建筑的修建。接受这项任务对他来说并非毫无困难，也并不是因为教皇的一再坚持，他才决定以七十岁高龄的老迈之身承担过这项艰巨的任务，而是因为他将其看做自己的一个义务，一项神交给他的使命："有很多人认为——我自己也认为——我是被上帝安放在这个岗位上的，"他写道，"无论我有多老，我都不想放弃它，我是因为对上帝的爱而服务的，现在我全部的希望都寄托在上帝的身上。"

为了这项神圣的事业，即使不给他任何报酬，他也义不容辞。

为了这件工作，他又不得不与为数众多的敌人交手，如瓦萨里所说的"桑迦罗的党羽"①，还有所有的管理员、供货商、工程承包商等，他揭发他们的徇私舞弊的恶行。瓦萨里说："米开朗琪罗将圣彼得大教堂从强盗与窃贼的手中救了出来。"

一个反对他的联盟开始慢慢形成。为首的是卑鄙无耻的建筑师巴乔·比奇奥，瓦萨里指责巴乔曾经盗窃米开朗琪罗，并一心打压他。有人传播谣言说米开朗琪罗在建筑上是个门外汉，只会空费人力财力，不断毁坏前人的作品。圣彼得大教堂的建筑管理

---

① 安东尼奥·德·桑迦罗从1537年起，直到去世之前，都是圣彼得大教堂的总建筑师。他一直都是米开朗琪罗的敌人，两人曾为梵蒂冈城堡的设计展开过针锋相对的斗争。

委员会也在反对米开朗琪罗，他们在 1551 年搞了一次由教皇亲自主持的全面调查，结果监工和工人们在受到萨尔维亚蒂和切尔维尼两位红衣主教的唆使后，都跑来指证米开朗琪罗。米开朗琪罗不屑于为自己申辩：他拒绝一切辩论。他对切尔维尼红衣主教说："我不必一定要把我应该做或想要做的事告诉您或其他任何人。你们的任务只是监督钱财的支出。剩下的一切由我负责。"他一向自视甚高，从不愿把自己的想法告诉任何人。对那些抱怨不断的工人，他这样回答："你们的任务就是抹灰、凿石、锯木，你们只要执行我的命令，干好自己的本分就行了。至于想弄明白我脑子里的想法，你们是永远也做不到的，因为这是在侵犯我的尊严。"

名人传

幸好有教皇们的保护，那些被他激起的怨恨才没有压倒他，否则的话，他休想有一刻的安生，所以，在尤利乌斯三世死去而切尔维尼成为新任教皇后，米开朗琪罗差点就想离开罗马。但马尔赛鲁斯二世（切尔维尼成为教皇后的称号）登基没几天也死了。教皇宝座由保罗四世继位。米开朗琪罗重新得到了最高权威的庇护，所以他也就能继续工作下去。假如放弃这个工作，他会认为对自己的名誉有损，自己的灵魂也可能无法得救。

"接下这项任务，我完全是被迫的，"他说，"八年来，在各种各样的烦恼与疲惫之中，我徒劳地耗费着自己的精力。目前，工程进展情况很好，都可以开始建圆顶了。假如此时我离开罗马，那必将前功尽弃，对我来说，这将是莫大的耻辱，而且，我的灵魂也将承受很大的罪孽。"

他的敌人们显然并不想就此罢休，斗争有时还会导致悲剧。1563 年，圣彼得大教堂工程中最忠实于米开朗琪罗的助手比尔·吕伊吉·加埃塔被诬告盗窃，进了监狱；而工程总管切萨尔·迪·卡斯泰尔迪朗特遭到刺杀身亡。米开朗琪罗任命加埃塔接替切萨尔，但行政委员会赶走了加埃塔，任命他的敌人南尼·迪·巴乔·比奇奥担任这个职位。米开朗琪罗对此极为恼怒，不再去圣彼得大教堂了。于是，有人散布流言，说他已经被解职了。行政委员会很快让南尼替代他，南尼也马上以管事人自居了。他想让这个行将就木的八十八岁老人感到灰心丧气，但他显然并不了解自己的对手。米开朗琪罗当即去拜见教皇，说如果不还他以公道的话，他就要离开罗马。他要求重新调查，证明南尼的无能加欺骗，然后把南尼赶走。这是 1563 年 9 月，他去世前的四个月的事情①。就这样，直到他生命的最后的时间，他都不得不和嫉妒与仇恨作战。

我们也不必太过感慨他的命运。他善于自我保护。一直到将死之际，他也能独自——就像他以前对他弟弟乔凡·西莫内所说的——"把这群畜生打得屁滚尿流"。

除圣彼得大教堂的那件大作外，还有其他的一些建筑工程占满了他的晚年，诸如卡皮托勒教堂、圣玛丽亚·德利·安吉利教堂、佛罗伦萨圣洛朗教堂的楼梯、皮亚门，尤其是像其他计划一样流产的宏伟计划中的最后一个——圣乔凡尼大教堂。

佛罗伦萨人曾请求他在罗马建一座属于他们的教堂，科斯梅公爵还亲自就此写了一封极尽恭维之词的信给他。基于对故乡的惦念之情，米开朗琪罗怀着一种年轻人的激情接受了这项工作。他对自己的老乡们说："假如你们愿意按我的图纸施工的话，那么不管是罗马人还是希腊人都将无法超越它。"据瓦萨里说，这种话他一生只说过这么一次，因为他是极其谦虚和谨慎的。佛罗伦萨人接受了他的图纸上的计划，没有作丝毫的改动。米开朗琪罗的一个朋友，蒂贝廖·卡尔卡尼在他的帮助下，制作了教堂的

---

① 在米开朗琪罗死后的第二天，南尼就去求科斯梅大公，希望能继任米开朗琪罗生前在圣彼得教堂的职位。

一个木质模型。瓦萨里说："这是一件十分罕见的艺术品，不管在壮美、富丽还是风格多变方面，人们都从没有见过可以与此相媲美的教堂。接着人们开始建造，花费了五千埃居。后来，因为资金短缺，只能停工，对此，米开朗琪罗感到痛惜万分。"这座教堂最后还是没有建成，就连那木质模型也不知所踪。

　　这是米开朗琪罗在艺术创作上的最后一次失望。在死神到来之际，他不可能会想到刚刚起步的圣彼得大教堂有一天终会建成，也不会料到他的作品会名传青史！假如能做主的话，他本人很可能会把他的一切作品给毁掉。他的最后一件雕塑——佛罗伦萨教堂的《基督下十字架》，就充分表明了他对艺术已经淡漠到了何种程度。他之所以仍在继续雕塑，已经不再是因为对艺术的信仰，而是因为对基督的信仰，因为"他的精神同他的力量使他不能不去创作"。但作品一旦完成，他就会把它给毁掉。"假如不是他的仆人安东尼奥哀求他把那件作品赏赐给自己，他一定会完全毁掉这件作品。"

　　这就是米开朗琪罗临终时对自己作品所表现出的漠不关心的感情。

　　在维多利亚去世后，再也没有任何伟大的情感照亮他的生命了。爱已远去：

　　　　爱的火焰没能在我的心中停留，
　　　　我已折断了灵魂的翅膀，
　　　　最糟糕的病痛（衰老）总在驱走那些最轻微的忧伤。①
　　他失去了自己的弟弟和最好的朋友，卢伊吉·德尔·里乔死

────────────

　　①　见米开朗琪罗《诗集》卷81。不过，他晚年的某些诗歌表明，他的这种爱的火焰并没有完全熄灭，还时常有火焰蹿出。

于 1546 年，塞巴斯蒂安·迪·皮翁博死于 1547 年，他的弟弟乔凡·西莫内死于 1548 年。和他一向没有多少往来的吉斯蒙多也在 1555 年去世了。他将自己对家庭情感的需要和粗暴的爱转移到了他那些已成为孤儿的侄子身上了，也就是他最喜欢的弟弟博纳罗托的两个孩子身上。这两个孩子一男一女，侄女叫弗朗切斯卡，侄子叫利奥那多。米开朗琪罗将弗朗切斯卡安置在一座修道院，替她支付了食宿费用，还经常去看她。在她出嫁的时候，他送了一份自己的财产给她做嫁妆。利奥那多的教育则由他亲自负责，其父博纳罗托死的时候，利奥那多才九岁。米开朗琪多的那些一封封语重心长的信很容易让人想起贝多芬给他的侄子的信件，这些信表现的多是一种严肃的父爱，但这并不是说他就不常发脾气了。利奥那多常惹怒伯父，米开朗琪罗也常控制不住怒火。光是侄子那潦草的字迹就够让他火冒三丈了。他认为这是对他很大的不尊敬：

　　每次收到你的信，我都是还没看就气不打一处来。真不知道你这是从哪里学来的书法！简直毫无章法！……我相信，就算是给世界上最蠢的一头驴子写信，你也会写得用心一些……你的上一封信被我扔进火炉里了，因为我实在没法子读下去，所以也就没回你的信。我已经对你说过了，而且现在不妨对你再说一遍，我每次收到你的信，都是还没看就生气。你今后干脆还是别再给我写信了。假如有什么事要告诉我，你就去找个字写得好的人代笔吧，因为我的脑子还要想别的重要的事情，没时间去辨认你那些潦草的字迹。

　　多疑的性格，再加上令他失望的兄弟们，让他的猜忌心更加重，所以对这个侄子，他已经不再抱太多的幻想了。他认为，这个侄子的那份情感只是冲着他的钱来的，因为侄子知道，自己是伯父的法定继承人。米开朗琪罗也一点没留面子地向侄子挑明了这一点。有一次，得知他病重后，利奥那多跑来罗马，但却做了一些很不检点的事，米开朗琪罗知道后愤怒异常，写信怒斥说：

　　利奥那多！在得知我病倒后，你却跑到乔凡·弗朗切斯科先生家里，探听我留下的都有什么东西。难道你在佛罗伦萨，我给你的钱还少吗？你和你的父亲真是一个模子刻出来的，他把我从佛罗伦萨自己的家中赶走！而你，我还没死，你就想要继承我的遗产。告诉你，我已另立了一份遗嘱，假如根据这份遗嘱，你就别想从我这得到什么东西。所以，你最好别再出现在我的面前，也永远不要再给我写信了！

　　可是，他的这种愤怒并没有太多影响利奥那多，因为连接着发出去的往往是一封封慈爱的信件和礼物。一年以后，这位侄子受了三千埃居的诱惑，再次跑到罗马。米开朗琪罗对他这种唯利是图的表现又气又急：

　　你这么心急火燎地赶来罗马，我不知道当我处于贫穷的生活中，甚至为三餐发愁时，你是不是也会这么着急地跑来看我！……你说是出于对我的爱和对我的责任才赶过来的。是啊！是蛀虫的爱！假如你真爱我的话，你就会写信对我说："米开朗琪罗，还是留着您那三千埃居自己花吧，因为您给我的实在是太多了，足够我用了，您的生命对我们来说比金钱更加珍贵……"——然而，四十年来，是我在养活你们，但我却从没有在你们那里听到过一句中听的话……

　　利奥那多的婚姻大事也是一个很麻烦的问题。它让伯父操了六年的心。利奥那多为了遗产而哄着伯父，表现得十分温顺，他任由伯父安排自己的一切，让他去帮自己挑选、评点或拒绝，他自己则什么都不放在心上。相反，米开朗琪罗表现得极为积极，好像是在给自己办婚事。他认为婚姻是一件十分严肃的事，其中的爱情并不是最重要的，贫富也不是最重要的，最重要的是人品好，身体好。他给侄子提出一些生硬的建议，极其现实，没有丝毫的理想主义：

　　这是事关终身的大事情：你一定要记住，丈夫和妻子之间最好有十岁以上的差距；你还要注意，你所选择的对象不仅人品要好，身体也要健康……别人跟我介绍了好几个，有的我觉得还可以，有的则觉得不太好。假如你相中了其中的一个，你就写信告诉我，我再把我的意见告诉给你……你有权利选择任何一个，只要对方是良家女子，有教养。她有多少嫁妆并不重要，没有反而更好，那样的话，日子倒会过得安生些……佛罗伦萨的一个朋友对我说，有人跟你提起吉诺里家的一位姑娘，说你也喜欢。但是我却不太满意，因为她的父亲看中的是你的钱，假如他能替女儿置办起嫁妆的话，他才不会答应把女儿嫁给你哩。我理想中能把女儿许配给你的人，应该是那种看中你的人而不是你的钱的人……你只需考虑对方的灵魂与肉体是否健康，血统是否纯正，品行是否端庄，还有她的父母是什么样的人，最后这一点非常重要……你应该努力地去找一个受穷时不以洗涮碗碟、料理家务为耻的女子……至于容貌，既然你也不是佛罗伦萨最英俊的年轻男子，所以也不要太过苛求对方，只要她不是残废，不是吓人的丑八怪就好……

　　在长时间的寻找之后，米开朗琪罗似乎为侄子找到了那少见的女子。然而，到了最后时刻，他却又发现了对方的一个十分严重的缺点。

我听说她的视力很差，我认为这可不是个小毛病。因为我什么都还没有答应，而你也什么都没有应承，所以我的意思是，如果你能确认这个消息属实的话，这事还是就此打住吧。

利奥那多丧气了。他十分好奇伯父为什么坚持要他结婚。米开朗琪罗如此答复侄子：

是的，我是希望你结婚，因为只有你结婚了，我们家族的香火才不至于中断。我十分清楚，即使我们家族的香火断了，世界也照样存在，然而，每一种动物总归都在努力地繁衍着子孙。所以，我希望你能结婚生子。①

最终，米开朗琪罗自己也被侄子的婚事搞得厌烦了。他开始觉得自己的行为很滑稽，总是他自己在忙活，利奥那多本人却一点也不上心。于是，他宣称自己今后再也不掺和这事了："六十年来，我一直为你们的事而操心，如今，我老了，我得为自己的事情打算打算了。"

可不久之后，他却得知了侄子与卡桑德拉·丽多尔菲订婚了的消息。对此他十分高兴，写信祝贺侄子，并答应送给侄子一千五百杜卡托作为礼金，还答应送给卡桑德拉一条珍珠项链。然而，尽管很高兴，但他还是不忘提醒侄子，虽然他不是很了解这

---

① 在信的后面，他还有这样的补充："假如你觉得自己的身体不好的话，那就随便吧，没必要给这个世界再增添麻烦。"

类事，但他觉得利奥那多应该在把那位女子领到家中之前，对金钱问题有一个明确的安排，因为在金钱问题上，经常潜藏着不和的种子。最后，他还写下了这样带有嘲讽语气的劝告："喏！……现在，开始好好地过日子吧，也要仔细想想，毕竟，寡妇的人数一直多于鳏夫。"

两个月之后，他给卡桑德拉寄去了两枚戒指，而不是他曾答应过的珍珠项链。一枚戒指上镶有钻石，另一枚上则镶有红宝石。卡桑德拉为了表示谢意，随信给他寄去了八件衬衣。米开朗琪罗给侄子回信说：

> 你送的衬衣十分漂亮，尤其是布料，我很喜欢。不过，让你们如此破费，我却有点不高兴，因为我现在什么都不缺。替我向卡桑德拉表达谢意，告诉她如果有什么需要就尽管来信，我可以给她寄去我在这里所能找到的一切，无论是罗马的出产还是别处出产的。这次，我只是寄了个小玩意儿；下次，我会尽量寄一些她更喜欢的东西去。只是你首先得告诉我她喜欢什么。

不久，这对年轻夫妇的孩子相继出生了：老大叫博纳罗托，这是按米开朗琪罗的意思取的；老二也叫米开朗琪罗，但出生后没多长时间就夭折了。1556 年，米开朗琪罗还邀请这对年轻夫妇到罗马他的家中做客。他总是与他们同甘共苦，却从不让他们操心他的事情，包括他的身体健康。

在和家人保持联系之外，米开朗琪罗还有不少著名和优秀的朋友。尽管他性格怪癖，但假如把他想象成像贝多芬似的多瑙河的一个农民，那就错得离谱了。他是意大利的一个贵族，有着很高文化素质，又出身世家名门。少年时期，他就在圣马可花园与伟大的洛朗·梅迪西一起学习，就和意大利的最高贵的王公贵族、主教以及作家①、艺术家②交往甚密。他常与诗人弗朗切斯科·贝尔尼交流诗歌，与贝纳代托·瓦尔基有书信往来，与卢伊吉·迪·里奇奥及多纳托·贾诺蒂作诗以唱和。人们收集并研究他的谈话录、他关于艺术的各种见解，还有无人可以媲美的关于但丁诗歌的理解。罗马的一位贵夫人在写到他时曾说，在他愿意的时候，他是"一位温文尔雅、拥有迷人风度的绅士，在整个欧洲都很难见到可以与之媲美的人"。在贾诺蒂和弗朗索瓦·迪·奥朗德写的《谈话录》中也讲到了他在交际上的优秀礼仪。在他写给某些王公贵族们的信件中，人们甚至可以看出，假如他愿意做官的话，那肯定也会是一个堪为楷模的朝臣。社交场也从没有拒绝过他，只是他自己刻意与之保持距离。如果他想过那种出尽风头的生活，也不是什么难事。对整个意大利而言，他是天才的代表。在他艺术生涯的最后几年，他已经是伟大的文艺复兴的硕果仅存的巨人，他一个人就代表着整整一个世纪的荣光。不只是艺术家们将他当做艺术超人，即使是亲王们也对他的威望礼敬有加。法国国王弗朗索瓦一世和卡特琳娜·迪·梅迪契都曾向他表示过最高的敬意。科斯梅·迪·梅迪契想任命他为元老院的议员，当米开朗琪罗来到罗马时，科斯梅请他坐在自己身边，平等地对待他，与他亲切交谈。科斯梅的儿子，弗朗切斯科·迪·梅迪契接见他时，脱帽致敬，"对这位绝世奇才表示出最高的敬意"。此外，人们对他"崇高的道德"也一样地表示敬

---

① 比如马基雅维利就与他有比较密切的往来。

② 他在艺术界的朋友是最少的，不过，在晚年，他身边的艺术信徒却不少。他对大部分艺术家都没有什么好感，与达·芬奇、拉斐尔等文艺复兴时期艺术家的关系都很差。他对自己的艺术很自恋，无法像爱自己的艺术那样去爱别人的艺术，而且，他又是那么的直率，无法隐藏自己的好恶。总的来说，他更愿意和文学界、商界而不是艺术界的人交往。

重。他晚年时所享有的荣耀可以和歌德或雨果相媲美，但也有不同之处，他既没有歌德那种对获得声誉的渴求，也没有雨果那份对资产阶级的尊敬，他不受社会和现存秩序的约束，自由独立。他蔑视荣耀，蔑视上层社会，他为教皇服务，"那是迫于无奈"，他对此表现得很直接，"即使教皇都让他觉得讨厌，他们有时在同他说话或者派人找他时，都让他生厌"，而且，"他还不管他们的命令，只要没有时间去应付，他就直接拒绝"。

当一个人天性如此，并且因为他所受的教育，使他厌恶繁文缛节、蔑视虚伪客套时，假如不让他随心而活，那就太不讲情理了。假如他对你没有什么要求，也不和你的圈子起冲突，那你何必非去招惹他呢？为什么要强迫他屈就于那些无聊的小事呢？何必非要把他拉入到你的生活中来呢？对自己的才华不够珍惜，而选择取悦世俗，这样的人绝对称不上高尚与卓越。

所以，他和社会只是保持着不可避免的那些联系，或者纯属思想文化方面的交流。他不让世人接近他的内心世界，教皇、王公贵族、文人和艺术家们在他的生活中都没有特别大的分量。即使他对他们中的一小部分人有着真正的好感，也极少与其建立持久的友情。他爱他的朋友们，待他们宽厚慷慨，可他的坏脾气、他的傲慢、他的猜疑，使他时常把那些最要好的朋友变为自己的死敌。有一天，他写下了下面这封美丽而忧伤的信：

那些可怜的忘恩负义者，往往天性如此，假如你在他困难之中帮助他，他会说他之前就帮助过你。假如你给他一份工作以表示你对他的关心，他就会说你这是没有办法，说你对这工作一窍不通才找他来做。他所得到的所有恩惠，他都会说成是施恩者逼

169

迫做的。而假如他受到的恩惠是十分明显没有法子否认的话，他就会慢慢地等待，等到帮助他的那个人犯下一个明显的错误，然后再说他的坏话，而且就此再也不用回报。——人们总是这样对待我，每个艺术家来求我时，我都是真情真意地帮助他。可之后，他们竟然找借口说我脾气古怪，或者说我是精神病患者，借此讽刺我、诽谤我。即便我真的是一个精神病患者，那伤害的也都只是我自己呀！可他们却这样对待我：好心没好报。

名人传

在他的家里，倒是有几个很忠实的助手，但大多是些平庸无能的人。有人猜测他是刻意选这些平庸之辈，是为了把他们当成温顺的工具，而不是合作者。不管怎么说，这倒也是合情合理的。但孔迪维这样说：

许多人指责他，说他不愿教他那些助手，可事实正好相反，他十分愿意教他们。倒霉的是，他所教的不是智力低下之人，就是虽有能力却没有恒心的人，他们刚跟他学了几个月，就不知天有多高地有多厚，俨然以大师自居了。

不过有一点是毫无疑问，那就是他对助手的要求首先是绝对的服从。对那些桀骜不驯者他向来不留情面，而对谦恭与忠诚的人则十分的宽容大度。好吃懒做的乌尔巴诺"根本不想好好干活"①，而且还振振有词，因为他一干活，就会因为笨手笨脚而把事情弄砸了，甚至导致难以修复的错误，密涅瓦教堂的《基督

---

① 瓦萨里这样描写米开朗琪罗的那些助手："乌尔巴诺很聪明，但却不愿意用功；安东尼奥·米尼很用功但脑子却不够聪明；里帕·特兰索肯用功，但却始终做不出什么成就。"

像》就是最好的一个例子。有一次他生病了，米开朗琪罗像慈父般照料他，他也称米开朗琪罗是"像父亲一样的亲爱的人"。彼特罗·迪·贾诺托被他"爱若亲子"。西尔维奥·迪·乔凡尼·切帕雷洛从他那儿转到安德烈·多里亚那里干活后，后悔地恳求米开朗琪罗重新收留他。

安东尼奥·米尼的感人故事，是米开朗琪罗对其助手宽容大度的最好证明。根据瓦萨里的描述，米尼"是他的徒弟中最有毅力但却不太聪明的一个"，他爱上了佛罗伦萨一个穷寡妇的女儿。米开朗琪罗按照他父母的意见把他从佛罗伦萨调离。安东尼奥想去法国，米开朗琪罗送给他很多珍贵的礼物："全部的素描，还有所有的画稿，《勒达》以及为其所做的全部模型，包括蜡制的和陶制的。"安东尼奥带着这些珍贵的礼物动身了。然而，打击米开朗琪罗宏伟梦想的噩运，更加凶猛地打击到了他的卑微的朋友的身上。安东尼奥去巴黎，想把《勒达》献给法国国王。可因为国王弗朗索瓦一世当时不在巴黎，所以他便把《勒达》暂时存放在他的一位意大利朋友朱利阿诺·博纳科尔西那里，然后就回他居住的里昂去了。可是，几个月后，当他回到巴黎时，《勒达》却不见了——博纳科尔西把它卖给了弗朗索瓦一世，卖到的钱他一个人占了。安东尼奥气极了，没有经济来源，再加上没有自卫的能力，流落在异国他乡，终于在 1533 年年底，他忧愤而亡。

在所有的助手中，米开朗琪罗最喜欢而且因为他的爱护名传后世的是弗朗切斯科·迪·阿马多雷，绰号乌尔比诺。从 1530 年起，他便来到米开朗琪罗身边工作，在米开朗琪罗的指导下帮助修建尤利乌斯二世的陵寝。米开朗琪罗对他在自己死后的前途很关心。

"我死后，你可怎么办呢?"米开朗琪罗问他。

名人传

171

“我将为别人工作。”乌尔比诺回答。

“哎，可怜的人！”米开朗琪罗说，“我想帮你一把。”于是，他一下子拿出两千埃居送给乌尔比诺。这么大方的馈赠，只有皇帝和教皇才可以与之媲美。

然而，乌尔比诺却在 1555 年 12 月 3 日先他而亡。乌尔比诺去世的第二天，米开朗琪罗写信给他侄子说：

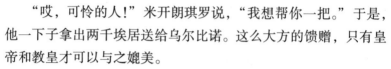
> 昨天下午四点，乌尔比诺死了。他的死让我心如刀割，让我心烦意乱，假如我能和他一起死的话，反倒还好一些。因为我实在太喜欢他了，而且他也有资格得到我的爱：他是一个正直、忠贞、拥有着高尚美德的人。他的死让我觉得生不如死，让我无法再找回平静的心情。

他的痛苦简直无法用语言描述，三个月后，在他写给瓦萨里的那封著名的信件中，这种令他痛不欲生的痛苦仍不自觉地流露了出来：

> 乔奇奥，我亲爱的朋友，我本无心写信，但为了给您回信，我还是简单写几句吧。您知道，乌尔比诺去世了，这对我而言是一种极其残酷的情感折磨，却也是上帝赐予我的一大恩泽。为什么说是恩泽呢？是因为他活着的时候给了我活下去的信心，他死后则教会我不必为死亡而忧心，而是快乐地迎接死亡。他在我身边待了二十六年，我始终都认为他为人可靠、忠实。我让他赚到了一些钱，原指望让他为我养老送终的，可他却先我而走，只给我留下在天国相见的希望。既然上帝赐给了他幸福的死亡，就明确地表示了他死后的归宿是天堂。对于他而言，比死更无法忍受的是把我留在了这个充满谎言和欺骗的世界，在无尽的烦恼和焦

虑之中。我自身的最精华的部分也已经随他而去，剩下的只有没完没了的苦难。

在莫大的悲伤中，他写信请他的侄子来罗马看望他。利奥那多和卡桑德拉对他的悲痛感到十分担心，匆忙赶来罗马后，发现他的身体十分虚弱。乌尔比诺临终前把自己的儿子托付给了他，请他代为照料，其中一个还取名为"米开朗琪罗"，作为他的义子，他从托孤的重任中汲取了新的力量①。

他还有一些奇怪的朋友。孤僻的性格，对种种社会的约束的逆反，使他喜欢结交那些思想单纯的人，这些人往往上有着奇思妙想，是一些与众不同的人。其中一个是托波利诺人，是卡拉雷的采石匠，"他自以为自己是个伟大的雕塑家，所以在每艘开往罗马的运石船上，他都要塞上他雕刻的三四件小雕像送给米开朗琪罗，这些雕塑逗得米开朗琪罗大笑不已"；一个是瓦尔达诺的画家，叫梅尼盖拉，他"经常跑到米开朗琪罗那里，求他为自己画一张圣洛克或圣安东尼，然后他再涂上颜色，拿去卖给乡下的农民。而连王公贵族们都难求其画的米开朗琪罗居然也扔下手头的活，按照梅尼盖拉的要求替他作画，这些作品中，有一幅十分精美的《基督受难图》；还有一个理发师，也十分喜欢绘画，米开朗琪罗为他画了一幅《圣弗朗索瓦受刑图》；一个罗马工人，是为尤利乌斯二世陵寝工作的，他按照米开朗琪罗的指导，竟然用大理石雕出了一尊美丽的雕像，这把他自己都给惊呆了，还自

---

① 米开朗琪罗曾给乌尔比诺的遗孀写信，表示愿意将小米开朗琪罗接过来抚养，"要给予他比侄子的孩子们更多的爱，要教会他的父亲希望他学会的一切。"乌尔比诺的遗孀在1559年再嫁，米开朗琪罗对她的这一行为始终无法原谅。

以为以后就是一名大雕塑家了；还有一个滑稽的缕金匠皮洛托，绰号拉斯卡；性格疏懒的怪画家英达科，"他不喜欢作画，倒喜欢和人聊天"，他总喜欢说"总是工作而不知玩乐的人不配当基督徒"；尤其是那个可笑但无伤大雅的朱利阿诺·布贾尔蒂尼，米开朗琪罗对他抱有特殊的好感。

朱利阿诺生性善良，生活简朴，既无恶念也无欲求，米开朗琪罗对他十分喜爱。他只有一个缺点，那就是对自己的作品太自恋。可米开朗琪罗却认为这并不是坏事，因为他自己的痛苦，恰恰就是因为对自己的作品不满意……一次，奥塔维亚诺·迪·梅迪西请朱利阿诺帮他画一张米开朗琪罗的肖像。朱利阿诺答应了，他一言不发地让米开朗琪罗坐了两个小时之后，突然冲他喊道："米开朗琪罗，来看呀，起来看呀，你脸部的主要特征已经被我抓住了。"米开朗琪罗站起身来，看了看那幅肖像，然后大笑着对朱利阿诺说："你在搞什么玩意？你把我的一只眼睛嵌进太阳穴里了，你自己好好看看吧。"朱利阿诺听后非常生气。他认真地看了好几遍肖像和真人，然后反驳道："我倒是没这种感觉。这样吧，你再坐回去，我看看有什么可以改动的。"米开朗琪罗知道他的性格，就笑着再次坐在朱利阿诺对面，后者反复地看了看他和画，然后站起来对他说："你的眼睛和我画的一样，你天生就长的这样。"——米开朗琪罗大笑道："那好吧，这是我天生的错。你继续画吧，千万不要吝惜颜料。"

米开朗琪罗对别的人可从没这样宽容过，他就是这样，将宽容施与这些小人物，这也是他对那些以大艺术家自居的可怜人的一种幽默的嘲讽，也可能他们让他想起了自己的炽热与疯狂。这其中确实有一种悲伤而滑稽的嘲弄意味。

三　孤独

我的灵魂啊，死神对你说了什么……

就这样，他单独与那些卑微的朋友们交往着，他们是他的助手和他的开心果，此外，他还同另外一些更加卑微的"朋友"生活在一起：他的家畜、他的母鸡和猫。

但事实上，他骨子里还是孤独的，而且这种孤独愈来愈严重。"我总是一个人，"1548年，他写信对他侄子时说，"我和谁都不说话。"他不仅与社会渐渐隔绝了关系，而且对人类的利害、需求、快乐、思想也都漠不关心了。

他与他那个时代的人们联系在一起的最后的激情也熄灭了，这种激情就是"共和主义"。1544年和1546年，在他两次身染重病时，他的被放逐的共和党朋友里乔把他接到斯特罗齐家中照料。米开朗琪罗病愈后，请求逃亡里昂的罗伯特·斯特罗齐提醒法国国王履行诺言。他还补充说，假如弗朗索瓦一世能让佛罗伦萨恢复自由的话，他将自己出资为国王在市政议会广场上铸造一尊骑在马上的铜像。1546年，为感谢斯特罗齐留他在家中养病，他将两尊《奴隶》雕塑送给了斯特罗齐，后者又转赠给弗朗索瓦一世。

但这只是共和狂热的一次爆发，也是最后的一次爆发。在1545年他和贾诺蒂的说话的一些片段中，好几次表达了类似托尔斯泰的斗争无用论和不抵抗主义思想：

敢于杀掉一个人是一种极其轻率和自大的行为，因为你根本无法断定他的死是否能产生善果，或者他的存在是否会促成善的产生。所以，我真的没有法子忍受那些人，他们认为如果不以恶

175

也就是以杀戮为手段的话，就不可能得到善果。时代变化，一些新的情况也随之出现，人们的欲望转变了，人类产生了厌倦之心……总的来说，怎么都会有人们预料不到的事情发生。

以前为刺杀暴君者极力辩护的米开朗琪罗，现在却对那些想以行动改变世界的革命者嗤之以鼻。他清楚地知道自己也曾经是革命者中的一员，他此刻痛心疾首责备的正是他自己。就像哈姆雷特那样，他开始怀疑一切，怀疑自己的思想、怨恨以及他曾经相信的一切。他放弃了行动。

"这个老实人回答，"他写道，"在回答某人时他说：'我不是从政的，我是个正直的人，一个凭着良知行动的人。'这个人说的是真话。假如在罗马的那些工作，像政治一样少让我操点心就好了！"

其实，他已经不再憎恨什么。他不能再憎恨了。因为恨已经太晚了：

我实在太不幸了，对长时间地期待已感到精疲力尽，
我实在太不幸了，实现我的愿望已经太迟了！
如今，你难道还不知道吗？
一颗勇敢、高傲而伟大的心在宽恕，
在以怨报德。①

他住在特拉扬广场附近的马塞尔·德·柯尔维街。在那里他有一所带有小花园的房子。他和一个男仆、一个女佣以及一些家

---

① 见《诗集》卷 109。这首诗可能写于 1536 年，在亚历山大·迪·梅迪契被刺身亡后，米开朗琪罗在这首诗里假想了诗人和一个佛罗伦萨流亡者的对话。

畜生活在一起。他对他的仆人并不是太满意。据瓦萨里说："他们干起活来粗心大意，且总是脏兮兮，一点儿都不讲卫生。"他经常换仆人，老是叫苦，抱怨他们。和贝多芬一样，他和仆人之间也是矛盾不断。他的笔记与贝多芬的一样，记录着许多主仆争吵的事迹。1560 年，在把一个叫吉罗拉玛的女仆人辞退后，他不禁叫苦连天："啊！假如她根本没来过这里该多好！"

他的卧室像坟墓一样阴暗。"蜘蛛四处肆虐，蛛网遍布每一个地方。"在楼梯的中间，他画了一幅肩上扛着一口棺材的《死神》像①。

他虽然不缺钱财，但活得就像个穷人，吃得很少②，而且"经常睡不着觉，半夜爬起来，拿起凿子干活。他用硬纸板给自己做了一顶帽子，将它戴在头上，在中间插上一根蜡烛，这样一来，不仅腾出了他的双手，也方便借着烛光工作"。

随着年岁增大，他愈发地孤独了。在整个罗马城的人都陷入熟睡时，他却孤独地在那儿打夜工，这对他而言，已经成为一种生存的需要。寂静是对他的恩惠，夜晚则是他的好友：

啊，黑夜，啊，恬静的时刻，
虽然周围尽是黑暗，但一切努力
都将达到平和，
称颂你的人看得清楚也弄得明白，

---

① 棺材上刻有这样一首诗："告诉你们，告诉将灵魂、肉体和思想一起交给人世的你们，只要到了这黑暗的箱子里，你们就会拥有一切。"

② 据瓦萨里的记载，"他吃得很少，年轻时只吃一点面包，喝一点酒，目的是有更多的时间可以工作。在年级大了之后，他习惯在工作之后有节制地喝一些酒。虽然他不缺钱，但却一直像穷人一样生活。而这种简朴的生活使他总是能保持清醒的头脑，只需很少的睡眠。"

赞美你的人具有出色的判断力。

你用你的剪刀剪断了被潮湿的阴影

所渗透的疲倦的思想；

你常把我从尘世带入天堂，

那是我所盼望去的地方。

啊，死亡的阴影，

你是治愈痛苦的灵丹妙药，

心灵的敌人被你阻挡，

你让我们有病的肉体重获健康，

你擦干我们的泪水，

你消除我们的疲劳，

你涤净仇恨与厌恶。

　　一天晚上，瓦萨里前去探望这位老人，当时他孤独地待在那所空荡荡地屋子里，面对着他那悲伤的《圣母哀悼基督》在沉思。瓦萨里敲门时，米开朗琪罗站起身子，手执烛台前去开门。瓦萨里想要看看他的雕像，可米开朗琪罗不小心将蜡烛掉在地上，熄灭了，让他什么都看不见。当乌尔比诺去找另一支蜡烛时，米开朗琪罗转头对瓦萨里说："我已经老得不行了，死神常来拉我的裤腿，要我与他一起走。总有一天，我的躯体也会像这个蜡烛一样摔落，我生命的光芒也就会因此而熄灭。"

　　死亡的念头缠得他越来越紧，也越来越挥之不去。他对瓦萨里说："我想到的每一件事情，都有着死亡的烙印。"

　　死对他而言，似乎成了生命中的唯一幸福：

当往昔再现时，

这并不少见，

啊，虚伪的世界，

我这才清楚地了解到你的谬误和过错。

假如有人相信你的谄媚和虚妄，

那必将为他的灵魂留下巨大的悲伤。

亲身体验过这些的人都明白，

它常常许诺你根本没有，也永远不会有的安宁与幸福。

所以，最失意的人，

是那个在尘世间羁留的最久的人；

而生命越短的人，反而越容易进天堂……

在漫长的岁月后，

我的最后时刻才到了，

啊，世界，我太晚看出你的欢乐了。

你许诺你没有的和平；

你许诺休憩，但这种休憩还没出生就已经死去……

我之所以这么说，凭的是我的经验：

出生后便夭折的，

才是天堂选中的人。

当他侄子为自己儿子的出生而大肆庆贺时，米开朗琪罗严厉地训斥了他一顿：

这种铺张浪费让我很不高兴。当全世界都在哭泣时，你不应该欢笑。为了一个刚诞生的孩子举行盛大的庆典是很不懂事的表现。应该把欢乐留到一个垂垂老矣的人死去的那一天再发泄出来。

第二年，当他侄子的第二个孩子出生不久便夭折后，他反而写信表示祝贺。

大自然一直被他的狂热和天赋所忽视①，可到了他的晚年，却是一个安慰。1556 年 9 月，因为罗马受到西班牙的阿尔贝公爵的军队的威胁，他逃出了罗马。途经斯波莱特时，他在那里整整待了五周，整天置身在橡树和橄榄树林中，尽情享受秋日的美好时光。到了 10 月末，他被教皇召回罗马，他是恋恋不舍地回去的。"我将自己的一大半都留在那里了，"他写信对瓦萨里说，"因为只有在自然中才能找到真正的平静。"

回到罗马后，这位八十二岁的老人写了一首美丽的诗歌，歌颂的是美妙的田园生活，他把田园生活与城市的焦躁和虚伪作了对比：这是他诗作的最后一篇，全诗充满了青春的朝气。

但是，就像在艺术和爱情中一样，他在大自然中寻找的也是神明，他每天都在靠近神明。他向来都是有信仰的。虽然说他不受神甫、僧侣的欺骗，也不为善男信女们所蒙蔽，而且一有机会就刻薄地嘲讽他们，可是这却从没有让他的信仰产生过动摇。在他的父亲和兄弟们或病或死的时候，他首先操心的是他们的圣事问题。他对祈祷有着盲目的信任，"他相信祈祷甚于一切的药物"；他把自己所得到的全部好运和没有经历过的灾祸，全部都归功于祈祷。在孤独时，他多次陷入对神秘事物的狂热崇拜中，这种情况通过一次偶然的事件给我们留存了记忆：当时的一个报道向我们描述了西斯廷这位英雄心醉神迷的面容：在夜深人静时，他独自一人在家中的花园里祈祷，双眼痛苦地仰望着布满星辰的夜空。

有人说他对圣徒与圣母的礼拜极为淡漠，这种说法并不符

---

① 米开朗琪罗在乡下生活过不短的时间，但对大自然却一直没有重视起来。在他的作品中，描绘自然风景的非常少，在这一点上，他与当时的艺术风气并不相容。

合事实。他将自己生命的最后二十年都用来修建圣彼得大教堂，他最后的一件作品，那件因他的去世而没有完成的作品，也是一座圣彼得的雕像，所以将他说成新教徒是十分滑稽的。此外，不要忘了他曾经多次想进山朝圣：1545 年，他想去科姆波斯泰雷的圣雅克教堂朝拜；1556 年，他想去洛雷泰朝拜，而且还加入了圣约翰·巴蒂斯塔兄弟会。不过，和其他那些伟大的基督徒一样，他的生与死都和基督在一起。1512 年，他写信对父亲说："我与基督共同过着清贫的生活。"临终时，他要求人家让他回忆基督的受难过程。在和维多利亚·科洛娜建立友谊之后，尤其是在她去世之后，他的这种信仰愈加热诚。此外，他把自己的艺术几乎全部奉献给了颂扬基督的事业，他的诗作也陷入一种神秘主义之中。他抛弃了艺术，投入了受难的基督张开的臂膀之中：

　　在波涛汹涌的大海上，我乘着一叶扁舟，
　　将我的生命，送到共同的港口，
　　人们都在那里登岸，卸下了所有虔敬与亵渎的作品，
　　目的是进行解析和评定。
　　所以，使我将艺术视为偶像和君王的激情的幻想，
　　现在看来，其中充满着多少的谬误啊；
　　我清楚地看到人人都在希冀的东西其实都是苦难。
　　当我已临近二者（说的精神与肉体均已死亡）的时刻，
　　它们到底意味着什么呢？
　　爱情的浪漫思念，徒劳的享乐主义，
　　一个我确信无疑，另一个却象征着灾难。
　　不管是绘画还是雕刻，都再也无法平静我的心灵，
　　我已经转向神圣的爱，

而这神圣的爱正在十字架上

为欢迎我们而张开双臂。

信仰和苦难在这位老人不幸的心灵中绽放出的最纯洁的花朵，那就是神圣的仁慈之心。

这个被他的敌人指斥为吝啬、贪婪的人①，一生却都没有停止过施恩于人，包括认识或不认识的落难者。他对自己的老仆和他父亲的老仆们一直关照有加，他父亲有一个叫莫娜·玛格丽塔的女佣，在他的父亲死后被他收留，后来她病逝了，她的死使他"好像死了亲姐妹一样伤心"。不仅如此，他还经常不断地周济穷人。比如，他对一个普通的木匠关怀备至，这个木匠曾在西斯廷教堂的工程帮他干过活，在木匠的女儿出嫁时，米开朗琪罗为她置办了盛大的嫁妆……。他还常喜欢让自己的侄子、侄女替他布施，培养他们这方面的善心，而且还让他们别说出自己的名字，因为他更喜欢做好事不留名②。"他喜欢行善，但不喜欢显摆行善的行为。"在一种美妙而细腻的情感的作用下，他特别顾念那些穷苦的女孩子，他总是想方设法地暗中为她们置办嫁妆，让她们能够顺利结婚或进入修道院。

他给侄儿写信说：

你想办法去结识因为女儿要出嫁或要送去修道院但却缺少资

---

① 这些留言主要由拉莱廷、班迪内利散播的。事实上，米开朗琪罗在生活上虽然简朴，但从不吝于向亲朋好友和穷人施舍钱财。他的作品，也有很多是送掉而不是卖掉的。

② 在1549年3月29日写给侄子的信中，他说："要特别注意，钱财应该给那些真正需要的人，这不是为了友谊，而是为了对上帝的爱……不要说出钱是你给的。"

金的穷人，我指的是那种急需钱但却羞于开口的人，将我寄给你的钱送给他，但是，不要声张，而且要弄清楚了，千万别被人给骗了……

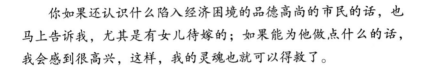

除此之外，他又写道：

你如果还认识什么陷入经济困境的品德高尚的市民的话，也马上告诉我，尤其是有女儿待嫁的；如果能为他做点什么的话，我会感到很高兴，这样，我的灵魂也就可以得救了。

名
人
传

尾声　死亡

死亡即归宿……

一直在盼望的，却又迟迟不来的死亡终于降临了。修士般的严格生活虽然让他的身体保持健壮，但还是逃不脱疾病的侵扰。在 1544 年和 1546 年两次患上恶性疟疾后，他始终没有完全复原，再加上结石、痛风和各种各样的病痛，他终于被彻底地击垮了。在他晚年的一首悲伤的谐趣诗中，他描绘了自己那被各种疾病折磨的可怜的身体：

我独自一人凄惨地活着，
仿佛树皮中的树髓……
我的声音就像被困在皮包骨头的躯体中的胡蜂，
不断发出嗡嗡声……
我的牙齿开始松动了，
就像琴键似的……
我的脸像稻草人的脸……
我的耳朵不断发出响声：
一只耳朵里似乎有蜘蛛在结网，
另一只耳朵里似乎有一只蟋蟀在不断地鸣叫……
重伤风引起的哮喘，让我难以入睡……
赐予我光荣的艺术
竟把我引向了这么一个结局。

可怜的老头，假如死神不快点来解救我的话，我就要完蛋了……

疲劳将我肢解、撕裂、击碎，

死亡就是我最好的归宿……

"我亲爱的乔奇奥，"1555 年，在写给瓦萨里的信中，他说，"从我的字迹你应该就可以看出我已走到了生命的尽头……"

1560 年春，瓦萨里前去看他，觉得他的身体更加虚弱了。他差不多是足不出户，晚上很少睡觉，一切迹象都表明他将告别人世了。越是衰老，他就越是变得多愁善感，眼泪动不动就流个不停。

瓦萨里写道："我去看望我们伟大的米开朗琪罗，他没有想到我会去，因此表现出来的热情就像一位找回丢失儿子的父亲似的。他搂住我的脖颈，不停地亲我，高兴地流起眼泪来了。"

不过，他的头脑思维依旧清醒，精力也依然旺盛。在瓦萨里这次看他的过程中，他就艺术方面的各种问题与其谈了很长一段时间，对瓦萨里的创作提出不少的好建议，之后还陪瓦萨里骑马去了圣彼得大教堂。

1561 年 8 月，米开朗琪罗病倒了。之前的三个月，他一直光着脚工作，病发时，正在工作的他突然感到一阵疼痛，摔倒在地，浑身痉挛。等到仆人安东尼奥发现时，他已经昏迷不醒。卡瓦列里、班迪尼和卡尔卡尼也马上赶来了。这时，米开朗琪罗已经苏醒了过来。几天之后，他又开始骑马外出了，还继续为皮亚门画图稿。

性格怪癖的老人总是不愿意别人照料他。朋友们知道这位孤苦伶仃的老人在遭受了病魔的又一次袭击后，却只有那些粗心大意、漫不经心的仆人和他在一起，对此十分担心。

米开朗琪罗的侄子利奥那多之前因为想来罗马看看伯父的身体，结果却被臭骂了一顿，现在再也不敢轻易前来了。1563 年 7月，他托达涅埃尔·迪·沃尔泰拉问米开朗琪罗，是否高兴他前去探望，而且，为了防止多疑的米开朗琪罗怀疑他另有所图，他还让沃尔泰拉特意补上了一句，说他生意做得很顺利，生活也很好，没什么需要的了。聪明的老人让人转告他说，既然如此就很愿意他来，也将把自己手中所存的少量的钱周济给穷人。

一个月后，心有不甘的利奥那多再次托人向米开朗琪罗表达了对他的身体的担心以及对他的仆人们的不放心。这次，米开朗琪罗的回信充满了怒气，从这封信中可以看出这位八十八岁高龄的老人，在离死亡还有六个月的时候，拥有着多么顽强的生命力：

从你的来信中我看出你是听信了某些嫉妒成性的坏蛋的话，他们因为嫉妒我，又无法任意摆布我，所以才散播了一大堆关于我的谎话。这群人是一些流氓无赖，你可真蠢，竟然去相信他们说的关于我的情况，就好像我是个小孩子似的。让他们滚到一边去吧，这种人到哪里都爱惹是生非，除了嫉妒别人，就是陷害别人。你信中说，不放心我的仆人们，说他们对我漠不关心，让我受罪，可我现在要告诉你，不管从哪方面说，他们对我都是关怀备至，非常地尊敬我。至于你说担心我被人偷窃，我也可以告诉你，我家里的所有人都值得我信任，我对他们没什么不放心的。所以，你还是操心你自己的事情吧，别管我，不得已时，我会自我保护的，我又不是个小孩子。你自己多保重吧！

惦记他的遗产的远不止一个利奥那多。整个意大利都是米开朗琪罗的遗产继承人，特别是托斯卡纳公爵和教皇，他们想的是不让圣洛朗和圣彼得教堂的两处建筑的图稿和素描丢失。1563年6月，在瓦萨里的建议下，科斯梅大公命他的大使阿韦拉尔多·塞里斯托里秘密地在教皇面前活动，以便暗中密切监视米开朗琪罗的仆人们和经常往他那儿跑的人，这是因为他的健康越来越差。万一他突然去世，便应该马上把他的财产全部登记成册：素描、图稿、文件、金钱等，另外还要密切注意，别让人浑水摸鱼，趁混乱拿走什么东西。为此，他们采取了一些措施。不用说，人们都很小心，没有让米开朗琪罗得到一点消息。

事实证明，这些谨慎的预防措施是必要的。死亡的时刻已经到来。米开朗琪罗的最后一封信写于1563年12月28日。那一年来，他几乎无法再亲手动笔，他只能口授、签字，由达尼埃尔·德·沃尔泰尔来负责通信的具体事宜。

他始终都在坚持工作。1564年2月12日，他站了一整天，都在做那座《哀悼基督》。14日，他发高烧了。蒂贝里奥·卡尔卡尼闻讯马上赶来，可在家里并没有看见他。原来虽然下着雨，他还是跑到田野间散步去了。当他回来时，卡尔卡尼对他说，这种下雨天往外跑实在是太不明智了。

"我有什么办法呢?"米开朗琪罗回答说，"我病了，可在哪里都不得安生。"他说话时断断续续，他的目光、脸色都让卡尔卡尼感到极为不安。"不一定马上就来，"卡尔卡尼给利奥那多写信说，"可我很担心已经为期不远了"。

同一天，米开朗琪罗让人将达涅埃尔·迪·沃尔泰拉请来，让他留在自己身边。达涅埃尔请来医生费德里艾·多纳蒂来。2月15日，他按照米开朗琪罗的意思，写信给利奥那多，告诉他可以来看望他的伯父了，"但路上要多加小心，因为路上的情况很不好"。

沃尔泰拉还补充说："八点刚过，我离开他时，他神志还很清醒，情绪也比较稳定，只是为身体的发麻而苦恼。他身体很难受，下午三四点钟时，他本来想骑马外出，就像平常天气好时他习惯做的那样。可天气实在太冷了，他脑袋疼，双腿乏力，没有法子骑马，所以只能返回家来，坐在靠近壁炉的一把扶手椅里。他觉得坐在扶手椅上比躺在床上更舒服。"

在他身边的是忠实的卡瓦列里。一直到去世前三天，他才同意躺在床上。在朋友和仆人们的围绕下，他神智清醒地口授了他的遗嘱。他将"灵魂献给上帝，把肉体留给大地"。他要求"死后至少能回到"他亲爱的佛罗伦萨。之后，他便"从可怕的暴风雨回到十分甜美的宁静之中"。

这是 2 月的一个星期五，大约下午五点钟，暮色时分……"在他生命的最后一天，也就是进入天堂的第一日！……"

他终于得以安息了。他达到了自己所期盼的目标：超越时间。

灵魂的幸福在他那里，时间一去不返！

这就是他神圣而痛苦的人生

在这悲剧故事的终了，我为一种思虑所困扰。我自问，在想给受苦的人列举一些痛苦的同伴作为精神支柱时，我会不会是在雪上加霜。所以，我是否应当像别人那样，只描写他们英雄的一面，而掩饰住他们的悲苦与缺陷呢？

但是不！这是真实啊！我从不向我的朋友们许诺，以谎言去换得幸福，幸福，只能靠自己的努力去挣得。我许诺他们的真实，哪怕它需要以幸福来换取，真实所刻下的，是灵魂永恒的壮丽之美。它的气息无情却纯洁，让我们脆弱的心沐浴其中。

伟大的灵魂就像崇山峻岭，在那里接受风雨的洗礼，拥抱云朵的包围，人们在那里呼吸，比在别的地方更自由、更有力。纯洁的空气，可以洗涤心灵的秽浊。而在云破雾散的时候，他便能威临人类世界了。

这座崇高巍峨的山峰，矗立在文艺复兴期的意大利，我们从远处就能望见它险峻的侧影，在高空中隐没不见。

我不认为普通人能在高山之顶生活，但不妨每年去一次登高朝拜。在那里，他们可以更换肺部的空气与脉管中的血液。在山顶，他们会感觉到更接近永恒。以后，等他们再回到人生的平原时，就会充满勇气地面对日常生活中的战斗。

托尔斯泰传

俄罗斯的那颗伟大的灵魂，一百年前在世界上发出的光辉，曾照亮了我们的青春时代。在就要结束的十九世纪的阴霾的黄昏里，它像一颗抚慰人间的巨星，用它的目光吸引并慰抚我们青年人的灵魂。在法兰西，有很多人认为托尔斯泰不仅是一位受人尊重的艺术家，而且是一位朋友，最好的朋友，是欧洲艺术中唯一真正的朋友。我就是其中的一员，我愿在缅怀这位神圣的同时，表达我的感激与敬爱之情。

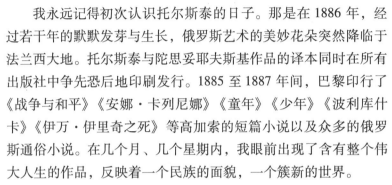

名人传

我永远记得初次认识托尔斯泰的日子。那是在 1886 年，经过若干年的默默发芽与生长，俄罗斯艺术的美妙花朵突然降临于法兰西大地。托尔斯泰与陀思妥耶夫斯基作品的译本同时在所有出版社中争先恐后地印刷发行。1885 至 1887 年间，巴黎印行了《战争与和平》《安娜·卡列尼娜》《童年》《少年》《波利库什卡》《伊万·伊里奇之死》等高加索的短篇小说以及众多的俄罗斯通俗小说。在几个月、几个星期内，我眼前出现了含有整个伟大人生的作品，反映着一个民族的面貌，一个簇新的世界。

当时，我刚进入高师就读。我和我的同学们都各有自己的主张。在我们的小圈子中，有讽刺家与现实主义思想者，如哲学家乔治·杜马，热情歌颂意大利文艺复兴的诗人苏亚雷斯，有古典传统的忠实信徒司汤达派与瓦格纳派，有无神论者与神秘主义者，我们互相辩论，争执不休。但在几个月之后，我们都在爱慕托尔斯泰这一点上达到了一致。每个人都以不同的理由爱他，每个人都在他的作品中找到了自己，而对于人类整体来说，它又是生命的一个启示，是开向广阔宇宙的一道大门。在我们周围，在家庭中，在外省，从欧洲边陲传来的这个伟大声音，唤起同样的甚至是意想不到的欢迎。有一次，在我的故乡尼韦奈，我听到一个向来对艺术不感兴趣、几乎从不看书的中产者竟然也十分激动地谈论着《伊万·伊里奇之死》。

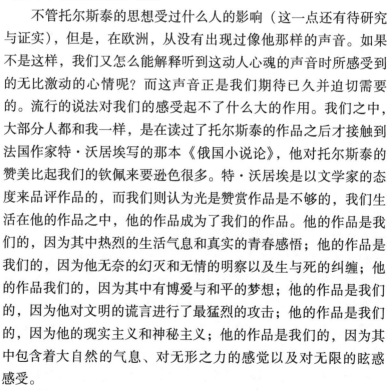

　　我们国家的一些著名批评家中曾有这样一种论断，认为托尔斯泰思想中的精华都是来自我们国家的浪漫派作家，像乔治·桑和维克多·雨果。乔治·桑对于托尔斯泰的影响根本谈不上，因为托尔斯泰是绝对无法忍受乔治·桑的思想的，至于卢梭与司汤达对于托尔斯泰的影响则不必否认，但如果把他的伟大人格与迷人魅力全部归功于他的思想则是很不应该的。艺术对思想的依懒是有限的。艺术最大的力量并不在于思想本身，而是在于如何给予思想以表现，在于表现个人的艺术特点，在于拥有艺术家自身的烙印和他的生命的气息。

　　不管托尔斯泰的思想受过什么人的影响（这一点还有待研究与证实），但是，在欧洲，从没有出现过像他那样的声音。如果不是这样，我们又怎么能解释听到这动人心魂的声音时所感受到的无比激动的心情呢？而这声音正是我们期待已久并迫切需要的。流行的说法对我们的感受起不了什么大的作用。我们之中，大部分人都和我一样，是在读过了托尔斯泰的作品之后才接触到法国作家特·沃居埃写的那本《俄国小说论》，他对托尔斯泰的赞美比起我们的钦佩来要逊色很多。特·沃居埃是以文学家的态度来品评作品的，而我们则认为光是赞赏作品是不够的，我们生活在他的作品之中，他的作品成为了我们的作品。他的作品是我们的，因为其中热烈的生活气息和真实的青春感悟；他的作品是我们的，因为他无奈的幻灭和无情的明察以及生与死的纠缠；他的作品我们的，因为其中有博爱与和平的梦想；他的作品是我们的，因为他对文明的谎言进行了最猛烈的攻击；他的作品是我们的，因为他的现实主义和神秘主义；他的作品是我们的，因为其中包含着大自然的气息、对无形之力的感觉以及对无限的眩惑感受。

　　这些作品对我们的影响，就像《少年维特之烦恼》对于它

名人传

们那一代人的影响：是我们的力量、弱点、希望与恐怖的镜子。我们根本不想调和这些矛盾，尤其不想把这颗反映着全宇宙的复杂灵魂纳入狭隘的宗教与政治的范畴，我们不会像那些效仿保罗·布尔热①的人那样，在托尔斯泰去世的第二天就以各人的党派观念去批评他。仿佛党派一日间就能成为衡量天才的标准！托尔斯泰是否和我属于哪一个党派有什么紧要关系呢？我会先弄明白莎士比亚和但丁属于哪一派，再去汲取他们的艺术、接受他们的启迪吗？

我们绝对不会像那些批评家那样，认为"有两个托尔斯泰，一个是转变以前的，一个是转变以后的；一是个好的，一个是坏的。"对我们而言，只有一个托尔斯泰，我们会一直爱着他。因为我们本能地感觉到，在这个巨人的灵魂中，一切都有自己的立场，一切都有相互的联系。

我们往昔不加解释而靠本能来感觉的事，今天我们可以用理智来证实了。这完全没有问题，因为现在当这个长久的生命已经达到终点，毫无遮掩地展露在大家眼前，在思想的国度成为永恒的太阳之时，我们就可以这样做了。让我们首先感到惊异的是，这长久的生命始终没有一点变化，尽管有人不时想运用藩篱在他的周围设置障碍，但托尔斯泰本人因为满怀热情的原因，往往在他相信与爱的时候，就以为总是他第一次相信、第一次爱，认定这才是他的生命的新的开始。开始，总是重新开始。一样的转变，一样的争斗，曾在他身上发生过多少次啊！我们不能说他的思想始终是统一的，事实上他的思想也的确从不统一，但可以这么说，他的思想中始终牵扯着各种不同的因素，它们时而妥协，时而对立，对立的时候居多。在托尔斯泰这样一个人的心灵与思

---

① 保罗·布尔热（1852－1935），法国作家、批评家。

想中，统一性从来都是不存在的，即使存在，也只存在于内心情感的热烈斗争中，只存在于他的艺术与生命的悲剧中。

他的艺术与生命是统一的。作品与生命的联系从没有像在托尔斯泰身上那样的紧密。他的作品几乎都带着自传性的性质。从他二十五岁时起，他的作品就使我们一步步地紧随着他的冒险生涯去探险。从二十岁前开始直到他逝世为止，除了几段时间的中止外，他的日记以及他提供给比鲁科夫的笔记补充了我们对他的认识，如《生活与作品》《回忆录》《回想录》《书信》《日记选录》《传记资料汇集》等，这些作品托尔斯泰都曾经亲自校阅，是关于托氏生涯与著作的最重要的作品，也是我参考最多的作品。这些作品不仅补充了我们对他的认识，也使我们能够看到他内心思想一步步的演变，能看到他的天赋所植根的世界，以及那些曾经启发他思想的人物。

名人传

托尔斯泰出身于双重高贵的世家（托尔斯泰与沃尔康斯基家族），其世裔可一直上溯到留里克①，家谱中有彼得大帝的重臣，有七年战争②中的大将军，有拿破仑诸役中的英雄，有十二月党人③，有政治流放犯。在《战争与回忆》一书中，有好几位特殊的典型人物都来自他对家族的回忆：如他的外祖父，老亲王沃尔康斯基，是叶卡捷琳娜二世时代的专制贵族代表；他母亲的堂兄弟，尼古拉·格雷戈里维奇·沃尔康斯基亲王，曾在奥斯特利茨一役中受伤，被人从战场上救了回来；他的父亲，和尼古拉·罗

---

① 留里克，公元 9 世纪俄罗斯帝国的奠基人。

② 七年战争，指 1756 至 1763 年间发生在欧美、印度及海上的一次争夺殖民地及商业霸权的战争。英国、普鲁士和汉诺威是一方，法国、奥地利、俄罗斯、西班牙等为另一方，战争以前者的胜利结束。

③ 十二月党人，指的是俄罗斯的贵族革命者。因为在 1825 年 12 月发动了反对沙皇统治的武装革命，因此被称为十二月党人。

斯托夫有点像；他的母亲，那位温婉的丑妇人玛丽亚公主，虽然长得丑但却散发出仁慈的光辉。这些亲人都或多或少地影响了《战争与和平》这本书。

他不太了解他的父母。《童年》和《少年》中关于亲情的感人叙述很少，真实性也不高。他的母亲去世时，他还不到两岁。所以只能通过哥哥小尼古拉·伊尔捷涅耶夫的含泪叙述来想象母亲慈爱的脸庞，灿烂的微笑……"哎！如果我能在痛苦的时刻窥见这个微笑，那么悲愁对我来说就不算什么了……"不过，他的母亲无疑也将自己对于舆论的毫不顾忌以及编造故事的美妙天才遗传给了他。

至于他的父亲，他多少还保留了一些回忆。那是一个和蔼诙谐的人，有着忧郁的眼神，在属于自己的土地上过着与世无争、淡泊名利的生活。托尔斯泰九岁的时候，他的父亲也死了。父亲的死使他"第一次懂得现实的悲苦，感受到了深刻的绝望"。这是孩童时的他和恐怖这个幽灵的第一次相遇，他一生中，有时则要战胜恐惧，有时要把它变形后再赞扬它。……这种悲痛与恐惧的痕迹，在《童年》的最后几章中有着深刻的描述。

在亚斯纳亚·波利亚纳①的那座古老的宅邸里，他们一共生有五个孩子。列夫·托尔斯泰于 1828 年 8 月 28 日诞生在这里，直到 82 年之后去世的时候才离开。五个孩子中最小的那个是女孩，叫玛丽亚，后来做了修女。其余四个孩子分别是：谢尔盖，长得可爱但为人有些自私，"他的真诚是我从没有见过的"；热情、专一的德米特里，大学时代曾狂热地投身于宗教事业，不顾一切地持斋减食，救济穷残，可后来又突然变得放荡不羁，之后

---

① 亚斯纳亚·波利亚纳，莫斯科南部的一个小村子，这个村子所在的省份是俄罗斯色彩最浓厚的省份，居民都是纯正的俄罗斯人。

又充满负罪心理，为一个妓女赎身并和她同居，29 岁时，他患肺痨死了①；长子尼古拉，是弟兄中最被宠爱的一个，他也从母亲身上继承了丰富的想象力，善于讲故事，幽默、腼腆而机智，后来在高加索当了军官，在那里养成了酗酒的习惯，他充满着基督徒的温情，把自己所有的财产全部赠给了穷人。屠格涅夫谈到他时，曾说"他在生活中谦卑谨慎，不像他的兄弟列夫只满足理论上的探讨"。

在父母双亡后，两个具有热心肠的妇人照顾着五个孤儿：一位是姑母塔佳娜，托尔斯泰说，"她有两种美德：冷静与爱。"她的一生只是爱。她永远为爱他人而奉献自身……"她使我懂得了爱是一种精神上的快乐……"；另外一个是婶子亚历山德拉，她总是乐于助人而避免有求于人，她有仆役也不用，唯一的爱好是阅读《圣徒行传》，再有就是和朝圣者以及天真的人聊天。这些人之中，有几对天真的男女就在他们家中寄食。其中一位会背诵赞美诗的朝圣者正是托尔斯泰妹妹的教母。另外一个叫做格里莎的男子，则只知道祈祷与哭泣……

啊，伟大的基督徒格里莎！你的信仰是那么的虔诚，以至你常感到神明临近，你的爱是如此热烈，以至你的言语不需要理性智慧就能从口中自然流露。你颂扬神明的庄严，可当你实在找不到言辞的时候，你便泪流满面，匍匐于地！

这些卑微的人对托尔斯泰的成长的影响是不言而喻的。老年的托尔斯泰似乎早已经在这些灵魂上试练和凝聚了。他们的祈祷，他们的爱，在孩童的心灵上撒播下信仰的种子，到老年时自

---

① 《安娜·卡列尼娜》中列文的兄弟就是以他为原型的。

然就有所收获了。

除了格里莎之外，托尔斯泰在他的《童年》中，并没有提及其他对他的心灵成长有所影响的卑微人物。另一方面，通过这本书可以感觉到托尔斯泰那颗童心，"这颗充满慈爱的纯洁灵魂，仿佛一道明亮的光华，总是能看到别人最优秀的品性"。幸福的他，一心只想着他所知道的那些不幸者，他流泪，总想着为那些不幸者有所奉献。他亲吻一匹老马，请它原谅他曾使它受苦。他因为爱而感受到幸福，即使得不到别人的爱也无妨。此时，人们已经窥到他未来的天才的萌芽：他拥有丰富的想象力，极为睿智的头脑，总是一心想着人们内心所想的问题；他早熟的观察力与强悍的记忆力；他锐利的目光，能通过一个人的表情探寻他的喜怒哀乐。他自己说，在五岁时，他就第一次感到，"人生不是一种享乐，而是一种十分沉重的工作"。

幸好，年少的他很快忘记了这种想法。这时，他开始痴迷俄罗斯的通俗故事、神话传说和《圣经》故事，尤其是《圣经》中高尚的约瑟的故事，一直到了晚年，他还把约瑟当做做人的典范。还有《天方夜谭》，每天晚上，在祖母家里的房子中，总有一个盲人坐在窗口边为他讲述其中有趣的故事。

1842 至 1847 年，他在喀山地方上学，成绩一般。有人这样评价兄弟三人①："谢尔盖想学也有学的能力。德米特里想学却没能力学好。列夫则是不想学也学不好。"

托尔斯泰的少年和青年时代，真如他自己所说是处于"荒漠期"。在一片荒凉沙漠中，一阵阵狂热的疾风横扫着扑面而来。关于这个时期，《少年》，特别是在《青年》的叙述中，有很多的亲切的内心独白。这个时期，他是孤独的。他的头脑长时间处

---

① 比托尔斯泰大 5 岁的尼古拉已经在 1844 年毕业。

于狂热状态中。在一年的时间里，他重新寻找适合自己的学说，并一一加以证实。他曾经是斯多噶主义者，刻意折磨自己的肉体；曾经是伊壁鸠鲁主义者，一度纵欲享受；他又相信轮回转世之说；最后他堕入一种荒诞的虚无主义：他觉得自己如果能迅速地转身，就会发现虚无就在他的面前。他不断地分析自己，分析自己……"我只想着一件事情，我想我所想的只有一件事情……"

这些不断的自我分析，像一部不断转动的推理机器，很容易让自己陷于空虚，据他自己说，"在生活中往往会带来伤害"，但同时却也让他的艺术有了丰富的源泉。

这种精神游戏让他失去了一切信念，至少他是这样想的。从16岁时起，他不再祈祷，也不再到教堂去了。①

但是我还是有信仰的。是什么呢？我说不清楚。我还是相信上帝，至少我没有否认它。但上帝是什么样的呢？我不清楚。我不否认基督和他的教义，但这教义是什么呢？我也说不清。

他经常善心大发，他曾想卖掉自己的马车，然后把得来的钱分给穷人，他还想把他的家产的十分之一分给穷人，为此他可以遣散家中的仆人……"因为他们和我一样，也是人"。在某次生病后，他写了《生活的规则》，在其中天真地给自己规划人生，"要学习并深刻的探讨：法律、医学、语言、农业、历史、地理、数学，音乐与绘画要达到完美的标准"……他认为"人类的使命在于不断地追求完美"。

可是，不自觉地，在少年的热情、强烈的欲望和巨大自尊心

---

① 这段时间的托尔斯泰正对伏尔泰的作品充满兴趣。

的驱使下，这种追求完美的信念逐渐偏离了轨道，变得实用与物质起来。他之所以要求他的意志、肉体与精神达到完美的标准，完全是因为要征服世界，获得全人类的爱戴。他想要取悦于人，让每一个人都喜欢他。但这却不是一件容易做到的事。那时的他长得像猿猴般丑陋：脸庞长而笨重，头发很短，眼睛很小，眼窝很深，鼻子阔大，嘴唇往前突出，一对兜风耳。因为他知道自己的丑陋容貌无法改变，所以他从小就为此感到绝望与痛苦，① 由此他想让自己成为"一个体面人"。②，为了和别的"体面人"保持一致，他也去赌博，为此欠了一大笔债，那真是彻底的堕落。③

名人传

　　"你知道我为什么爱你超过爱他人吗?"涅赫留多夫对他说，"因为你拥有一种可贵的品德，那就是真诚。"

　　"是的，即使是让我感到十分羞愧的事情我也会直接说出来。"（《少年时代》第二十七章。）

　　在他的生活最放荡的时候，他仍旧能以犀利的目光和冷静的头脑对自己作出冷酷的批判。

　　"我彻底地像畜类一般的生活着，"他在《日记》中写道，

---

　　① "我自己常想，像我这么一个鼻子那么宽，嘴唇那么大，眼睛又那么小的人，在这个世界上是找不到的。"（《童年》第十七章）此外，他还悲哀地说自己"面部缺乏表情，软弱不安，缺乏高贵的气质，粗手粗脚，像极了那些乡下人"。（《童年》第一章）

　　② "我将人分做三种：体面人，只有这种人值得尊敬；不体面的人，这种人被蔑视与憎恨；最后是贱民，现在已经没有这种人了。"（《青年》第三十一章）

　　③ 特别是当他在圣彼得堡的那段时间（1847－1848）。

"我是彻底堕落了。"

接着，他用自己喜欢的分析法，认真地写下了他犯错误的原因：

一、犹豫不决，缺乏魄力；

二、自我欺骗；

三、性子太急；

四、无谓的自卑；

五、情绪消极；

六、迷惘；

七、爱模仿；

八、浮躁；

九、凡事不加思考。

在大学时代，他已将这种独立判断的做法应用于批评社会现象与思想上的迷信。他看不起大学教育，不想作正规的历史研究，因为思想上的大胆而被学校停学。在这段时间，他接触到了卢梭的《忏悔录》与《爱弥儿》。这对他而言，无异于当头棒喝。

我对他顶礼膜拜，把他的肖像像圣像一样挂在颈下。

他最开始写的几篇哲学论文就是评论卢梭的（1846－1847）。

但是，慢慢地他对大学和"体面人"也都没有兴趣了，他重新回到了自己的家园，回到故乡亚斯纳亚·波利亚纳（1847－1851）；他再次开始与平民接触，他打算帮助他们，教育他们。他在这一时期的经历在他最初的几部作品中有所叙述，如《一个地主的早晨》（1852），那是一篇优秀的小说，主角就是他在作品中最爱用的托名：涅赫留多夫亲王。①

涅赫留多夫二十岁。他放弃了上大学，打算为农民去服务。在为农民做了一年的好事后，他去一个乡村访问，但却遭到了冷遇、嘲笑、固执的猜疑、因循守旧、浑浑噩噩、下流无耻、忘恩负义……。他的一切努力都白白浪费了。回家时，他心灰意懒，想起自己一年以前的梦想，想起他的远大抱负，想起他曾经的理念，"爱和善是幸福，也是真理，是世界上唯一可能的幸福和真理"。他认为自己被打败了，在万分羞愧的同时，他身心俱疲。

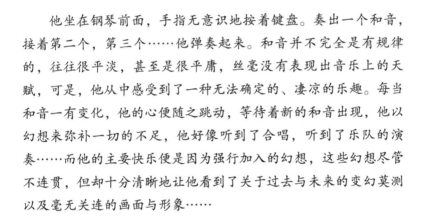

他坐在钢琴前面，手指无意识地按着键盘。奏出一个和音，接着第二个，第三个……他弹奏起来。和音并不完全是有规律的，往往很平淡，甚至是很平庸，丝毫没有表现出音乐上的天赋，可是，他从中感受到了一种无法确定的、凄凉的乐趣。每当和音一有变化，他的心便随之跳动，等待着新的和音出现，他以幻想来弥补一切的不足，他好像听到了合唱，听到了乐队的演奏……而他的主要快乐便是因为强行加入的幻想，这些幻想尽管不连贯，但却十分清晰地让他看到了关于过去与未来的变幻莫测以及毫无关连的画面与形象……

他再次看到了那些和他谈话的农民，下流的、猜疑的、说谎的、懒惰的、顽固的乡下农民；但此时他看到的是他们的长处，而不再是他们的坏处；他以爱的直觉透过他们的心，他看到了他

---

① 在《少年》《青年》《军队中的相遇》《琉森》和《复活》等作品中，都有涅赫留多夫这个人物。这个人物是托尔斯泰的各种化身，时而好，时而坏。

名人传

们的忍让、乐观、知足常乐和逆来顺受，看到他们对于一切偏执的宽恕，看到他们对于家庭的热情，看到他们之所以依恋过去的原因——虔敬与忠诚。他还想起他们劳动的日子，疲累但却充满劳动之美……"这太美了，"他喃喃地说，"我为什么不能成为他们中的一个呢？"

托尔斯泰自身的形象活灵活现地出现在这篇与《童年》同时发表的小说中，他眼光敏锐，幻想丰富，用一种完美无缺的现实主义来观察人物，只要他闭上眼睛，梦想和对人类的爱就再次出现在他的梦中。

不过，1850年左右的托尔斯泰可没有涅赫留多夫那样能忍耐。亚斯纳亚令他失望，那里的民众和上层阶级都让他感到厌倦；他担任的角色让他觉得生活分外沉重，他简直没法子再维持下去了。此外，他的债权人也对他纠缠不休。1851年，他逃往高加索，加入军队之中，投奔已经当了军官的哥哥尼古拉。

高加索地区群山环绕，空气清新，他的精神很快就恢复了，对上帝也恢复了信仰之心：

昨天夜里，我几乎彻夜未眠……我向上帝祷告。我根本无法用语言描写在祈祷时我所感受到的那种惬意。我先按惯例默诵了一遍经文，之后又祈祷了很长的时间。我盼望着非常伟大、非常美丽的东西出现……什么东西呢？我说不清楚。我想将自己与"上帝"合二为一，我请求他能原谅我的过失……不，还是不必乞求了，我感觉到，既然他赐予我这最幸福的一刻，那想必他已经原谅我了。我继续请求，同时又觉得我无所请求，我不能也不懂得请求。我向他表达了感谢，不是用语言的方式，而是在内心表示感谢……这样过了快一小时之后，我再次听到了罪恶的声音。原来我在梦中，看到了荣耀与女人，他们都比我更有力。不要紧！我感谢上帝使我在这一刻看到自身的渺小与伟大之处。我想祈祷，但却不知如何祈祷；我想要彻悟，但又不敢彻悟。一切还是听从上帝的安排吧！

肉体并没有被打败（永远没有被打败），肉体与上帝之间的战斗秘密地在心中展开。在《日记》中，托尔斯泰记述了三个侵蚀他的魔鬼：

一、赌博的欲望是可以战胜的。

二、肉欲很难战胜。

三、虚荣欲是一切欲望中最可怕的。

正当他梦想着牺牲自我、一心助人的时候，肉欲和其他不好的思想同时向他袭来：高加索的某位妇人让她痴迷不已，眼前还出现某个哥萨克女人的形象，或者是胡思乱想，"他左边的胡须比右面的翘得高时，他会感到极其失望。"不过，上帝在这里，他再也不离开他了。即便是战斗最激烈的时候也不会让他产生恐惧，因为一切的生命力都被鼓动起来了。

我想，我当初要到高加索的轻率念头来自至高无上的主给我的感应。上帝的手引导着我，我对此感激不尽。我觉得在这里我变得更好了，我确信发生在我身边的一切事情都只会对我有利，因为这是上帝的意志……①

1852 年，托尔斯泰的天才初次崭露头角：《童年》《一个地

---

① 见 1852 年他写给塔佳娜姑母的信。

主的早晨》《侵略》《少年》相继问世，他感谢使他丰收的上帝。

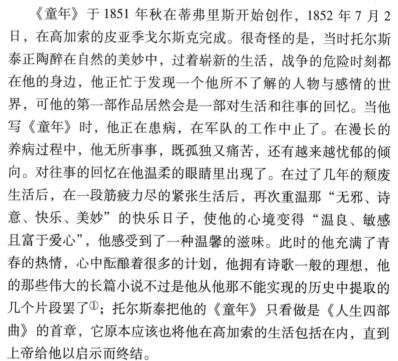

《童年》于 1851 年秋在蒂弗里斯开始创作，1852 年 7 月 2 日，在高加索的皮亚季戈尔斯克完成。很奇怪的是，当时托尔斯泰正陶醉在自然的美妙中，过着崭新的生活，战争的危险时刻都在他的身边，他正忙于发现一个他所不了解的人物与感情的世界，可他的第一部作品居然会是一部对生活和往事的回忆。当他写《童年》时，他正在患病，在军队的工作中止了。在漫长的养病过程中，他无所事事，既孤独又痛苦，还有越来越忧郁的倾向。对往事的回忆在他温柔的眼睛里出现了。在过了几年的颓废生活后，在一段筋疲力尽的紧张生活后，再次重温那"无邪、诗意、快乐、美妙"的快乐日子，使他的心境变得"温良、敏感且富于爱心"，他感受到了一种温馨的滋味。此时的他充满了青春的热情，心中酝酿着很多的计划，他拥有诗歌一般的理想，他的那些伟大的长篇小说不过是他从他那不能实现的历史中提取的几个片段罢了①；托尔斯泰把他的《童年》只看做是《人生四部曲》的首章，它原本应该也将他在高加索的生活包括在内，直到上帝给他以启示而终结。

《童年》可以说是托尔斯泰的成名之作，但后来他对这部作品却并不满意，对其百般挑剔。

"写得糟透了，"他对比鲁科夫说，"这部书一点文学的诚实性都没有！简直毫无可取之处。"不过，别人可不像他这样看。作品的手稿没有署名，寄给了名声显赫的《现代人》杂志，而

---

① 《一个地主的早晨》是《一个俄国地主》的写作计划的一个片段。《哥萨克》是一部关于高加索的长篇小说的一部分。《战争与和平》在作者本人看来是一部现代史诗的开头，而《十二月党人》则应该是小说的中间部分。

且很快就登载了。这部小说引起了不小的轰动，欧洲各国的读者交口称赞，作品富有诗意，笔锋精练，表达的感情极为细腻。

使托尔斯泰厌恶的理由却正是别人喜欢它的理由。的确，书中除了若干地方人物的描写和极少数含有宗教感情的描写外，托尔斯泰本人的性格表现的并不突出。整部作品有一种温柔的感伤情调，托尔斯泰对此很反感，后来在别的小说中，他完全摒除了这种写法。这种感伤情调我们并不陌生，其间的幽默和热泪让我们似曾相识，它们正是来自狄更斯的作品。在十四岁到二十一岁的时期里，托尔斯泰最喜欢阅读的书籍正如他在《日记》中所说，是狄更斯的《大卫·科波菲尔》，"它让我受到了巨大的影响。"在高加索时，他把这部作品看了又看。

他说自己还受到两个人的影响：斯特恩和特普费尔①。"当时，"他说，"我受到了他们很大的启发。"

有谁会想到《日内瓦短篇小说集》竟是《战争与和平》的作者的第一个范本呢？可是认真地阅读之后，便不难在《童年》中发现同样的热情、淳朴和乐观，不一样之处在于，只是移植到了一个比较有贵族气息的环境里而已。

托尔斯泰在一开始似乎以一个似曾相识的面目出现在公众面前。但不久，他的个性便显露出来了。《少年》虽没有《童年》那么单纯，那么完美，但展示出的是一种更特殊的心理状态，是对大自然的强烈感受和一颗饱受困扰的心，这是狄更斯和特普费尔的作品所没有的苦闷心理。在《一个地主的早晨》中，托尔斯泰的性格似乎已经完全成型，他的观察大胆而率真，对爱也充满了信心。在这部短篇小说中，他出色地描绘了几个农民的形

名人传

---

① 斯特恩（1713－1768），十八世纪英国作家。特普费尔（1799－1846），瑞士小说家，画家。

象，在他后来的《民间故事》中，描绘最形象的一个养蜂老人在这里已可窥见轮廓：那位矮小的老人站在白桦树下，张开双臂，眼睛望向天空，光秃秃的头在阳光下闪闪发光，他的周围有成群的蜜蜂在飞舞，这些蜜蜂不仅没有蜇他，还在他的头顶上飞翔，看上去好像一个花环……

不过，这一时期他的代表作却是直接记录他情感感受的作品——《高加索纪事》。其中的第一篇《侵袭》（完稿于 1852 年 12 月 24 日）所描写的壮丽景色尤其动人，给人留下了很深的印象：河流旁边的山上的日出；阴影与声音都描写得极为出色的夜景；在晚上，远处积雪的山峰在紫色的暮霭中消失，士兵的优美歌声在透明的空气中传荡。《战争与和平》中的好几个典型人物其实在这部作品中已经有所体现。比如赫洛波夫大尉，一位真正的英雄，他的战斗并非是为了他个人的兴趣，而是因为要尽他的责任。他那张脸有着"典型的俄罗斯人的朴实与镇静，是那种令人喜欢直视的脸"。他笨拙，甚至有些可笑，对周围的一切事物从不理会，在战事进行时，大家都有所改变，唯独他一个人始终不变，"他完全和人家平日所见的一样：动作沉稳，声调不高不低，脸上的表情同样的朴实与镇静"。和他相比，那个中尉则扮演的是莱蒙托夫式的英雄人物，他外表看上去野蛮粗暴，但本性却十分善良。还有那个可怜的小个子少尉，在第一次打仗时高兴得不得了，恨不得抱着每个人的脖颈亲吻，他可爱却也可笑，最后愚蠢地死于非命，就像彼佳·罗斯托夫那样。在这些人物中，居中的托尔斯泰的表情，是冷静地观察，而不是参与到伙伴们的思想中去；事实上，他已经发出了反对战争的呼声：

这世界是如此美丽，这天空是如此广阔无垠，抬头仰望星空，人们难道就不能自由自在地活着吗？在这里，他们怎么能怀有恶意、仇恨和毁灭同类的疯狂心理呢？人类心中所有邪恶思想，一旦与大自然接触便会烟消云散，因为大自然是美与善的最直接体现。

这一段时间，他所记载到的关于高加索的故事，都是稍后写的，如 1854 至 1855 年间写成的《伐木》，用的是一种准确且带有些冷峻的写实手法，对于俄罗斯军人的奇特心理刻画得很到位，是一本预示未来的笔记；1856 年写的《在别动队中和一个莫斯科熟人的相遇》，描写上流社会的一个失意者，变成一个放浪的下级军官，他懦弱、酗酒、爱撒谎，他想不通自己怎么会像他所轻视的普通士兵一样去战死，事实上，那些士兵中最微不足道的一个也要胜过他百倍。

凌驾在这一时期的一切作品之上，矗立在这一山脉的最高峰的作品就是名作《哥萨克》。① 它是托尔斯泰最美的抒情小说之一，是他歌唱青春的歌曲，也是高加索的颂诗。连绵不绝的白色群山，在明亮的天空的映射下，充满了诗情画意。这部作品才华横溢，正像托尔斯泰所说，"青春的万能之神，一去不返的天才展现。"如春泉的激流、爱情的洋溢！

"我爱，我如此地爱！……勇士！好人！……"他反复地说，不断地流泪。为什么？谁是勇士？他爱谁？他不清楚②。

这种心灵的陶醉无限制地流溢着。书中的主人公奥列宁和托

---

① 虽然这些作品在 1860 年时才完成（刊发的时期是 1863 年），但是这部著作中的大部分却在此时写成的。

② 见《哥萨克》。

尔斯泰一样，来高加索寻求冒险的生活。他迷恋上了一个年轻的高加索少女，沉浸在种种矛盾和希望之中。有时他认为"幸福就是为别人而活，就是牺牲自己成全别人"，有时他又认为"自我牺牲是一种十分愚蠢的行为"。于是，他就和高加索的那个哥萨克老人叶罗什卡一样地相信："这全部都是值得的，上帝创造的一切都是为了人类的快乐，和一个年轻美丽的女子在一起不是一桩罪恶而是让灵魂得到拯救的救赎之旅。"那么又用得着思考吗？活着就行了。生活就是善，就是幸福，就是无所不能的存在，就是上帝。一种狂热的自然崇拜闪动且吞噬着他的灵魂。奥列宁在森林中迷了路，周围全都是"野生草木、无数禽兽、成群结队的蚊蚋、幽暗的树木、温暖而芬芳的空气、枝叶下面到处潜流着浊水"，在离敌人设置的陷阱极近的地方，奥列宁"突然感到一种无来由的幸福，他依据童年的习惯，在胸前划了个十字，感谢着某个人"。就像一个印度的托钵僧那样，他一个人迷失在生命的旋涡中，越陷越深，四周潜伏着的数不清的无形生物，正窥伺着他的死，成千成万的虫类在他的周围嗡嗡作响：

"到这里来，到这里来，伙伴们！瞧那个我们可以咬的人！"

他很清楚，在这里他不再是一个俄国绅士，不再是莫斯科的上流社会中某个人，不再是某人的朋友或亲戚，只是一个如蚊蚋、雏鸟、麋鹿般的生物，和徘徊在他周围的其他一切生物一样。

像它们一样生，一样死。青草在他的身体上生长。……于是，他的心满是欢悦。

在青春年少时，托尔斯泰陶醉在对力量、对人生之爱的狂热中。他拥抱大自然并融入大自然，向大自然发泄他的哀愁、欢乐和爱情。他通过《哥萨克》的主人公奥列宁说："可能在爱高加索女郎时，我通过她爱上了大自然，在爱她时，我已经感觉到自己和大自然已融为一体。"他经常把他所爱的人与大自然作比较。"她和大自然一样平静、优美。"但这种罗曼蒂克的陶醉，从没有混淆他的清晰目光。在这部感情热烈的作品中，景物描写强而有力，人物刻画栩栩如生，是其他作品很难相比的。人与自然的对峙是这本书的核心思想，也是托尔斯泰小说创作中最喜欢用的主题和信条，这种对峙让他找到了《克莱采奏鸣曲》中的严酷音调，并用以鞭挞人间舞台上的喜怒哀乐。对他所爱的人，他的描写也同样的真实。自然界的生物、美丽的高加索姑娘和他的朋友们，都被他洞若观火的目光所观察，还有他们自私、贪婪、狡狯的种种恶习，都被他逐一描画。

此外，高加索还向托尔斯泰揭示了他本人深刻的宗教意识。这种宗教意识的初次昭示说来话长。他自己也是以保守秘密为条件才告诉他青年时的知己，他年轻的姑母亚历山德拉·安德烈耶芙娜的。在1859年5月3日写给她的一封信中，他"表达了自己的信仰"：

小的时候，我不爱思考，只以热情去感受信仰。十四岁时，我开始思虑人生的种种问题。因为宗教无法和我的理论一致，所以我把毁灭宗教看作一件值得赞美的好事……对我而言，一切都清楚合理，一切都安排得妥妥当当，根本没有宗教的地位……后来，到了这么一个时期，生活于我已经毫无秘密可言，也逐渐丧失了它存在的意义。那时，我正在高加索，感到孤独、苦恼。我灌注了全部的精神，就像一个人一生只能这样做一次。……这是一个痛并快乐着的时期。不论在之前还是之后，我都没有在思想上达到那样的高度，只有在这两年我才有如此透彻的观察力，那

211

时我所发现的一切成为我永远的信念……在这两年持久的脑力工作中，我发现了一条一般人不知道的简单而古老的真理：我发现，人类有一种不朽的东西、一种感情需求，就是为了永久地幸福，人应该为了他人而活着。这个发现让我十分惊讶，因为这和基督教的信条很相似；于是，我不再自己探寻，而是求助于《圣经》去了。结果，我并没有找到什么东西，既找不到上帝，也找不到救世主，也找不到圣体，什么都找不到……但我还是竭尽灵魂之力去寻找，我大哭，我痛苦，我只是想要找到真理……就这样，只有我和我的宗教形影相伴了。

1853 年 11 月，俄罗斯对土耳其宣战。托尔斯泰应征入伍，最开始在罗马尼亚的军队中，后来又转入克里米亚的军队，1854 年 11 月 7 日到达塞瓦斯托波尔。他心中燃烧着高昂的爱国热情，作战勇敢，常常深入险境，特别是在 1855 年 4 月至 5 月间，他三天中便有一天在第四号棱堡的炮台中执勤。

在很长的一段时间，他生活在紧张与激动的情绪之中，和死亡面对面战斗，这时，他的宗教神秘主义又苏醒了。他经常和上帝对话。1855 年 4 月，他在《日记》中记载了一段祷文，感谢上帝在危险中保护他并请求其继续予以保护，"以便我能达到尚未认识的生命的永恒与光荣的目标……"这个目标并非是艺术，而是宗教。1855 年 3 月 5 日，他写道：

一个伟大的梦想引导着我，为了实现这个梦想，我认为我可以奉献自己的一生。这个梦想就是创立一种新宗教，属于基督的宗教，其教条必须是经过澄清的……用极清楚的思想来行动，以便以此来团结人类。

不过，为了要忘掉眼前的残酷情景，他还是再次拿起笔来写作。可是在枪林弹雨之中，他怎么能集中精神来写他的回忆录的第三部《青年》呢？所以那部书的内容是十分混乱的，其抽象分析也是比较枯燥的，像司汤达那样，层层推进，一大类下面又分很多小类。[①] 但一个青年的头脑中复杂的思想与梦幻竟然能被他冷静地参透，这一点不得不令人叹服。作品对自己的描述非常坦率。而在描写春日城市的美丽风景、叙述忏悔的故事以及因遗忘罪恶而前往修道院时，又有一种令人耳目一新的诗意！在一些篇章还洋溢着一种热烈的泛神论，以及一种抒情美，其用词让人联想起《高加索纪事》。比如这段描写夏夜的文字：

静静的新月发出明亮的光芒。池塘中水波粼粼。白桦树茂密的枝叶在月光的照耀下，一面显出银白色，另一面的黑影则掩蔽在灌木丛与大路上。鹌鹑在池塘后面鸣叫。两棵老树的枝叶发出互相摩挲的轻微声息，不仔细听的话很难听的出来。蚊蝇发出嗡嗡的声音，一只苹果坠落在枯萎的落叶上，一只青蛙跳上石阶，绿色的脊背在月光下闪闪发光……月亮渐渐上升，悬挂在夜空中，将光芒洒满宇宙；池塘的水显得更加明亮，阴影则更加黝黑……我像一个渺小而微贱的虫子，早已经感染了人类的各种感情，但还有一股爱情的力量，这时，我感觉到大自然、月亮和我似乎已经完全融为一体了。

---

① 在同时期写的《伐木》一书中，也有这样的分类方式。比如："士兵分三类：第一，服从的；第二，横暴的；第三，爱吹牛的。每种还可以继续分，比如服从的可以分为三种：第一，冷静的服从者；第二，逢迎的服从者；第三，酗酒的服从者；等等。"见《伐木》。

然而，当时的现实比他心中以往的梦景更值得他关注。《青年》也因为这个原因而没有完成。这位中队副大尉列夫·托尔斯泰伯爵在棱堡中、在炮声中、在同伴中观察着生者与死者，并将他观察和感受到的东西记载在了他的那本让人难忘的《塞瓦斯托波尔纪事》中。

名
人
传

这三本纪事——《1854 年 12 月的塞瓦斯托波尔》、《1855 年 5 月的塞瓦斯托波尔》和《1855 年 8 月的塞瓦斯托波尔》往往是被人放在一起来评论的。可事实上，这三本各有各的特点，差别还是不小的。特别是第二本，在情操和艺术上，与其他二本不同，其余两本有着浓厚的爱国主义色彩，第二本的重点则在于描述冷酷的、不可改变的真理。

据说沙俄王后在读了第一本纪事后不禁为之落泪，以至沙皇在欣赏与惊叹之余下令把其译成法文，并把作者调离危险地域。这其中的道理我们不难理解，因为文中全是歌颂爱国与战争的文字。托尔斯泰刚刚入伍，心中充满热情，陶醉在英雄主义中。在保卫塞瓦斯托波尔的人中，他还没有看出野心与自大，也没有看出任何卑鄙的感情。对于他而言，这是一首崇高的史诗，这里的英雄"可以与古希腊的英雄相媲美"。另外，在这些纪事中，丝毫看不出在想象方面有所努力的痕迹，也看不出任何对客观再现的尝试；作者只是漫步城中，以清醒的头脑观看，不过他叙述的方式却太过拘谨："你看……你进入……你找到……"这简直与长篇报道无异，只不过加了一些对所观察到的事物的感受罢了。

第二本《1855 年 5 月的塞瓦斯托波尔》就截然不同，一开始就可以读到这样的文字："成千上万的人的自尊心在这里相互碰撞，或者在死亡中寂灭……"后面又这样写道："……因为人实在太多了，虚荣心也随之增多……虚荣，虚荣，周围全是虚荣，即使到了坟墓的门口也还是虚荣！这是本世纪所特有的疾病……为什么荷马与莎士比亚在他们的时代可以大谈爱、光荣与痛苦？而我们这个时代的文学却只是爱慕虚荣和附庸风雅之辈的没完没了的故事呢？"

在这里，纪事已经不再是简单的记述，而是让人类与情欲直接争斗，将隐藏在其背后的英雄主义暴露出来。托尔斯泰犀利的目光在他的战友们的内心探索，在他们心中，就像在他自己心中一样，他看到了骄傲和恐惧，看到了死亡临近时，人间不断上演的喜剧。特别是恐惧已经被确认，已经被他揭开了面纱，赤裸裸地暴露在眼前。这挥之不去的恐惧和畏死的情绪，被他坦率而无情地剖解了。在塞瓦斯托波尔，他将一切的感伤情调全部抛开了，他轻蔑地将这些情调称为"轻浮的，像女人一样只知流泪的感情"。他的分析天赋在他少年时期已经显露，有时甚至还带有一种病态。这天赋在描写普拉斯胡辛之死时达到了顶峰。当炸弹落下但尚未爆炸的一秒钟内，普拉斯胡的脑子里所闪现的种种情景，整整被描写了两页纸，炸弹爆炸到普拉斯胡"胸部被一块弹片击中立即丧命"也被整整描写了一页纸。

就像演出时的乐队休息一般，战场上也会豁然展露出大自然的美景，阴云散去，成千成万即将死去的人躺在庄严的沙场上，基督徒托尔斯泰于是忘记了第一本纪事中的爱国主义，开始诅咒起背叛人道的战争：

这些人，这些基督徒，这些在世界上宣扬伟大的爱与牺牲的人，看到自己所做的事，竟然不在上帝面前忏悔！上帝在给予他们生命的同时，赐予他们每个人的心灵以畏死的本能，以及对善与美的热爱！可他们竟然不流着欢乐与幸福的泪水，如同胞兄弟般互相拥抱！

在这部短篇结束时，其语调比任何别的作品都更尖锐，托尔

名人传

斯泰突然怀疑或许他不应该说这些话的：

名人传

> 我心中产生了一种可怕的怀疑。或许我不应当说这些话。我所说的，可能令人讨厌真理，每个人都下意识地潜藏在心里不说，也的确不应该说，否则就会造成伤害，就像不能搅动酒糟以免把酒弄坏了一样。什么是应该避免说出的罪恶？什么是应当模仿的善事？谁是坏蛋？谁是英雄？每个人都是善的，每个人也都是恶的……"

可是他高傲地镇定下来了：

> 我这部短篇小说中的主角是我所最心爱的人物，我努力将他全部的美表现出来，他不论在过去、现在或将来，永远都是美的，这就是真理。

在读了这几页被文化检查出禁止刊载的内容后，《现代人》杂志的主编涅克拉索夫写信给托尔斯泰说：

> 这正是如今的俄罗斯社会所需要的：真理。在果戈理死后，俄罗斯文学上所留存的真理已经很少了……你给我们的艺术带来的这种真理对于我们而言，完全是崭新的。我只担心一件事情：我只担心时间和人生的怯懦以及我们周围那些装聋作哑的人会把你给收拾掉，就像收拾我们中的大部分人一样，换句话说，我担忧他们会磨灭你的锐气。

不过这些不用担心。时间会磨灭常人的锐气，但对托尔斯泰而言，却更加磨炼了他的意志。

但在那时，国家的多灾多难，塞瓦斯托波尔的失陷，使他虔敬的心感到极为痛苦，他开始对自己太过直率的言辞感到后悔了。在第三本纪事《1855 年 8 月的塞瓦斯托波尔》中，当他正讲述着两个因赌博而争吵的军官时，叙述突然中止了，他说：

这幅景象赶快结束吧。明天，也许今天，这些人就可能快乐地去面对死亡。在每个人的灵魂中都潜藏着有一天会使他成为英雄的高贵火焰。

这种思虑虽然没有丝毫削弱故事的写实风格，但是，人物的选择却十分明了地显现出了作者的倾向。马拉科夫惊天动地的战斗和悲壮的沦陷，是通过两个感人的高傲人物表现出来的，这两个人物是弟兄俩，哥哥叫科泽尔特佐夫上尉，和托尔斯泰很有些相似的地方①，弟弟沃洛佳是一位旗手，他胆怯而热情，喜欢激动的独白，充满梦想，多愁善感，一点小事都会让他流泪，刚进棱堡时，他十分害怕（这可怜的人还对黑暗十分恐惧，睡眠时总是把头藏在帽子里，）孤独再加上别人对他的冷漠，让他感到苦闷不已，可在最后，到了拼杀的时候，他却可以勇敢、快乐地去面对危险。他属于那种富有诗意的少年，就像《战争与和平》中的彼佳和《侵略》中的少尉，他心中充满爱，能笑对沙场，然后被死神带走。这弟兄俩在同一天，也就是城市失守的那一天，饮弹而死。而这篇小说也在爱国主义的呼声中画上了句号：

军队从城中撤离。每个士兵，望着不得不放弃的塞瓦斯托波尔，心里产生了一种说不出的悲苦，他们叹着气，拳头遥指向敌人。

---

① "他的自尊心和他的生命融和在一起了，他看不到还有什么别的选择：要么成为第一，要么就把自己毁灭……他喜欢和别人比较，喜欢当第一。"

在这个人间地狱，他整整待了一年，其间他接触到了情欲、虚荣等人类痛苦的根源。之后，在 1855 年 11 月，他来到了圣彼得堡，周旋于当地的文人圈子，他憎恶、蔑视那些文人，因为他觉得他们庸俗、卑劣且谎话连篇。这些人远看上去似乎都带有艺术的光环，如屠格涅夫就是托尔斯泰曾经非常欣赏的作家，他还曾把自己的作品《伐木》题赠给对方，可是，一近距离接触，他却很快就感到失望了。1856 年的一张照片，正是他和圣彼得堡代表文人的留影，这些文人包括屠格涅夫、冈察洛夫、奥斯特洛夫斯基、格里戈罗维奇、德鲁日宁。照片中的人除了托尔斯泰外，都显得很自然。他神情严峻，头骨凸露，面颊深凹，双臂僵直地交叉着，显得很另类。他穿着军服，站在这些文学家后面，苏亚雷斯幽默地写道："他不像他们中的一员，倒更像是看守这些人的，随时像是准备着把他们押送到监狱中去的样子。"①

可是，所有人都殷切地恭维着这位年轻有为的同行。他拥有两重荣耀：作家与塞瓦斯托波尔的英雄。屠格涅夫在读到塞瓦斯托波尔的各个场景时，曾哭泣着大喊乌拉，他亲切地向托尔斯泰伸出了双手。但这两个人交往不久，就发现互相是合不来的。的确，他们两人具有同样深刻的目光，但他们的内心却有着不同的色彩，一个喜欢幽默，敏感而多情，思维清晰，对美的事物极为迷恋，另一个则是强势的，高傲的，时常为着道德上的问题而苦闷，心中总蕴藏着一个神灵。

托尔斯泰最不能容忍这些作家的那种自以为是的优越感，如他们自命为人类的代表。此外，他对他们的反感，还出于贵族和军官对放浪的中产阶级与文人的蔑视。他还有一个天生的特点，他自己

---

① 见苏亚雷斯所写的《托尔斯泰》（1899 年出版）。

也承认，那就是"本能地反对所有普遍承认的判断"①。对人群表示不信任，对人类理性的潜在轻蔑，使他发现人类的欺罔及谎言。

他从来都不相信别人的真诚。在他看来，一切道德的冲动体现出来都是虚伪。对于那些他认为没有说出实话的人，他习惯用锐利的目光逼视对方……②。

在听别人说话时，他用深陷在眼眶里的灰色眼睛直视着对方，抿紧的嘴唇中有着何等讥讽的味道!③

屠格涅夫说，托尔斯泰这副锐利的目光再加上两三个令人暴跳如雷的恶毒字眼，没有比这更让他难堪的事了。④

在托尔斯泰与屠格涅夫的头几次会面中，两人就发生了激烈的争吵⑤。可两人在远离之后，却都能镇静下来，给对方以最公

---

① "我的性格里有一个特点，不管好坏，始终都不会改变，那就是我不由自主地总是反对外界流行的事物。"（致比鲁科夫的信）

② 屠格涅夫语。

③ 格里戈罗维奇语。

④ 见欧仁·迦尔希纳所写的《关于屠格涅夫的回忆》（1883 年）。

⑤ 1861 年，两人之间爆发了最激烈的冲突，结果导致两人终身不和。屠格涅夫表示他有博爱的思想，大谈其女儿所做的慈善事业。可对托尔斯泰来说，再没有比上流社会的虚伪慈善更让他愤怒的事了。观点的不同，导致两人间的冲突越来越激烈，屠格涅夫威胁说扇托尔斯泰耳光，托尔斯泰也毫不示弱要求使用手枪决斗，以澄清自己的名誉。屠格涅夫对自己的鲁莽表示后悔，写信向托尔斯泰道歉。但托尔斯泰表示决不原谅。直到差不多二十年后，托尔斯泰才表示了忏悔，并请求屠格涅夫的宽恕。因为此时的他，已克服了骄矜，皈依了上帝。

正的评价。不过，时间使托尔斯泰对他的那些文学界的朋友越来越不喜欢。他无法宽恕这些艺术家一面过着堕落的生活，一面又在嘴上鼓吹什么道德仁义。

名人传

　　我认定他们几乎所有人都是不道德、邪恶、品性低劣的，比我在军队时所见到的那些人还要差得多。可他们自己却好像对自己很欣赏，过得很快活，好像身心完全健全的人一样。他们真使我恶心。

　　他逃离了这个圈子。但他在一段时期里还保存着和他们一样的艺术上的功利观念。[①] 他的骄傲在其中得到了满足。这是一种报酬十分丰厚的宗教，它可以赢得"性，金钱，荣誉……

　　我曾经是这个宗教中的主要人物之一。生活舒适，地位很高……"

　　为了完全献身于艺术，1856 年 11 月，他辞去了在军队中的职务。

　　然而，像他这种性格的人是不可能长久地"闭上眼睛的"。他相信，也愿相信进步。他觉得"这个词是很有些意义的"。1857 年 1 月 29 日到 7 月 30 日，他去外国旅行了一次，去了法国、瑞士、德国后，他的这个信念开始动摇了。1857 年 4 月 6 日，在巴黎，他看到了执行死刑的一幕，这让他认识到"对进步的迷信全都是无谓的……"

----

　　① "在那时，我就已经模糊地认定我们和疯子绝无分别。但是，和所有疯子一样，我把每个人都称为是疯子，除了我自己。"（见《忏悔录》）

当我看到那个犯人的头颅从身上滚落到框子里时，我的身心为之一震，我知道现有的维持公共治安的理论中，没有一条能充分证明这种行为是合理的。即便全世界的人都依据某种理论认为这是必须的，我也不能认可，因为决定善与恶的，并不是一般人所说所做，而是我自己的心。

1857 年 7 月 7 日，他在瑞士小城卢塞恩看见寓居施魏策尔霍夫的一个英国富翁不愿施舍一个流浪歌手，这幕情景使他在《涅赫留多夫亲王日记》中写道，他鄙视那些自由主义者死抱幻想的做法，也鄙视那些"在善与恶之间划出假想界限"的人。

对他们而言，文明是善，野蛮是恶；自由是善，奴役是恶。这种幻想的认识却毁灭了本能的、原始的、最美好的需要。但谁又能确定何谓文明、何谓野蛮、何谓自由、何谓奴役呢？在哪里善与恶才不是共存的呢？我们只有一个可以确保万无一失的引导者，那便是鼓励我们彼此亲近的神灵。

在回到俄罗斯的家乡亚斯纳亚后，他再次留意起农民的问题，这并不是说之前他对民众已经不抱幻想。他这样写道：

无论卫道士们如何说民众明白事理，或许民众都是好人，但是他们集合在一起只是因为他们都有兽性的可耻一面，这恰恰反映出人性的弱点和丑陋面。

所以，他这次所要启示的对象并不是民众，而是每一个人，包括每一个儿童。因为这才是希望之所在。他创办了好几所学

名人传

校，可却不知道要教什么。为了解决这个问题，从1860年7月3日到1861年4月23日，他第二次去欧洲旅行。[①]

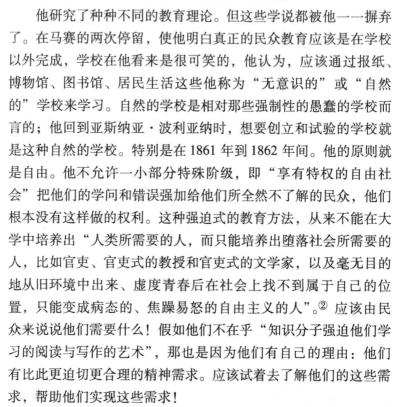

他研究了种种不同的教育理论。但这些学说都被他一一摒弃了。在马赛的两次停留，使他明白真正的民众教育应该是在学校以外完成，学校在他看来是很可笑的，他认为，应该通过报纸、博物馆、图书馆、居民生活这些他称为"无意识的"或"自然的"学校来学习。自然的学校是相对那些强制性的愚蠢的学校而言的；他回到亚斯纳亚·波利亚纳时，想要创立和试验的学校就是这种自然的学校。特别是在1861年到1862年间。他的原则就是自由。他不允许一小部分特殊阶级，即"享有特权的自由社会"把他们的学问和错误强加给他们所全然不了解的民众，他们根本没有这样做的权利。这种强迫式的教育方法，从来不能在大学中培养出"人类所需要的人，而只能培养出堕落社会所需要的人，比如官吏、官吏式的教授和官吏式的文学家，以及毫无目的地从旧环境中出来、虚度青春后在社会上找不到属于自己的位置，只能变成病态的、焦躁易怒的自由主义的人"。[②] 应该由民众来说说他们需要什么！假如他们不在乎"知识分子强迫他们学习的阅读与写作的艺术"，那也是因为他们有自己的理由：他们有比此更迫切更合理的精神需求。应该试着去了解他们的这些需求，帮助他们实现这些需求！

这是托尔斯泰作为一个革命保守派的理论，他努力想将这些自由理论在亚斯纳亚作一番实践，在那里，他不像是学生们的老

---

① 在这次旅行中，他在德国德累斯顿结识了奥尔巴赫，在他身上，第一次受到了民众教育的启发；在基辛根结识德国教育家福禄培尔；在伦敦结识了同胞、著名作家赫尔岑，在布鲁塞尔结识了法国无政府主义代表人物普鲁东。

② 见《教育与修养》，《托尔斯泰——生活与作品》卷二。

师，倒更像是他们的同学。与此同时，他还尝试在农业经营中引入一种较为人道的精神。1861 年，他被任命为克拉皮夫纳的地方仲裁人，成为在地主与滥用权力的政府压迫下的民众的保护人。

但是，不要以为这个社会活动已使他全力投入、使他整个身心得到满足。他还是继续承受着种种对立的欲望的支配。尽管他竭力接近民众，但还是十分喜欢社交，他对这方面有一定的需求。有时，享乐的欲望会再次引诱他；有时，好动的性情不断刺激着他。他曾因为冒险猎熊而几乎丢掉性命。他赌博的时候输赢很大。被他蔑视的圣彼得堡文坛也依旧对他有着影响。从这些歧途中出来后，因为厌恶，他的精神陷入了狂乱之中。而这一时期的作品也自然而然地在艺术和精神上有了犹豫不决的痕迹。《两个轻骑兵》（1856 年）偏向于附庸风雅，内容夸大而浮华，托尔斯泰自己很不满意。1857 年在法国第戎写的《阿尔贝特》，内容古怪，缺乏托尔斯泰所惯有的深刻与犀利。《记分员日记》（1856 年）虽然写得很动人，但却是匆忙之作，似乎反映了托尔斯泰对自己的厌恶。他的化身涅赫留多夫亲王在一个下流的赌场中自杀了：

他拥有一切：财富、声望、地位和崇高的理想；他没有任何犯罪行为，可他做了更糟糕的事情：他毒害了自己的心灵，扼杀了自己的青春；他迷失了，他堕落了，可并不是为了什么强烈的欲望，只是因为意志薄弱。

即使死到临头，他也依然没有改变：

同样奇特和矛盾的言行，同样的犹豫不决，同样轻佻的思想……

死亡⋯⋯这时，死亡开始在托尔斯泰的心中萦绕。在《三个死者》（1858—1859）中，已经可以预见《伊万·伊里奇之死》中那种对于死的阴沉分析，死者的孤独，对生者的怨恨，他绝望地问道："为什么？"《三个死者》——有钱的妇人，患有痨病的老车夫，被伐断的白桦树——各有各的伟大；肖像刻划得十分逼真，形象也是极为动人，虽然这部作品的结构很松散，白桦树的死也缺乏托尔斯泰描写风景时的那种诗意，但它所获得的声誉却出奇的高。在整体上，我们不知他在这部作品中，是单纯地为艺术而艺术，还是有着道德上的某种用意。托尔斯泰本人也不知道。

名人传

1859 年 2 月 14 日，在莫斯科俄罗斯文学鉴赏人协会举行的招待会上，他发表的演讲是主张为艺术而艺术，倒是该协会会长霍米亚科夫在向"这个纯艺术的文学代表"致敬之后，提出应该为社会与道德而艺术的对立观点。

一年后，也就是 1860 年 9 月 19 日，托尔斯泰心爱的哥哥尼古拉在耶尔患肺病去世了，这一噩耗严重地打击了他，以至"动摇了他对善以及对一切的信念"，并使他开始唾弃艺术：

真相往往是残酷的⋯⋯很明显，只要存在着想知道真相并将其说出的意愿，人们便会想尽办法知道真相并说出来。这是我道德观念中所留下的仅有的东西，也是我唯一要实行的事，但不是用艺术去实行。艺术就是个美丽的谎言，而我对其不能再有任何爱意了。

可是，在不到六个月后，他就又写了《波利库什卡》，重新回到了"美丽的谎言"中，在这部作品中，除了对金钱和金钱的万恶能力予以诅咒外，道德用意其实是最少的，可以说是纯粹

224

为艺术而艺术的作品。自然这也是一部优秀的作品，缺点只在于它过于繁杂的观察，罗列的素材足以写一部长篇小说，开头诙谐，结局却太过惨烈，两者形成的对照太过鲜明。

在这一过渡时期里，托尔斯泰在摸索，在怀疑自己，似乎还有些不耐烦，就像《记分员日记》中的涅赫留多夫亲王那样，"没有强烈的欲望，没有主宰一切的意志"，不过，在这一时期，他写了他之前从未有过的非常温情的作品《家庭幸福》（1859）。这可以说是爱情造就的奇迹。

很多年来，他和别尔斯一家一直保持着友善的关系。他先后爱上过她们家的母女四人①。后来他终于确定自己钟情的是第二个女儿。但他没有勇气承认。当时的索菲亚·安德烈耶芙娜·别尔斯只有 17 岁，还只是一个孩子，他却已经三十余岁。他以为自己已经是一个老人，没有权利把他衰老、污损的生命和一个纯真少女的生命结合在一起。他等待了三年。后来，他在《安娜·卡列尼娜》中，他讲述了如何对索菲亚表白以及她如何回应的经过：两个人用一块粉色的笔在一张桌子上写下了他们所不敢说的词语的第一个字母。就像《安娜·卡列尼娜》中的列文那样，他直率地将自己的《日记》交给他的未婚妻，使她彻底了解了他过去所做的一切让人羞愧的事，而索菲亚也和《安娜·卡列尼娜》中的基蒂一样，为之感到矛盾与痛苦。1862 年 9 月 23 日，他们终于结婚了。

事实上，在三年前写《家庭幸福》时，这桩婚姻就已经在他的脑海里完成了。在这三年的等待生活里，爱情尚在刚刚萌

---

① 托尔斯泰小的时候，有一次出于嫉妒，把自己的游戏伴侣、那时只有九岁的一个小女孩从阳台上推了下去，以致她在很长时间内都是跛足，这个小女孩就是后来的别尔斯夫人。

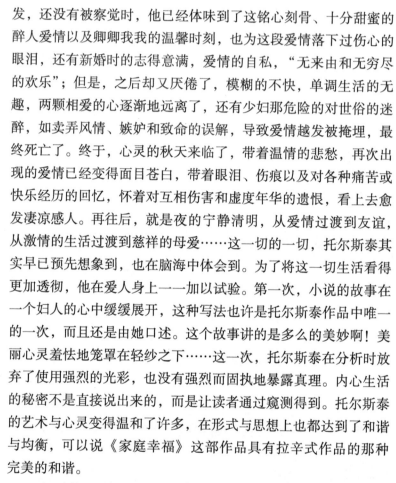

发，还没有被察觉时，他已经体味到了这铭心刻骨、十分甜蜜的醉人爱情以及卿卿我我的温馨时刻，也为这段爱情落下过伤心的眼泪，还有新婚时的志得意满，爱情的自私，"无来由和无穷尽的欢乐"；但是，之后却又厌倦了，模糊的不快，单调生活的无趣，两颗相爱的心逐渐地远离了，还有少妇那危险的对世俗的迷醉，如卖弄风情、嫉妒和致命的误解，导致爱情越发被掩埋，最终死亡了。终于，心灵的秋天来临了，带着温情的悲愁，再次出现的爱情已经变得面目苍白，带着眼泪、伤痕以及对各种痛苦或快乐经历的回忆，怀着对互相伤害和虚度年华的遗恨，看上去愈发凄凉感人。再往后，就是夜的宁静清明，从爱情过渡到友谊，从激情的生活过渡到慈祥的母爱……这一切的一切，托尔斯泰其实早已预先想象到，也在脑海中体会到。为了将这一切生活看得更加透彻，他在爱人身上一一加以试验。第一次，小说的故事在一个妇人的心中缓缓展开，这种写法也许是托尔斯泰作品中唯一的一次，而且还是由她口述。这个故事讲的是多么的美妙啊！美丽心灵羞怯地笼罩在轻纱之下……这一次，托尔斯泰在分析时放弃了使用强烈的光彩，也没有强烈而固执地暴露真理。内心生活的秘密不是直接说出来的，而是让读者通过窥测得到。托尔斯泰的艺术与心灵变得温和了许多，在形式与思想上也都达到了和谐与均衡，可以说《家庭幸福》这部作品具有拉辛式作品的那种完美的和谐。

对于婚姻，托尔斯泰早已深切地预感到它会给自己带来甜蜜与温馨，也会给自己带来困扰与痛苦，可怎么说，爱情都只能算是他暂时的救星。当时，他疲乏了，病了，憎恶自己，看不起自己的努力。在最初的那些作品获得巨大的成功之后，随之而来的是批评界的沉默与读者的淡漠。他对此高傲地装作并不在意。

我的声名的群众基础已经丧失了不少，对此我极为担心。可现在，我的心放下了，我知道自己有话要说，而且也有大声说出的力量。那些群众嘛，随便他们怎么想好了！

　　但这其实只是他的自夸罢了，他并不能完全地把握自己的艺术。很明显，他虽然可以灵活掌握文学这个工具，但却不知道用它来做什么。就像在谈到《波利库什卡》时他所说的："这是一个会写点文章的人，随便抓到一个题目胡乱发表意见罢了。"他的社会事业破灭了，1862 年，他辞去了地方仲裁人的工作。同样在这一年，警局派人到亚斯纳亚·波利亚纳进行大规模搜查，将学校也给查封了。那时的托尔斯泰并不在家，因为太过疲劳，他害怕自己染上肺病。

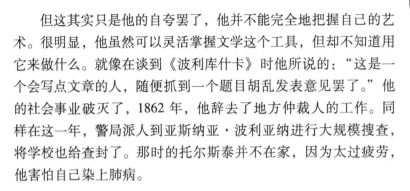

　　做仲裁人时碰到的种种纠纷让我焦头烂额，学校的工作也让我穷于应付，想要教育他人，又不想让别人知道自己根本不懂得教什么，由此对自己产生怀疑，这对我而言是那么的痛苦，使我灰心丧气，疾病也就由此而来。假如不是人生的另一面——家庭生活使我得救的话，我或许早已经像十五年后那样陷入绝望了。

　　最开始的时候，他尽情地享受着家庭生活的美好，他投入的感情就像对一切美好事物那样多。① 他的夫人在艺术上也对他产生了非常巨大的影响，而且她也极富文学天赋，就像她自己所说的，她是"一个真正的作家的妻子"，因为她总是把丈夫的事业放在第一位。他们一起工作，她把他口述的内容笔录下来，替他

----

　　① "家庭幸福把我整个身心都给融化了。""我多么幸福，多么幸福！我实在太爱她了！见《托尔斯泰——生活与作品》。

整理草稿。① 她努力地保护他，使他不受宗教这个魔鬼的侵扰，这可怕的东西已经不断地在唆使他放弃艺术了。她还努力帮助他关上社会乌托邦的大门。② 使他继续他的天才创作，而且她还更进一步地运用她的女性心灵使这位天才获得更为丰富的创作资源。除了《童年》和《少年》中几个美丽的女性形象之外，托尔斯泰早期作品中几乎没有女性的位置，即便有，也只属于陪衬的角色。而在索菲亚的爱情的感召下，在《家庭幸福》中，女性角色出现了。而且，在他以后的作品中，少女和妇人的角色越来越多，她们生活的丰富与热情，也远远超过了男性角色。人们普遍认为，托尔斯泰伯爵夫人是他的丈夫在创作上的模特，是《战争与和平》中娜塔莎与《安娜·卡列尼娜》中基蒂的原型，不仅如此，她还以自己的特殊才能成为丈夫的可贵而重要的合作者。《安娜·卡列尼娜》中的某些段落的描写，似乎完全出自女性的手笔。

这段美满的婚姻，在十年或十五年的时间使托尔斯泰享受到了多年以来都没有享受过的和平与宁静。于是，在爱情的庇佑之下，他从容地开始构思和完成他思想上的杰作——十九世纪小说的扛鼎之作：《战争与和平》和《安娜·卡列尼娜》。

《战争与和平》是我们这个时代最伟大的史诗之作，是现代的《伊利亚特》，其中汇聚了无数经典人物与动人感情。在波涛汹涌的人间海洋上，它是凌驾于一切之上的最崇高的灵魂，自如地鼓动着并平息着狂风暴雨。每当我阅读这部作品时，尽管精神与时代都不一样了，但我还是不止一次地想起荷马与歌德。后

---

① 据说，她替托尔斯泰把《战争与和平》誊写了七次。
② 结婚之后，托尔斯泰立刻停止了他的教育工作，学校、杂志全都给停了。

228

来，我发现他的思想的确有得益于荷马与歌德的地方。① 此外，在 1865 年的笔记中，他将不同的文学作品进行了分类，把《奥德赛》、《伊利亚特》……等都归入一类。他思想上的习惯活动将他从重点创作个人命运的小说引向了描写军队、各国民众以及千万生灵的意志的故事。在塞瓦斯托波尔守城战役时所积累的悲惨经验，使他懂得了俄罗斯的民族之魂和它的古老的生命记忆。史诗般的《战争与和平》，在他的计划中，也只不过是从彼得大帝时代到十二月党人时代的俄罗斯的中心画面而已。

想要真实地感受这部作品的力量，就一定要注意到它潜在的整体性。大部分的法国读者的目光都有些短浅，在看见数不清的枝节后，不免觉得眼花缭乱，不知如何是好，他们在这片人性森林中迷失了自我。他们一点都不了解，应该使自己站在高处，去欣赏一下广阔天际和周围的丛林原野，这样才能感知这部作品中的荷马式的精神、永恒的静寂、命运强有力的节奏、联系一切的整体情操以及涵盖整部作品的艺术家的天才，这天才就像《创世纪》中的上帝那样，威临于汪洋大海之上。

这海洋最初是静止的。战前，俄罗斯社会一派宁静安详。作品的前一百页，以可观、准确、卓越的讽刺手法，刻画出上层社

---

① 托尔斯泰曾经指出，在他二十至三十五岁间对他有影响的作品包括："歌德的《赫尔曼和多洛特》……影响颇大。""俄译本的《荷马史诗》……有很大影响。"1863 年，他在《日记》中这样写道："读完歌德的著作后，好几种想法在我心中产生了。"1865 年春，托尔斯泰重读歌德后，称《浮士德》是"思想的诗，是其他艺术都无法表达的诗。"后来，他为了他的上帝，把歌德及莎士比亚抛弃了，可对荷马的喜欢却没有减少。1857 年 8 月，他以相同的专注度阅读了《荷马史诗》与《圣经》。在 1903 年，他曾写了一本攻击莎士比亚的小册子。在其中，他将荷马看做真诚、有分寸与真正艺术的楷模。

会人们内心的虚无幻灭。只是到了一百页左右，这些如同行尸走肉的人们中的最坏的一个——巴希尔亲王才发出呼喊：

名人传

　　我们坏事做尽，我们谎话连篇，这到底是为了什么？朋友啊，我已经年过五十，……死了，一切都死了……死，好可怕啊！

　　在这些无趣、欺罔、懒散、堕落与邪恶的灵魂中，也有一些天性纯真善良的人。如淳朴憨厚的皮埃尔·别祖霍夫，性格独立、具有古典俄罗斯情操的玛丽·德米特里耶芙娜，青春逼人的罗斯托夫兄弟，善良宽容的玛丽亚公主，还有一些虽然称不上善良但却十分讲求自尊且被不健康的生活所折磨的人，如安德烈亲王。

　　海洋开始涌起波涛，行动正式开始了。俄罗斯军队攻进了奥地利。不可改变的天意支配着战争，没有什么地方能比发泄一切兽性的战场更能体现命运的主宰力量了。真正的首领并不需要刻意的指挥调度，而是像库图佐夫或巴格拉季昂那样，"设法令人相信他们的个人意志是完全和当时的形势、部下的意愿和命运的安排相一致的"。这就是听凭命运摆布的好处所在！纯粹由行动带来的幸福，是正常且合理的。困惑的精神重新恢复了平衡。安德烈亲王放松了下来，继续活了下去……而在另一方面，在生命的气息与神圣的暴风雨吹不到的地方，当两颗最优秀的灵魂皮埃尔和玛丽亚公主正承受着世俗污浊的熏染和爱情的欺骗时，安德烈亲王在奥斯特利茨的战役中负伤了，战斗时他突然得到了神明无限清晰的启示。他仰着身子躺在地上，"他看见头上高远无垠的天空，几片灰色的云彩无力地飘浮着"。他在心里对自己说：

多么的安静！多么的平和！和我狂乱时的驰骋相差的是多么远啊！这美丽的天空我怎么没有早点发现呢？不过，现在终于看到了，我是多么的幸福啊！是的，一切都是虚幻，一切都是欺骗，除了它……除了它之外，什么都没有，……如此，让我们赞美上帝吧！

紧接着，海洋的波涛平息了，生活回到了原状。灰心丧气的人们在都市颓废生活的诱惑下，开始自暴自弃。有时，在尘世污浊的气息下，会融进一些大自然的迷人气息，那就是使人心荡神驰的春天、爱情和盲目的力量，这些力量使迷人的娜塔莎走进了安德烈亲王，可不久之后，她却又和第一个追求她的男子走到了一起。污浊的尘世糟蹋了他多少的诗意、温情和心地的纯洁！只有"无垠的天空不变地俯视着污浊的人间"！可人们却看不见它。甚至是安德烈也忘记了他在奥斯特利茨时看到的光明。对现在的他而言，天空只是"一个阴霾而沉重的苍穹"，笼罩着虚无的人世。

到时候了，是该让这些贫弱的灵魂经受战争的洗礼了。祖国遭受到了敌人的入侵。1812 年 9 月 7 日，鲍罗金诺小村失陷，在这个庄严伟大的日子，人们之间的怨恨都消散了。道洛霍夫拥抱着他的敌人皮埃尔。负伤的安德烈，为了躺在救护车上他旁边的阿纳托里·库拉金——这个他生平最憎恨的人所遭受的苦难而哭泣，充满着怜悯与同情。甘愿为祖国奉献生命的精神和对上帝安排的服从，把所有人的心灵都结合在一起了。

严肃郑重地接受这无法避免的战争……最艰难的考验莫过于把人的自由交给上帝去安排。心灵的质朴要看它是否能服从上帝的安排。

大将军库图佐夫代表着俄罗斯民族的灵魂和民众们服从命运安排的决心：

说到激情，这个老人只剩下关于激情的经验，他身上那种通过收集事实得出结论的智慧，已经被哲理性的思辨所代替，他没有什么发明，也不轻易行动，只是用心地倾听着，不疏忽其中有用的成分，也不容忍其中有害的成分，并在适当的时刻对其加以运用。他从士兵的脸上寻找难以捉摸的力量，这种力量可以称为战胜或决胜的力量。他承认有些东西比他的意志更加强有力，那便是眼前事态的无法改变的动向，他观察并紧跟这些事态。他懂得不能让个人感情影响自己。

名人传

俄罗斯民族冷静而悲怆的宿命观，也在那可怜的乡下人普拉东·卡拉塔耶夫身上有所体现，这个人是淳朴、虔诚、安分的，即使在痛苦与面临死亡的时候，也依然面带微笑。

在经历了为人的种种磨难、国家的多灾多难以及临终时的痛苦后，书中的两位主角皮埃尔与安德烈凭借着爱情与信仰，最终达到了精神的解脱，到达了神秘而欢乐的境界。

不过，托尔斯泰并没有就这样结尾，结尾是在 1820 年，是从拿破仑时代到十二月党人时代的过渡期，令人感到时代的转接。托尔斯泰并非在危机和骚乱中结尾，正如他在开始时一样，结尾也被安排在一波未平一波又起的时刻。我们已经可以看到即将到来的英雄，以及他们之间将要发生的冲突和战争，还有死者在生者身上重新复活的情形。

以上我试图将这部小说理出一个头绪，毕竟很少有人肯花时间做这些事。但是该怎么说呢？书中有着上百个角色，他们都被刻画得十分栩栩如生，其描写手法令人难忘，这些角色包括士兵、农夫、贵族、俄国人、奥地利人、法国人！这些人物的生命力惊人，丝毫没有胡乱编造的痕迹。这些人物肖像在欧洲文学中独树一帜，托尔斯泰曾为其设想过无数的雏形，正如他自己所说，"制定了千百个计划才组织成功的"，去图书馆寻找，列出自己家族的家谱与史料、以前的笔记和个人的回忆。这种细致入微的准备工作使这部作品的基础很扎实，经得起推敲，但同时并没有因此而失去作品的自然性。托尔斯泰写作时的激情与欢乐也同样感染着读者。《战争与和平》的最大魅力，还在于作者那颗年轻的心。托尔斯泰的作品中，再没有别的作品比这一本更关注孩子和少年的童心了，每颗童心都像泉水般明净，像莫扎特的音乐般动人，比如年轻的尼古拉·罗斯托夫、索尼娅以及可怜的小彼佳。

这些人物中最可爱的当属娜塔莎。这个小姑娘娇态可掬、乐观善良，我们在书中看着她长大，观察她的一生，爱她像爱自己的小妹妹那样。谁不会对她似曾相识的感觉呢？春天美妙的夜晚，娜塔莎靠在洒满月光的窗前，浮想联翩，热情地诉说，隔着一层楼的安德烈则用心倾听着……第一场舞会的激动，对爱情的热切期待，无穷的欲望与杂乱的梦境，深夜之中，雪橇在映着奇怪火光的积雪上滑行。大自然以迷人的温柔诱惑着人们。歌剧院的夜晚，美妙的艺术世界，使理智都为之陶醉，心灵都为之狂乱，连对爱情产生厌倦的肉体也开始疯狂了；灵魂遭受洗涤的痛苦，守护垂死的爱人时的那种神圣感情……在提起这些回忆时，激动是难免的，就像在谈及最爱的人时的那种激动。哎！这样的创造和现代的小说与戏剧中充斥的各种女性形象相比，很容易就显露出后者的弱点！前者抓住了生命的本质，而且刻画得十分有弹性、十分流畅，似乎让我们看到它在颤动、在嬗变。

外表丑陋但心灵很美的玛丽亚公主也是一个十分完美的形象，在看到内心深藏的秘密突然被暴露出来时，这位胆怯羞涩的

233

女子和别的类似的女子一样，脸一下子就变红了。

　　总之，正像我之前说过的，这本书中女性的性格比男性的性格更为突出，甚至超过了托尔斯泰托寄于自身思想的两个主人公：懦弱的皮埃尔·别祖霍夫与充满激情却略显生硬的安德烈·保尔康斯基亲王。这两个人都是缺乏主见的人，总是犹豫不决，总是踌躇不前，在两个极端之间来回摇摆。人们无疑会说这就是典型的俄罗斯人。可是我发现，俄罗斯人中也有此类的批评。屠格涅夫就曾批评托尔斯泰这种停滞不前的心理。"没有真正意义上的发展，总是迟疑不决，感情也极不稳定。"托尔斯泰自己也承认他有时是为了迁就整体的特色而牺牲个人的性格。他还说："尤其是第一部分中安德烈亲王的性格。"

　　是的，《战争与和平》一书的伟大之处就在于复活了历史上整整一个时代的发展、一个民族的迁徙以及国家之间的战争。书中的真正英雄是各个民族的人民，而在他们背后，如荷马笔下的英雄的背后一样，是神明在引导着他们，这些神明的力量是看不见的："是指挥着大众的'无穷'的气息"。在这些壮观的战争中，潜伏的命运支配着那些盲目的国家互相开战，而战争含有一种神秘的伟大。除了《伊利亚特》，我们还很容易想到印度的史诗。

　　《安娜·卡列尼娜》与《战争与和平》一样，也是这一成熟时期的巅峰之作。《安娜·卡列尼娜》是一部更加完美的作品，说明作者支配其作品思想的手法更加纯熟，经验也更加丰富，心灵对他而言已没有任何秘密。令人惋惜的是，这部作品缺少了《战争与和平》中的青春火焰和朝气，缺少了《战争与和平》那种伟大的气势。托尔斯泰已经不能再创造出那样的气势了。新婚的蜜月期平静地消逝了。托尔斯泰伯爵夫人努力为他营造起来的爱情与艺术氛围，被焦虑不安的精神渐渐渗透。

　　在《战争与和平》的头几章里，结婚一年的安德烈亲王向

名人传

234

皮埃尔说起有关婚姻的种种问题，他将自己所爱的女人看做是一个漠不相关的外人，一个无心结下的仇人，无意中已成为他的思想发展的阻碍，这些都表明了他内心的幻灭情绪。在 1865 年的信件中，可以看到托尔斯泰心中宗教思想的复苏。这还只是些短暂的威胁，生活的幸福很快就将其平息了。但当 1869 年即将完成《战争与和平》的几个月时，托尔斯泰却遭遇到了一次更重大的震撼。一次，他离开了家人，去视察自己的某一领地。一天夜里，他已经睡下，凌晨两点钟的钟声刚刚敲过：

当时，我已经疲倦到了极点，睡得很熟，没什么不好的感觉。可是，突然间，我感到一种从未有过的恐惧感，不禁悲由心生。具体的情况我会写信告诉你。那实在是非常吓人的感觉。我连忙从床上跳下，令人套上马车。可正当仆人为我套马车时，我又睡着了，当人家把我叫醒时，我已经彻底恢复。就在昨天，同样的情景再次发生了，不过远没有上次那么厉害……（注：托尔斯泰致其夫人书。）

托尔斯泰夫人用爱情辛辛苦苦经营起的幻想宫殿倒塌了。《战争与和平》的完成使作家的精神上有了一段闲暇，在这段闲暇的时间里，他再次思考起教育和哲学。[①] 他想写一部给老百姓看的启蒙课本，为此他埋首苦干了四年，这个课本比起《战争与和平》来都更让他得意，他在 1872 写了一部，1875 年又写了第二部。之后，他狂热地迷恋起希腊文来，不分昼夜地研究，把别的所有工作都抛在了一边，他发现了"精美的希腊语"与荷马，

① 1869 年夏，当他完成《战争与和平》的写作后，他发现了叔本华，很快他就醉心于叔本华的哲学："叔本华是所有人类中最具天赋的人。"

名人传

那是真正的荷马，并不是翻译家转述出来的荷马，不是诗人茹科夫斯基和批评家福斯所翻译的那种的庸俗而萎靡的歌声，而是"一个旁若无人尽情歌唱的妖魔"。①

不识希腊文，妄谈有学问！……我可以确定，到现在为止，我对人类文字中最美、最朴实的希腊语可以说是全无所知！

他自己也承认这实在是荒唐。他再次狂热地投身于学校的事业，以致因此而病倒。1871 年他去萨马拉的巴奇基尔斯进行疗养。那时，他对一切都不感兴趣，除了希腊文。1872 年，在打了一场官司后，他认真地提出要将他在俄罗斯所有的财产全部出售，然后搬到英国去住。托尔斯泰伯爵夫人对此深感担心。

假如你一直将希腊文当做思考的重心，你的病就不会有痊愈的时候。是它使你感到诸多烦恼，是它让你对现在的生活兴趣全无。人们称希腊文为死亡文字完全正确：它会让人陷入精神寂灭的状态中。

放弃了许多已经制订的计划后，在 1873 年 3 月 19 日，伯爵夫人高兴地发现托尔斯泰终于开始着手写《安娜·卡列尼娜》了。可就在他创作这部作品的时候，他的生活因为一连串的丧事而蒙上了一层阴云，② 他的妻子也病倒了。"这个家庭中完全没

---

① 他认为，荷马与他的翻译者的区别，"就像沸水与冷水，后者尽管让你牙痛，有时还会带有沙粒，但它因为受到了阳光的照射，所以更纯洁、更新鲜"。

② 三个孩子早夭（分别于 1873 年和 1875 年夭折）。塔佳娜姑母和彼拉格娅姑母也相继去世。

有幸福可言了……"

相应地，在作品中也留有这种凄惨遭遇和热情幻灭的痕迹。① 除了列文订婚的那几章对爱情有着美妙的描写外，本书中的其他爱情，已经远没有《战争与和平》里若干篇幅的青春诗意了，而这些篇章是足以和所有时代的美妙抒情诗相媲美的。不仅如此，这部作品的爱情还含有一种暴烈、肉欲和专横的色彩。这部小说中的宿命论思想不再如《战争与和平》中的那样，已经不是一个命运的支配者和有破坏力的神灵，而是疯狂的恋爱，"整个就是一个维纳斯"……在盛大而令人激动的舞会中，当身穿黑丝绒衣裙的安娜与弗龙斯基一见钟情之时，爱神赋予无邪、美丽、富有思想的安娜"一种几乎无法抗拒的诱惑力"。弗龙斯基向安娜表白后，又是爱神让安娜的脸上发出一种耀眼的光辉，这光辉"不是欢乐的光辉。而是在黑夜中突然燃起的大火般的光辉。"同时，也正是爱神给这位坦率而理性的女人在血管中注入了情欲的力量，并使其逗留在她的心头，直到把这颗心毁灭为止。任何一个接近安娜的人，无不感受到这个潜伏着的魔鬼的诱人而又令人恐惧的力量。第一个惊慌地发现它的是弗龙斯基。在弗龙斯基去看望安娜的时候，他心中十分兴奋，但同时也有一种莫名的恐惧。至于列文，只要和安娜在一起，就会六神无主。安娜也知道自己已经无法控制自我。当故事逐渐发展下去的时候，无法控制的情欲，把这位骄傲而矜持的女人心中的道德壁垒一点一点地给攻破了。她身上所有最优秀的部分，她那真诚而勇敢的灵魂也破裂了，她已经没有勇气放弃世俗的诱惑；她的生命除了

---

① "女人是男人在事业上的障碍。爱一个女人同时又做好事业是十分难的；要想不经常受着爱情的困扰，唯一的途经便是结婚。"（见《安娜·卡列尼娜》）

讨爱人的欢心外再无别的目的，她胆怯地、羞愧地不让自己怀上孩子。她被强烈的嫉妒心折磨着，情欲的力量彻底征服了她，逼迫她在举动、声音和眼神中撒谎。她彻底堕落了，成了那种只想吸引男人目光的女人，而且不管是什么样的男人。她用吗啡来使自己麻醉，直到她再也无法容忍精神上的煎熬，最终投身于火车轮下。"而那个胡须蓬乱的乡下人"，——她和弗龙斯基经常在梦中看到的幻象，"正站在火车的足踏板上俯视铁轨"；根据那带有预言性的梦境所说，"他弯下身子俯向一张口袋，把一些东西往里面装，这就是她往日的生活，她的痛苦、背叛和烦恼……"

名人传

在卷首，有这样的题言："我保留着复仇的权利。"上帝说……

这是一个被爱情所折磨，被上帝的律令所压迫的人的悲剧，是托尔斯泰以极深刻的笔锋一气呵成的伟大著作。围绕这个巨大的悲剧，托尔斯泰像在《战争与和平》中一样，也描写了其余几个人物的故事。不过，这些平行的故事衔接得太过生硬，给人的感觉比较造作，远没有达到《战争与和平》的那种交响曲般的整体效果。其中有些完全写实的段落，如圣彼得堡的贵族阶级和他们那些无聊的对话，有时完全是没有必要写的。总的来说，比起《战争与和平》，在这部作品中托尔斯泰更加明显地把他的人格、哲学思想和人生的各种景象交错在了一起，但作品并没有因此而减少其整体的丰满。同《战争与和平》一样，这部作品中也有许多十分典型的人物，这些人物刻画的也同样精确。我认为其中男人的形象更为突出。比如他笔下的斯捷潘·阿尔卡季奇，是一个可爱的自私主义者，每一个见到他亲切微笑的人都会对其做出回应。还有高级官员的典型卡列宁，他是一个身居要位却极为平庸的官员，他习惯以嘲讽隐藏自己的内心，他是尊严与怯弱的混合产物，虽然虚伪却也有着基督徒的感情，虽然聪明慷慨却始终无法摆脱自身的虚伪，他的不自信是有理由的，因为当他放松自己时，他便会坠入神秘的虚无之中。

　　这部小说描写了安娜的悲剧和 1860 年前后俄罗斯社会的种种世相，包括沙龙、军官俱乐部、舞会、戏院、赛马等等，不过，这部作品最主要的还是其中的自传性质。同托尔斯泰所创造的许多其他人物相比，本书中列文更像是他的化身。在他身上，托尔斯泰不仅赋予了自身保守而又民主的思想和乡下贵族蔑视知识阶级的反自由主义观点，还把自己的整个生命都赋予了他。列文与基蒂的爱情，他们婚后数年里的生活，是他自己婚姻的完整翻版，而且，列文的兄弟之死也是托尔斯泰的兄弟德米特里之死的痛苦再现。最后一部分对整个小说来讲用处不大，但可以让我们看到作者那时心中惶乱的原因。如果说，《战争与和平》的结尾是转入另一部计划中的作品的艺术过渡，那么，《安娜·卡列尼娜》的结尾就是两年后在《忏悔录》中精神变革的自传性质的过渡。在本书中，已经有很多次以激烈讽刺的形式批评当时的俄罗斯社会，而在未来的著作中，这种批评一直在延续。他攻击谎言，攻击全部的谎言，包括出于道德或罪恶目的的谎言。他抨击和批评自由主义论调、世俗虚伪的慈悲、沙龙中的宗教和所谓的博爱主义！他向整个上层社会发起挑战，因为它歪曲了一切真实的情操，扼杀了心灵的珍贵活力！在陈腐的社会习俗上，死亡突然带来了一道光明。面对将要死去的安娜，一向骄矜的卡列宁也被感动了。在这毫无生气，一切都那么造作的灵魂中，居然也透入了一道爱情的光明和基督徒才有的宽恕之情。丈夫、妻子、情人，这三个人都霎时发生了变化。一切都变得单纯率直。但随着安娜的慢慢复原，三个人都明白了，"在内心除了支配和指引他们的神圣的道德力量外，还有另外一种粗暴而强大的力量强行

名人传

支配着他们的生活，使他们无法再享受平静和安宁"。他们已经预料到，在这场战斗中，他们是无力反抗的，"他们将被迫去做那些社会认为有必要做的恶事"。

列文假如能像他所代表的托尔斯泰般在书的结尾中得到升华的话，也是因为死亡让他感动了。他向来是"不能信仰的，也不能完全怀疑"的。自从他亲眼目睹兄弟的死后，他便为自己的愚昧感到恐惧。婚姻曾在一段时间里让他抑住悲痛和焦虑的情绪，可是在他的第一个孩子出生后，悲痛与焦虑再次出现了。他时而向上帝祈祷时而否定一切。阅读那些哲学书籍也是徒然无功。在精神狂乱的时候，他甚至害怕自己经受不住自杀的诱惑。体力劳动使他的精神得到了缓解，在劳动时，没有任何怀疑，所有一切都直接明了。列文和农民们谈心，其中一个农民谈到有些人"不是为了自己而是为了上帝活着"。这对列文来说是一个很好的启示。他发现了理性与感性的矛盾之处，理性教人们为了生存而进行残酷地战斗，认为爱护他人是很不合理的："理性没有教给我什么，我知道的全部都是拜心灵所赐，是心灵给我的启示。"

从此之后，他又恢复了平静。以心灵为唯一指导的卑微农民的那句话重新把他领到了上帝面前……什么上帝？他不想知道。这时的列文，和很多时候的托尔斯泰一样，在宗教面前是很谦恭的，对教义也没有丝毫抵触。

即便是在天空的幻象同星球的表面运动中，也有一项真理存在。

列文的焦虑、悲痛以及他向基蒂隐瞒的自杀意图，也是托尔斯泰在同一时期隐瞒着他的妻子的。不过，他还没有达到列文的那种平静心态。说实在的，这种平静是无法传染给他人的。人们发现他只是想要平静却并没有真的能够做到平静，所以不久之后，列文又将再次陷入怀疑之中。托尔斯泰十分清楚这一点。他几乎没有完成这本书的精力与勇气。在没有完成之前，《安娜·卡列尼娜》就已经让他厌倦不已了。^① 他写不下去了，停留在那里无法动弹，没有任何想法，对自己是既厌恶又害怕。于是，在他生命的这种空隙中，突然从深渊中刮来一股狂风，这狂风让他感受到了死的诱惑。后来，托尔斯泰在逃出深渊后，他曾述及这几年可怕的日子。

他是这样说的：

> 那时我还不到五十岁，我爱人，也被人爱，我有懂事的孩子，有很大的领地，有荣誉，有健康，有充沛的体力，可以像农民那样割草，我连续劳作十个小时也不觉得疲累。可是，突然间，我的生活停住了。我可以自由呼吸、吃喝和睡眠。但这并不是生活。我已经没有了欲望。我知道我无欲无求，甚至对真理都不感兴趣了。所谓的真理，在我看来就是：人生充满了不合理。那时我已经到了深渊的边缘，我清楚地看到在我面前除了死亡之外，什么都没有。我虽然是一个健康而幸福的人，却感到再也不能活下去了。一种不可抗拒的力量驱使着我，要我摆脱生命。……我不说我那时是想自杀，可我的确无法抵抗要把我推到生命之外的那种力量。这和我过去对生活的憧憬有些相像，不过憧憬的结局是相反的而已。我不得不对自己用一些诡计，使我不至于作太快的让步。就这样，我这个幸福的人，竟要把绳子藏起来以

名人传

---

① "现在，我又被讨厌而庸俗的《安娜·卡列尼娜》给绊住了，我唯一的希望就是能尽快摆脱它，越快越好……"（见 1875 年 8 月 26 日给费特的信）

241

防止自己在室内的衣橱之间自缢。我也不再带着枪去打猎了，我怕自己经受不起自杀的诱惑。我觉得自己的生命就好像是一出闹剧，周围的人都在戏弄我。四十年辛辛苦苦的工作，虽说有些进步，可到头来却还是一无所有！将来，我留下的也只有一副骸骨和无数的蛆虫……只有在专注于生活时才能拥有生活。一旦没了专注，就会发现，一切都只不过是欺骗，虚妄的欺骗……家庭和艺术已经不能再使我满足。家庭只不过是和我一样的可怜虫，艺术则只是人生的一面镜子，当人生都变得毫无意义时，镜子也就失去了存在的价值。最糟糕的是我还不能退忍。我就像一个在森林中迷路的人，心情十分恐慌，虽然清楚越到处乱跑越不可能找到出路，但还是不由自主地四处乱跑……

　　他的出路最终还在民众身上。对于他们，托尔斯泰具有"一种特别的，纯粹生理意义上的感情"，尽管他在社会上的幻想不断破灭，但对这一点他一直没有动摇过。到了晚年，他和列文一样更接近民众了。[①] 他开始想着他的狭小圈子之外的亿万生灵，这个小圈子里的自杀或自我麻醉的学者以及富翁，是和他一样过着绝望生活、苟且偷生的有闲阶级。他在思考那些亿万生灵何以能避免这种绝望，为什么他们不会自杀。他发现，他们的生活不是凭借理性，而是毫不考虑理性，只是依靠信仰而活。这不考虑理性的信仰到底是什么呢？

---

　　① 这个时期，他的肖像就有这种平民特点。克拉姆斯科伊为他画的一幅画像就充分表现了这一点，托尔斯泰身穿工装，和一个平民没有任何区别。另外一幅画于1881年的肖像也有这个特点，画像中的他宛如一个装扮整齐的工头，头发虽然剪短了，但胡须与鬓毛却长而凌乱，一张上窄下宽的脸，眉毛紧蹙，双眼无神，犬鼻，大耳朵。

名人传

生命的力量就源于信仰。人若没有信仰就无法生活。宗教思想早在远古时期就已经在人类的思想中酝酿并产生了。信仰对于人生之谜的解答就含有人类最深刻的智慧。

那么，是否只要记住了宗教书籍中所罗列的智慧箴言就已经足够了呢？不够的，信仰并不是一种学问，而是一种行为，只有将其付诸实践才有意义。思想传统与富有的人只把宗教当做一种"令人惬意的人生安慰"，托尔斯泰对此十分厌恶，这使他下定决心和普通人生活在一起，只有这些人的生活才与其信仰完全一致。

于是他明白了："劳动人民的人生才是真实的人生，而赋予这种人生以意义的就是真理。"

可是，如何才能使自己成为劳动人民的一分子，并分享其信仰呢？光知道别人有理也是没有用处的，要使自己变得和他们一样，那并不只是我们自己就可以办到的。我们徒然地向上帝祷告，徒然地把渴望的双臂伸向天空。上帝隐藏了起来，我们在哪里能抓住他呢？

终于，一天，上帝的恩宠到了。

早春的一天，我独自漫步在林中，我听着林中的声音。我想着我最近三年来的惶惑——对神的追求。从快乐跳到绝望的无穷尽的突变……突然，我意识到我只有在信仰神明的时候我才生活着。只要思念到神明，生命的欢乐的波浪便在我内心涌现了。在我周围，一切都生动了，一切都获得了一种意义。但等到我不信神明时，生命突然中断了。我的内心发出一声呼喊："——那么，我还寻找什么呢？便是'他'，这没有了便不能生活的'他'！认识神明和生活，是一件事情。神明便是生……从此，这光明不复离开我了。（注：见《忏悔录》。）

他已经得救。上帝在他面前显现了。

然而，他并不是一个神秘的印度修行者，不能就满足于冥想入定，因为他的内心既有亚洲人的幻梦，又杂有西方人对理智的重视和对行动的需求，所以，他必须将自己所得到的启示化为可以切实奉行的信仰，并从这启示中找到日常生活中可以遵循的法则。他没有任何成见，真诚地愿意相信家族所虔奉的信仰，于是，他开始研究实施所信奉的罗马东正教的教义，而且，为了能更加深入地了解这个教的教义，他还在三年中参与了全部的宗教仪式，忏悔，领圣餐，一切让他看不惯的事情，他绝不轻易作出判断，而是自己寻找理由去解释那些晦暗或无法理解的事。对自己所爱的人，不论是生是死，他都不否定他们的信仰，总是希望到了某个特定的时间，"爱会帮他打开真理的大门"。但他的这一切努力都是徒然，他的理性与感性相互战斗，比如像洗礼与领圣餐的事情，就让他内心觉得十分无聊。当人家迫使他不断重复说圣体是基督的血与肉时，"他心如刀割"。可是，他和教会之间的那堵无法逾越的高墙，并不是教义，而是一些具体的问题，特别是其中的两个问题：一个是各个教会之间的相互仇视；一个是认可杀人，不管是正式的规定还是默许的规则，并由此认可战争与死刑。

正因为如此，托尔斯泰与宗教决裂了。因为思想被压抑了三年之久，所以他的决裂就显得更为激烈。他不再顾忌任何东西了，轻蔑地将之前还信奉的宗教踩在脚底。在他的《教义神学批判》（1879－1881）中，他把神学说出"无理的，且有意识、有作用的谎言"。在他的《四福音书统一论》（1881－1883）中，他还将福音书与神学对立起来。最后，他在福音书中建立起了自己的信仰。

这信仰可以归纳为下面几句话：

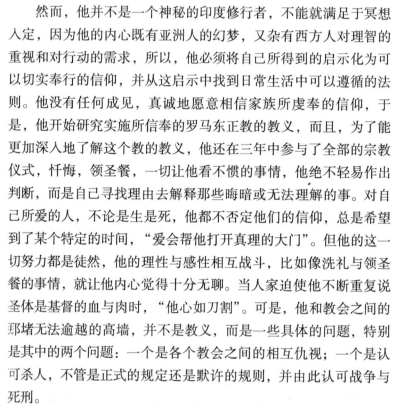

名人传

244

我相信基督的学说。我相信当所有人都获得幸福后，这个世界才能有真正的幸福存在。

他的信仰的基础是摩西在山上的训谕，托尔斯泰将这些训谕归纳为五诫：

一、戒怒。

二、戒通奸。

三、戒发誓。

四、戒以怨报怨。

五、戒树敌。

这是基督教义的消极部分，而积极部分则只有一条：爱上帝和你的邻人就像爱你自己。

"基督说过，违反了这些戒律中哪怕最轻微的一条，在天国中的地位就会降低。"托尔斯泰还天真地补充道："不管这看上去有多么的怪异，可我的确是在一千八百年之后，才像发现某种新鲜事物一样发现这些规律。"

那么，托尔斯泰是否就相信基督是一位神灵呢？——显然不是。他把基督当做什么样的人来信奉呢？只是当做是圣贤中最伟大的一个，释迦牟尼、婆罗门、老子、孔子、琐罗亚斯德、以赛亚，他们都引导着人们获得真正的幸福、走应该走的路。托尔斯泰是这些伟大的宗教创造人、这些印度、中国、希伯来的半神与圣人的信徒。他竭力维护他们。攻击他所说的"伪善者"与"律法家"，攻击现有的教会，攻击傲慢的科学或"伪哲学"的代表。① 这并不是说他会借助神灵的启示来对抗理性。自从他脱离了《忏悔录》中上所说的困惑期后，他便基本上成了理性的信奉者，也可以说是一个理性的神秘主义者。

他和圣约翰的说法一样："最初是圣言，圣言也就是'理性'。"

他在《生命论》（1887）一书结尾部分的题词中引用了帕斯卡尔的名句：

人只是大自然中一根最脆弱的芦苇，但这根芦苇是有思想的……人全部的尊严都包含在思想中……所以让我们尽力地思考吧，这就是道德的真义。

固然，他所谓的"理性"并不是科学的、有限的理性，不是"把部分当做整体，把动物性生活当做生活的全部"的理性，而是主宰着人的一生的最高法则，"有理性的生灵，也就是人，所必须遵循的生活法则"。

这是和决定着动物的成长繁殖、草木的萌芽生长、地球与星辰的运行的法则相似的法则。只有奉行这条法则，使我们的兽性服从于理性，再从中获得善，我们的生命才有存在的价值……理性无法被确定，而我们也不必对其加以确定，因为我们不仅都认识它，而且我们只认识它……人所知道的一切都是通过理性而非通过信仰……只有在理性出现时生命才真正地出现。唯一真实的生命就是理性的生命。

___

① 托尔斯泰声辩说，对真正的科学他并没有意见，因为真正的科学是虚心而有分寸的。

那么，我们看到的有形生命，我们每个人的生命又是什么呢？"它不是我们的生命，"托尔斯泰说，"因为它不是依赖我们而存在的。"

　　肉体的活动是在心灵之外进行的……将生命看做个体的观念在人类中已经不复存在。对于我们这个时代所有理性的人而言，个人善行的不可能，已经成为无法改变的真理。

　　这其中还有许多前提，不必我在此一一陈述，但是，这足以表明托尔斯泰对于理性怀有何等的热情。是的，理性也是一种热情，和那些主宰着他前半生的热情同样地盲目与善妒。一朵火焰熄了，另一朵火焰接着燃起。或者可以这样说，火焰永远是同一朵，只是燃料在变换了而已。
　　而"个人的"热情和这"理性的"热情更加相似的地方在于，他们都不以爱为满足，还要有所活动，有所体现。
　　"行动胜过空谈。"基督如是说。
　　那么理性的活动是什么呢？——是爱。

　　人类唯一理性的活动就是爱，爱是最合理最辉煌的灵魂境界。它所需要的，是什么也无法遮挡的理性的光辉，因为只有理性的光辉才能助爱成长。……爱是真正的善，至高无上的善，能解决生活中一切矛盾的善，它不仅可以消除对死的恐怖，而且能鼓舞人为他人作出牺牲，这是因为除了为所爱的人付出生命外，再没有什么所谓的爱了；只有甘心牺牲自己的爱才配称得上爱。所以，只有当一个人明白获得个人幸福是不可能时，他才能实现真正的爱。也就是在这时，他的生命精华才能为高贵的接枝而来的爱提供养料，而这接枝的爱为了生长，才会从粗糙的枝干上吸取活力，也就是从肉体中吸取活力……

就是这样，托尔斯泰并不像一条枯竭的水流最终迷失在沙土中，而是把强有力的生命力量集中起来灌注在信仰中，由此他找到了属于自己的信仰。关于这一点我们会在以后看到。这种热烈的信仰，将爱与理性密切地结合在了一起，在他写给开除他教籍的神圣宗教会议的那封著名的复信中，我们可以看到其充分的表白：

我相信上帝，于我而言，上帝就是灵性、爱和所有事物的本源。我相信上帝在我心中存在，就如同相信我在上帝心中存在一样。我认为上帝的意志没有比在基督的教义中表现得更彻底的了。可是，假如我们把基督当做上帝而向他祈祷的话，那可就是犯了很大的亵渎罪了。我认为人类真正的幸福就在于完成上帝的意志，我认为上帝的意志就是要所有人都爱他的同类，永远为他的同类服务，也就是"我为人人，人人为我"，这也正是福音书所说一切的律令和预言的简要概括。对于我们每一个人来说，我认为生命的意义都在于助长人性中的爱，我认为在人生中，增加我们的爱的力量，一定能够使幸福与日俱增，而到了另一个世界，也能获得更完满的幸福。我认为这一种爱的力量的增加，比其他任何力量的增加，都更能有助于在尘世上建立起天国，换句话说，是以一种包含和谐、诚实与博爱的新的系统来代替一种包含分裂、欺骗与残暴的生活组织。我认为，我们要在爱中获得进步只有一种方法，那就是祈祷。这种祈祷并不是在教堂里所作的公共祈祷，而是那种基督作出过榜样的祈祷，独立的祈祷。这种祈祷使我们对生命的意义具有了更深刻的感受……我认为生命是永恒的，我认为不管是现在还是未来，人都是依据他的行为获得相应酬报，善有善报，恶有恶报。我对于这一切都坚信不疑，所以在这行将就木的年纪，我必须作出很大的努力才能阻止我内心对肉体毁灭的渴望，也就是说，对死亡的渴望。

他以为自己已到了彼岸，到了能让他那不安的心稍微休息的避风港。可事实上，他只是处于一种新活动的始端。

在莫斯科，他度过了一个冬季，这是对家庭的义务迫使他跟随家人一起去的，1882 年 1 月，他参加了人口调查的工作，这让他有机会目睹整个大都市悲惨的一面，他所看到的景象的确是非常悲惨。他第一次接触隐藏于文明中的罪恶，当天，他向一个朋友描述了他的所见所闻，"他高声叫喊，痛哭流涕，双手挥舞着拳头"。

"人们怎么能这样生活？"他哽咽着说，"这种生活绝不能存在！绝不能存在！"。一连几个月，他都处于极端的悲痛和绝望中。1882 年 3 月 3 日，伯爵夫人写信给他说：

之前你跟我说过："因为没有信仰，我想自缢。"可是现在，你已经有了信仰，为何还这么苦恼呢？

因为他的信仰不是伪君子的信仰，不是那种自得自满的信仰；因为他没有神秘学者的自私自利，不会只想着自己的灵魂得以解救而对别人不管不顾；因为他有着博大的爱心，忘不了他所看到的穷人的惨状。在他善良仁慈的心里，那些穷人的痛苦与堕落似乎都是他的责任，他认为他们是文明的牺牲品，文明通过牺牲千万生灵造就了特殊阶级，而他自己就是这个特殊阶级的一员。接受这种通过罪恶换来的利益，其实就无异于参与了罪行。如果对这些罪行视若无睹，那他的良心就永远得不到安宁。

《我们应该做什么？》（1884－1886）就是这第二次精神混乱的表白，这一次比上一次来得更加悲惨，后果也严重很多。与人类的苦海相比——这种苦海不是那种有闲之人在无聊中想象出来的，托尔斯泰个人的宗教苦闷又算得了什么呢？要想让自己看不见这种惨状是不可能的，看到后不想办法去消除也是不可能的。可是，哎！有办法消除它吗？

一幅惟妙惟肖、令我们看到之后无法不感动的肖像，表现出托尔斯泰在这一时期内心的痛苦。在这幅肖像里，他正面坐着，双臂交叉，穿着农民的衣服，神气看上去颇为沮丧；他的头发这时还比较黑，但唇髭已经花白，胡子与鬓毛则已经全白了；脑门上的两条皱纹在美丽宽广的额角上画出和谐的线条；那巨大的鼻子，坦率、明亮而犀利的眼睛，看上去是多么的温和与善良啊！这双眼睛能看透你的内心，似乎在为你哀叹，为你惋惜；眼眶下有着宽宽的褶皱，上面留着痛苦的痕迹，表明他曾经哭泣过，但他很坚强，还是在继续战斗。

他有英雄般的逻辑：

我经常听见下面的这种议论，对此觉得极为怪异。这些议论是："的确，在理论上的确如此；但是事实上又会怎么样呢？"好像理论只是谈话中必需说的美丽辞藻，并不需要与实际相统一！当我想清楚并明白了一件事后，我就只能按照我明白的道理去做。

他开始以精确的照相手法，将自己在莫斯科贫民窟和夜间栖留所看到的惨状一一描写了出来。他确信，自己无法像最初计划的那样，用金钱去救助这些被城市所迫害的不幸者。于是，他勇敢地开始寻求不幸的根源，一节接一节地沿着可怕的线锁去寻找对这些不幸负责的人。首先是富人，他们那该受到诅咒的穷奢极欲，像传染病一样使人眩惑甚至堕落，这就是具有普遍诱惑性的不劳而获的生活。其次是国家，这个实权阶层为了私欲剥削、奴役他人而建立起残暴的机构。教会与其沆瀣一气，科学与艺术也都是它的帮凶……该如何对付这一切罪恶并将它们打倒呢？首先是不能与其同流合污，不能做剥削和奴役他人的事。还有放弃财产与家业，不为国家服务。[①] 如此还不够，更要"不撒谎"，不惧怕揭示真理。应该多"忏悔"，并排斥由教育带来的骄傲。最后，还必须"用自己的双手劳作"。"用你的汗水来换取你应得的面包"，这是首要的也是最根本的训诫。托尔斯泰提前回复了特殊阶级的嘲笑：双手劳作并不会摧残智力，反而会助它增进，这是适应本性的自然要求，只会有助于身体的健康，有助于艺术的进步，此外，它还能有效促进人类的团结。

在他之后的作品中，托尔斯泰又多次补充了这些保持精神健康的训诫。他全身心地投入到救治灵魂的工作中，使之恢复元气，同时又须排除畸形的、毒害人良知的享乐主义，以及灭绝人性的残酷的寻欢作乐。他以身作则，1884 年，他放弃了自己最根深蒂固的爱好，那就是打猎。他还实行斋戒以磨炼意志，就像一个运动员为自己定下严厉的规条，以便强行使自己按规条行事。

《我们应该做什么？》标志着托尔斯泰离开宗教默想后的相对平和，开始踏上了纷纷扰扰的社会后的第一段艰难旅程。从此，他便开始了二十年的战斗。这位孤独的亚斯纳亚老先知置身于一切党派之外（并谴责这些党派），与文明社会的罪恶与谎言

①　"罪恶源于特权。特权只不过是享受别人的工作成果的方法。"（见《我们应该做什么？》）

251

战斗着。

可是，在托尔斯泰的周围，他的精神革命并没有赢得多少同情，反而令他的家人伤心难过。

很长一段时间以来，伯爵夫人忧心地观察着他这种无法克服的病症却无法阻止。从 1874 年起，她目睹丈夫为了办学浪费了那么多精力与时间，觉得极为气恼。

名人传

这些启蒙读本、初级算术、语法书，我实在看不上眼，根本没有办法假装对其有兴趣。

可在研究教育学之后继之以宗教研究时，情况又有了不同。伯爵夫人觉得托尔斯泰在笃信宗教后的那一套言辞十分令人讨厌，以至托尔斯泰在她面前提及上帝时不得不请求宽恕：

当我说起上帝时，请你不要生气，你总是生气，可我又不能不谈上帝，因为上帝是我的思想的基础。

伯爵夫人很可能是被感动了，她极力隐藏自己的烦躁情绪，不安地观察着丈夫的动向：

他的眼睛很特别，总是一动不动。他几乎不说话了，似乎他已经不是这个世界上的人。

她认为托尔斯泰八成是病了：

据列夫自己说，他始终在工作。哎，真是个可怜的人儿！他在写着一些关于宗教论辩的文章。他一会儿看书，一会儿思考，直到头痛不已为止，他做的这一切全都是为了要证明教会与福音书的教义并不完全相同。而这个问题在俄罗斯顶多只有十几个人会感兴趣。这是没有办法的，我当时希望的只有一件事，那就是让这一切尽快过去，像一场疾病般过去。

这场"疾病"并没有过去。夫妻间的矛盾愈演愈烈。他们彼此相爱，相互尊敬，但无法做到彼此了解。他们都努力想作出些让步，可这相互让步的习惯渐渐地变成了相互之间的折磨。在《日记》中，他这样写道：

这是我人生中最艰难的一个月。到了莫斯科后，大家很快都安置好了。但什么时候他们才能开始生活呢？这所有的一切并非全是为了生活，而是为了别人这样做的！可怜的人啊……

同一时期，伯爵夫人这样写道：

莫斯科。到明天，我们来此就整整满一个月了。最开始的两个星期，我每天都会哭，因为列夫不仅仅是心情忧郁，而且精神也十分颓丧。他睡不着，吃不下，有时甚至流眼泪，我想，我就快要疯掉了。

这样的处境使他们不得不分离一段时间。他们都因为使对方痛苦而互相道歉。可见，他们之间的感情一直是很好的！托尔斯泰写信对她说：

你说，"我爱你，可你却不需要。"不，不是的，你的爱是我唯一需要的，它比世界上的任何事物都令我快乐。

253

虽然感情很好，可当他们在一起的时候，因为互相不理解所产生的龃龉就愈发频繁。伯爵夫人无法接受丈夫的宗教狂热，可丈夫却更进一步：他和一个犹太教教士学习起了希伯来文。"他对别的东西都没有什么兴趣了，只在这些蠢事上浪费他的精力。我的不满再也无法掩饰了。"

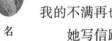

她写信跟他说：

看到你将智慧用在锯木、煮汤、缝靴子之类的事情时，我从心底为你感到可悲。

然后，她就像一个看着玩疯了的孩子的母亲一样，亲切地发出善意的嘲弄：

也没什么，我一想到俄罗斯的一句俗话就安静了：不管孩子怎么闹，只要他不哭就行。

这封信刚写完，她的脑海中就浮现出丈夫在读到这几行字时的情形：善良而天真的他会因为这嘲弄的语气而不快，于是她打开这封信，感情激动地接着写道：

霎时，你的身影又在我心中清晰地出现了，我是多么爱你啊！你是那么的听话，那么的善良，那么的纯真，那么的坚定，而这一切，都被你那广博的同情心照耀着，还有你那直透入人心的目光……这一切只有你才有。

就这样，两个彼此相爱而又互相折磨的人，为自己给对方带来的伤害感到痛苦与懊恼。这种痛苦与懊恼的局面，持续了近三十年的时间，直到最后，这垂死的"老李尔王"在迷乱中逃离了家庭，事情才算有了一个了结。

读者还应该注意到《我们应该做什么?》的结尾部分，那是一段向妇女发出的热烈宣言。虽然托尔斯泰对于现代的女权主义运动没有任何好感，但对于他所说的"贤妻良母"，对于那些懂得人生真谛的女性，他却极为敬重，他发自真心地颂扬她们的欢乐与痛苦，颂扬她们十月怀胎、经历苦痛产子、终年不息且不期待任何报酬的无形劳作，他还颂扬她们在脱离苦海、尽了自然赋予的使命时的那种灵魂上的幸福与欣慰。他刻画出一个勇敢的妻子的形象，这样的妻子对于丈夫来说是一个助手而非阻碍。她知道，"只有不计酬报地、默默地为别人作出牺牲才是人类的真正职责"。

这样的一个女人不仅不会鼓动丈夫去做那些虚伪欺诈的事情，不会让他窃取别人的工作成果，而且不会让她的孩子在受到诱惑后误入歧途，她对这些行为是深恶痛绝的。她会督促她的丈夫自食其力，不惧危险地去工作……她知道，未来的一代，也就是孩子们，永远是最健康的一代，而她生命的职责就是完成这一神圣使命。她在自己的孩子与丈夫身上开发他们的牺牲精神……统领着男子、引导着男子的正是这样的女子。……啊，既是贤妻又是良母的女子啊! 人类的命运就掌握在你们的手中![1]

这是一个正在祷告和依然满怀希望的人发出的呼唤……难道就没有人听见吗? ……几年后，最后的一道希望之光也熄灭了:

---

①　这是《我们应该做什么?》的最后几行。写于 1886 年 2 月 14 日。

你根本想象不出我现在有多么的孤独，周围的人对我的蔑视到了何等的程度。

既然连最爱他的人都无法理解他的精神改革的伟大性，我们就更不能指望其他人会对他有何理解与敬重了。与屠格涅夫和解，是托尔斯泰出于基督徒式的谦卑精神，而不是出于他对屠格涅夫的看法有所改变，① 屠格涅夫曾幽默地说道："我很为托尔斯泰感到可惜，不过法国人说得好，各人有各人捉跳蚤的方法。"

几年后，在将死之际，屠格涅夫给托尔斯泰写了那封著名的信件，他在信中请求他的"朋友，俄罗斯的伟大作家""重新回到文学中"。

欧洲所有的艺术家都对屠格涅夫垂死之际的忧虑与恳求深有同感。比如德·沃居埃在1886年完成《托尔斯泰研究》一书后，他借着托尔斯泰身穿农民衣服的肖像，向托尔斯泰作出极为有力的提醒：

杰出的巨匠啊，你的工具不在这里！……笔才是你的工具，人类的灵魂才是你要开垦的土地，要知道，灵魂也是需要培育和庇护的。请允许我提醒您，当莫斯科的一位印刷工人被迫返乡务农的时候，他都曾发出这样的呼喊："我的工作不是播种小麦，而是播种精神的种子。"

在他看来，托尔斯泰好像不愿意当精神种子的播种人。

在《我的信仰是什么》的结尾，托尔斯泰这样写道：

---

① 两人在1878年达成和解。先是托尔斯泰致书屠格涅夫请求原谅。接着，屠格涅夫前往亚斯纳亚·波利亚纳拜访了托尔斯泰。最后，托尔斯泰也回访了屠格涅夫。

我相信，我的生命、理智、智慧，都是上帝为了让我开导世人而赐予的。我相信我之所以能认识真理就是上帝为了这个目的而赐予我的一种能力，这种能力是一种火，但它只有在燃烧时才是火。我相信，我的生命的唯一意义就是生活在我内心的明灯之中，并把它在人类面前高高举起，使每个人都能够看到这光明。

但这光明，这"只有在燃烧的时候才能发出"的光明，让大多数的艺术家深感不安。其中最聪明的一些不是没有预料到他们的艺术会有被最先焚毁的危险。他们假装整个艺术都受到了托尔斯泰的威胁，他就如普洛斯帕罗一样，把他们创造幻象的魔棒永远给摧毁了。[①]

但是，事实并非如此。我将证明托尔斯泰非但没有摧毁艺术，而且还把艺术中本来静止的力量给激发了出来，他的宗教信仰非但没有摧毁艺术，反而使他的艺术获得了新生。

奇怪的是，当人们谈起托尔斯泰对科学与艺术的想法时，往往忽略了他表达这些思想的最重要的著作：《我们应该做什么？》（1884－1886）。在这本书里，托尔斯泰第一次向科学与艺术发起攻击，之后每一次战斗的激烈程度都无法与这初次的战斗相比。还令我奇怪的是，在法国最近一次对科学与知识阶级的虚荣心发起的攻击中，竟然没有人想到用这本书中的某些内容。这些内容包含着对于下列各种人物的最猛烈的抨击："科学中的宦官"，"艺术中的窃贼"，还有那些思想界的上层人物，他们在击败或服从了以前的统治阶级（教会、国家和军队）后，居然取而代之，而不愿或不能再为人类做有益的事，只想着让人家崇拜他们，让人家盲目地为他们做事，他们无耻地宣扬着为科学而科

---

① 普洛斯帕罗是莎士比亚的戏剧《暴风雨》中的人物。

名人传

学、为艺术而艺术的信仰，其实，这些都是他们骗人的把戏，只是以此遮掩他们的自私自利和空虚堕落。

托尔斯泰说："不要认为我是在否定艺术与科学。我非但不否定它们，而且是在以它们的名义驱逐那些出卖它们的人。"

科学与艺术的重要性，如同面包与水一样，甚至比面包与水更重要……真正的科学是对于天赋职责的认识，所以也是对人类真正的幸福的认识。真正的艺术则是认识天赋职责的表白，是认识人类真正幸福的表白。

他赞扬这样的人：

自人类出现以来，或用竖琴，或用古琴，或通过言语，或通过形象，来表现人类对欺罔的斗争，表现他们在斗争中所受到的痛苦，表现他们对战胜邪恶的希望，表现他们对邪恶取得胜利的失望，表现他们对未来的憧憬与热情。

然后，他刻画出了一个真正的艺术家的形象，他的文字中充满着痛苦而神秘的热情：

科学与艺术的活动只有在不偷窃任何权利而只知奉献的时候才会结出善果。因为奉献是这种活动的实质，也因此才能得到人们的称颂。那些通过智力劳动为他人服务的人，注定要为了完成这项事业而承受痛苦与折磨，因为只有在痛苦与折磨中精神境界才能得到提升。奉献、痛苦、折磨，便是真正的思想家与艺术家的命运，这种命运的目的就是为了大众的福祉。人是不幸的，他们受苦、死亡，根本没有时间去闲逛与作乐。真正的思想家和艺术家并不像我们通常所相信的那样，总是高居在奥林匹克山的高处，而是永远处于困惑与激动中。他们必须决定并说出可以给人类带来福利和解除痛苦的话；如果他不决定说出什么，那么到了明天或许就太晚了，他自己很可能已经死去……他们并不是艺术机构与科学机构培养出来的人（说实话，在那里，只能培养出科学与艺术的破坏者），也不是只有一纸文凭或只在享受俸禄的人。他们是想要不思索、不表白心迹但最终却无法做到的人，因为他们被两种无形的力量所驱使，一是自身内在的需要，一是对于人类的爱。心宽体胖、养尊处优、自得自满的艺术家在这个世界上是不存在的。

这灿烂的一页在托尔斯泰的作品中拉开了悲剧的一幕，它是在托尔斯泰在莫斯科目睹各种惨状后，在内心十分痛苦的前提下写成的，是他在认识到科学与艺术是造成现代社会一切不平等与伪善的帮凶的前提下写成的。这个看法他终其一生都没有改变。但他和这个悲惨世界初次接触后的印象后来渐渐地变淡了，伤痕也渐渐平复了。所以在之后的作品中，我们再也没有看到像这本书那样充满痛苦的呻吟与报复式的愤怒。而且，我们再也听不到一个用自己的鲜血来写作的艺术家的崇高宣道，以及对这种牺牲与痛苦的赞颂，还有对歌德式艺术至上主义的鞭笞。在之后的作品中，他多是从文学的角度来批判艺术的，看上去也不是那么神秘了。在书中，他将艺术问题和人类的悲惨分开来讨论，因为他一旦想起人类的悲惨便会陷入狂乱之中，比如，在一天晚上，他去了一次夜间栖留所后，回到家中便嚎啕大哭起来。

这当然不是说他那些带有教育意义的作品就是冷酷的。冷酷对他而言是不可能的。直到逝世为止，他都一直是他写给费特的信中所说的那个人：

259

假如一个人不喜欢他创作的人物，包括最卑微的人物，那也应该被痛骂，骂到连上天也为之面红耳赤，或嘲笑他们，直到肚皮也为之笑破。

在他的那些关于艺术的文章中，他就实践了他的主张。其中关于否定的部分，其谩骂与讥讽都是十分激烈的，以至艺术家们只看到谩骂与讥讽的部分。托尔斯泰猛烈地抨击他们的迷信与敏感，以至他们都将他视作艺术之敌，而且是所有艺术之敌。但托尔斯泰从来都是破坏中带有建设，先破而后立，并不是为了破坏而破坏。谦虚的性格使他从不奢望建立什么新的东西，他只是捍卫艺术，防止它被那些假的艺术家利用和玷污。1887 年，也就是他那本著名的《艺术论》问世的十多年前，他曾写信对我说：

真正的科学与艺术曾经一直存在着，且今后也将一直存在。这是毋庸置疑的事实。现在所有的罪恶皆是因为那些所谓文明人的缘故，他们还有他们旁边那些所谓的学者与艺术家，事实上都是像僧侣一样的特权阶级。这个阶级具有一切阶级的坏毛病。他们按照自己的需要降低或破坏社会本身的准则。我们现在这个世界所谓的科学与艺术都只是一些大谎话和大迷信，我们从古老的迷信中解脱出来后往往会坠入新的迷信之中。要想认清我们应该走的道路，就必须从头来过，必须将使我们觉得温暖但却挡住我们视线的帽子摘下来，不过这帽子的诱惑力是很大的。我们如果不是生下来就这样受着诱惑，那就是一级一级爬上去的。就这样，我们处在了享有特权的人群中，处于文明人当中，或者就如德国人所说，处在文化的僧侣群中。我们应该像婆罗门教教徒或基督教教士那样，拥有极大的真诚和对真理的热爱，才能质疑保障我们拥有那些特权的原则。不过，一个严肃的人，一旦提出一个人生问题，就一定不能犹豫。为了洞察一切，他应该摆脱自身的迷信，虽然这迷信可能对他是有利的。这是不可缺少的条件……没有迷信。让自己处在一个如儿童般的境地中，或者处在笛卡尔所说的理性中……

这特权阶级所创造的现代艺术迷信，即"大谎话"，在托尔斯泰的《艺术论》中已经有所描述①。在这本书中，他用严厉的语言指出这种迷信的可笑、贫弱、虚伪、腐朽和堕落。他全盘否定已成的一切，对其进行彻底破坏，就像儿童弄坏玩具时那么兴奋。这些批评往往充满着调笑的语气，其中也有许多偏执的见解。就像打仗一样，托尔斯泰使用各种武器肆意乱击，一点也不注意他所攻击的对象的真面目。也像在一切战争中所发生的那样，他往往会伤害自己本应该保护的人，像易卜生或贝多芬。这是因为他的性格实在太过冲动了，行动之前往往缺乏深思熟虑，他的冲动往往让他看不到自己的弱点和不足，而且，还应该说，他的艺术修养的确有欠缺的地方。

除了对文学书籍的浏览外，他对现代艺术还能有什么认识呢？这位农村的士绅，人生四分之三的生活都是在莫斯科近郊的乡村中度过的，在 1860 年后，他就没有再来过欧洲。除了感兴趣的学校教育外，他能看到些什么绘画，能听到些什么音乐呢？对于绘画，他完全是道听途说，人云亦云，他胡乱地将皮维斯、马奈、莫奈、勃克林、施图克、克林格都归入到颓废派，他十分欣赏布雷东和莱尔米特的作品，只是因为他们拥有高尚的情操。他看不起米开朗琪罗，在那些描写心灵的画家中，对伦勃朗不屑

---

① 《艺术论》于 1897－1898 年间出版，托尔斯泰用了十五年的时间筹划此书。

一顾。关于音乐，他的感觉倒是好一点，[①] 但认识的也不够深刻，他只是凭借童年的印象，知道几位在 1840 年前后成为古典派的音乐家，再往后的音乐家他就完全不了解了（柴可夫斯基除外，柴氏的音乐使他感动得流泪）。他对勃拉姆斯和查·施特劳斯不屑一顾，对贝多芬也敢指手画脚。而在评价瓦格纳时，他只欣赏了一次《西格弗里德》的演出便自以为彻底了解了瓦格纳，而且，他是在《西格弗里德》的演出开始后才到场的，到第二幕中间他就退出的。关于文学，不用说，他了解的是比较丰富的。可是不知道哪里出了错，他不去评论那些自己熟悉的俄罗斯作家，反而大肆评论起外国诗人，其实这些诗人的思想境界和他有着巨大的差距，对于他们的作品，他也只是高傲地随便翻阅了一下！

他的偏执随着年龄的增长而加强。他甚至写了一本书来证明莎士比亚"并非一个艺术家"。"他可以成为任何角色；但他不是一个艺术家。"[②]

他的这种偏执真让人难堪！他没有丝毫怀疑，也不肯作任何讨论。他自认为握有真理。他会对你说：

第九交响曲是会导致人格分裂的作品。

或者这样对你说：

除了巴赫那首著名的小提琴曲和肖邦的 E 调夜曲，还有从海顿、莫扎特、舒伯特、贝多芬、肖邦等人的作品中精选出的十几

---

① 关于这点，在谈到《克勒策奏鸣曲》时再来讨论。
② 《莎士比亚论》（1903）的写作动机是由埃内斯特·格罗斯比的一篇有关《莎士比亚与劳工阶级》的论文所引起的。

段音乐外，注意，并不是全部，其余的都是导致人格分裂的作品，应该予以蔑视和排斥。

或者还会这样说：

我将证明，莎士比亚连一个四流的作家都称不上。在描写人的性格方面，他是十分无能的。

即使世界上其他的人都反对他的意见，也无法改变他，恰恰相反！"我的看法，"他骄傲地写道，"与全欧洲对莎士比亚的看法都不一样。"

在他看来，谎言无处不在，每个人都在对他撒谎。越是大家普遍认可的，他就越反对和攻击。他充满怀疑，对一切都不相信，比如在谈到莎士比亚的荣耀时，他说：

这只不过是人类常有的一种传染病般的连锁影响，就像中世纪的十字军相信巫术、追求炼丹术、狂热地喜欢郁金香等等都是这个原因造成的。人类只有在摆脱这种传染病般的影响后，才能意识到这只是一种疯狂。随着印刷业的发达，这样的传染病般的影响就变得更为猖獗了。

他还用"德雷福斯事件"做这种传染病般影响的典型例子。① 他始终反对社会上不公平的现象，是一切受压迫者的保护

---

① 指的是法国一起有名的冤案，法国当局为了找借口掀起反犹太运动，无端指控一名犹太军官出卖国家机密，真相水落石出后，当局拒绝认错，结果引起社会公愤，作家左拉为此还发表了著名的《我控诉》。

人，可在讲起这个冤案的时候却带有一种轻蔑与淡漠。① 这个典型的例子足以证明他对别人的怀疑和对"传染病的影响"的厌恶到了何等程度。他自己也知道自己太过偏执，可是他却无法克制。人类道德的背面，无法想象的盲目，竟然让这个伟大的灵魂写手，这个热情的召唤者，将《李尔王》说成"拙劣的作品"，把骄傲的考狄利亚②说成一个"毫无个性的女人"。

名人传

　　但是，我们得承认，他的确看出并指出了我们所不敢坦率承认的莎士比亚的某些缺点，比如，人物都用一种过分雕琢的诗句，不管是说爱情，还是表现英雄主义，或者说一些十分简单的事情，都要过分雕琢。我十分了解，托尔斯泰是所有作家中文学气质最少的一个，所以对于作家中最具天才的人的艺术，自然就没有什么好感。但他为什么要浪费时间去讲那些他不懂得的事情呢？而且对一个与自己完全没有关系的世界进行批判又有什么意义呢？

　　假如有人想从他的这些批判中寻找了解那些外国文学的方法，那无异于缘木求鱼。但假如要想在其中寻找托尔斯泰的艺术秘密，那么，这些评判的价值还是十分巨大的。我们不能要求一个天才作出完全无私的评论。当瓦格纳、托尔斯泰评论贝多芬、莎士比亚时，他们评论的事实上并不是贝多芬和莎士比亚，而是他们自己，是他们自己的理想。而且，他们根本就没有想骗我们。在批判莎士比亚时，托尔斯泰并没有试图让自己显得有多

---

　　① "这是很常见的事情，任何人都不会注意，不要说全世界的人，即使是法国军方也从没有加以注意。"之后他又说："或许要数年之后，人们才会从迷茫中醒悟，明白他们全然不知德雷福斯到底是否有罪，事实上，每个人都有比这德雷福斯事件更重要更紧迫的事情需要关心。"（见《莎士比亚论》）

　　② 李尔王的女儿，被看做孝女的楷模。

"客观"，他甚至批评莎士比亚的艺术太过客观。不过，对于那些德国批评家们他倒是留了些面子，只是指责他们在歌德之后"发现了莎士比亚"，以及指责他们发现了"艺术应该是客观的，也就是应该在一切道德价值之外去描写故事，这是对艺术的宗教性的肆意否定"的理论，很明显，这种指责相对地有些手下留情。

所以说，托尔斯泰是站在信仰的高度发布他的艺术批判的，在他的这些评论中，没有什么个人成见。他并不将自己当做什么楷模；他对自己的作品批评起来也一样的毫不留情。那么，他到底想要什么？他所提出的宗教信仰对艺术又有什么意义呢？

"宗教艺术"这个词含义众多，很容易令人产生误会。事实上，托尔斯泰并没有用宗教限制艺术，而是将艺术的领域给扩大了。就像他所说的，艺术俯拾皆是。

艺术渗透进我们生活的方方面面，我们称之为艺术的，像戏剧、音乐、文学、绘画，只是艺术中极微小的一部分罢了。在我们的生活中，充满了各种各样的艺术表现，从儿童的游戏到宗教的仪式。艺术和语言是人类进步的两大机能。艺术是沟通心灵的，语言是交流思想的。其中只要有一个误入歧途，那社会便会出现病态的变化。今天的艺术就已经误入歧途了。

从文艺复兴起直到现在，基督教艺术已经谈不上了。各阶级已经互相分化。富人和特权者妄图垄断艺术。他们依据自己的喜好，定下艺术的标准。就这样，艺术远离了穷人，并由此变得贫弱不堪。

不需为工作而生活的人，其感情要较之靠工作而生活的人要狭隘得多。现代社会的感情可以大致概括为三类：骄傲、淫欲和厌世情绪。这三种情绪和它们的分支几乎是富人阶级所有艺术的题材。

这些题材使世界变得污浊，使民众变得颓废，使淫欲得到宣扬，成为人类追求幸福的最大障碍。而且，它们既没有真正的美，也缺乏自然与真诚，是一种虚伪、造作、虚幻的艺术。

面对这些美学家的谎言和富人的消遣品，托尔斯泰认为我们应该建立起活的、人性的艺术，联合所有民族、所有阶级的艺术。

我们心目中所谓的崇高艺术，永远是为人类的大多数理解和喜欢的，像创世纪的史诗、福音书的寓言、传说、童话以及民歌。

传达时代宗教意识的艺术是最伟大的艺术。但不要以为这是教会的教义。"每个社会都会有一种对于人生的宗教看法，那就是整个社会都向往的一种幸福理想。"大家都有一种感情诉求，不管是明显或者隐晦；一些先行者将其明确地表现了出来。

一直有一种宗教意识，就是大河的河床。或者更确切地说，是大河的流向。

我们这个时代的宗教意识，便是通过人类的爱造成的对幸福的渴望。只有为了这个目的而工作的艺术才算得上是真正的艺术。最崇高的艺术是通过爱的力量来直接完成的艺术。但通过激怒与轻蔑的方法攻击一切反对爱的事物，也是属于这样的艺术的。比如，狄更斯和陀思妥耶夫斯基的作品、雨果的《悲惨世界》和米勒的油画。还有那些即使达不到这高度，但能以同情的精神与真实的手法来表现日常生活的艺术，同样也能促进人类的彼此融合，比如《堂吉诃德》与莫里哀的戏剧便是如此。不过，这后一种艺术常常因为过于琐碎的现实主义和贫弱的题材而有所欠缺，"当我们把它和古代的经典，像《约瑟行述》来相比时"。太过真切的枝节往往会对作品产生伤害，使它无法成为具有普遍意义的作品。

现代作品很多时候都被现实主义拖累了，这种现实主义说穿了，往往都是一些艺术上的地方主义而已。

于是，托尔斯泰果断地批判了自己身上天才的一面。对他来说，为了未来，即使把自己整个给牺牲掉，即使一点东西也不留给自己，也是没有什么关系的。

未来的艺术一定不是现在艺术的延续，而是建筑在别的基础上的，它将不会再是一个阶级所特有的。艺术并非技艺，而是感情的真实体现。艺术家只有不脱离群众，过着纯朴的自然生活，才能在感情上做到真实。所以说，脱离群众、脱离自然的人在创作上的环境是最差的。

在未来，"一切有天赋的人都将成为艺术家"。"因为初级学校中便有音乐与绘画的课程，艺术会成为人人都可以参与的活动。而且，那时的艺术将不再需要现在的那些复杂技巧，它将是简洁、单纯、明确的，那正是古典而健康的、荷马式艺术的精华

名人传

所在。① 用这种线条纯净的艺术去表现普遍的感情，那会是多么的美妙啊！为千百万的人类去创作一个故事或谱写一首歌、绘一幅肖像，要比写一部小说或一首交响曲要重要得多，也要难得多。这是一片广大的几乎还没有被开发的处女地。因为这些作品，人类将懂得充满爱的社会的和谐与幸福。

艺术应该反抗并消灭强暴，而且只有艺术才能做得到。艺术的使命就是要让天国，即让爱，来驾驭一切。

有谁会不赞同这样的慷慨言辞呢？而且又有谁看不到，托尔斯泰的观念尽管有空想和幼稚的地方，但始终是生动与丰富的呢？的确，我们所有的艺术都只是一个阶级的表现，这个阶级在这个国家或其他国家又分化为若干敌对的派系。在欧洲，没有一个艺术家的作品能实现各党派、各种族的团结。在我们这个时代，最具包容性的就是托尔斯泰的灵魂了。在他的心中，人们应该彼此相爱而不分阶级与民族。他体会到了这大爱带来的喜悦，而我们也不能再满足于欧洲狭小艺术流派所带给我们的那些极少的关于人类伟大心灵的描写了。

理论不管有多么美好，但只有在作品中体现出来才有价值。对托尔斯泰而言，理论与创作如同信仰与行动一般，永远是相连的。在他构思他的艺术批评时，他同时提出了他所希望的艺术的新模式。这新模式包括两种艺术形式，一种是崇高的，一种则是通俗的，不过从最富人性的角度来看，两者都是有一定"宗教性的"。

---

① 在1873年，托尔斯泰曾这样写道："你可以随意思想，可是你作品中的每一个字，必须可以让一个把书籍从印刷厂运出的马车夫也能读懂。用一种简单、质朴的语言写出的东西一定不会差。"

一是尽力以爱来团结人类，一是向爱的敌人宣战。这一时期，他完成了下面的几部杰作：《伊万·伊里奇之死》（1884 - 1886），《民间故事与童话》（1881 - 1886），《黑暗势力》（1886），《克勒策奏鸣曲》（1889），还有《主与仆》（1895）。这一时期，他的作品兼容两个方面，就好像一座有两个塔尖的伟大寺庙，一个象征永恒的爱，一个象征世间的仇恨，这个艺术时期的巅峰与终极之作是《复活》（1899）。

这一时期的所有作品都具有新的艺术风格，和之前的作品有很大的不同。托尔斯泰的创作思想发生了变化，对艺术的形式与目的也都有了新的见解。在《艺术是什么?》和《莎士比亚论》中，我们对他所提出赞赏与表现得原则感到惊讶，因为这些大多和他以前的伟大作品相抵触。"简单，质朴，清晰"，在《艺术是什么?》中，我们能看到他的这些主张。他蔑视一切纯物质的效果，反对精雕细琢的现实主义手法。在《莎士比亚论》中，他又主张追求完美而有分寸的古典主义。""没有分寸感就不是真正的艺术家。"虽然这位老人没有将他自己以往作品中的分析天才与天生的孤傲完全给抹掉，甚至在某些方面，表现得更加明显，但是，他的艺术手法确实大大地改变了，线条更清晰更有立体感，中心思想变得更为突出，心理变化变得更为集中，就像一头蓄势待发的困兽。更具普遍意义的感情，从一种带有地方色彩的现实主义与细节描述中表现出来。最后，他的语言则更加形象化，文字更有韵味，散发着迷人的泥土气息。总之，他的艺术风格有了很大的变化。

他对于民众有着强烈的热爱，对民众的语言之美一直都非常欣赏。在小的时候，流浪说书人所讲的美妙故事就曾经熏陶过他。在成长为著名的作家后，他仍认为和农民谈话能感受到一种艺术的乐趣。他曾对保尔·布瓦耶说：

269

这些人，都是创造大师。从前，当我和他们或和那些背着粮袋在乡间乱跑的流浪者谈话时，我曾把我从他们嘴里第一次听到的言辞认真地记录下来。这些言辞被现代文学语言所遗忘，但却始终在俄罗斯的乡间流传……是啊，天才的语言一直存在于这些人中间……

因为他的思想还没有被现代文学所塞满，所以对这些语言的感觉十分敏感。他远离城市，和农民们一起生活，时间一长，他的思维方式就渐渐变得农民化了。他和农民们一样，辩证思维迟钝，理解东西也很慢，激动的时候，总是重复说那些人们都知道的事情，而且是用同样的语句，这很容易让别人产生不快。

很明显，这些是缺点而非长处。但时间一长，他慢慢领悟到了民间语言的美妙之处，比如描写形象的生动，粗俗狂放中所包含的浪漫诗意，还有传说般的迷人智慧。从创作《战争与和平》时起，他就已经受到了民间语言影响。1872 年 3 月，在写给斯特拉科夫的信中，他这样说道：

我改变了自己的语言风格和文字风格。民众语言的丰富性对我来说很宝贵，它足以充分表达诗人要说的一切，是诗歌最好的调节器。谁要是想说那些过分夸大或虚情假意的话，这种语言就绝对不会与之合拍。它和我们那种没有骨气的文学语言不一样，我们的文学语言总是任人摆布，没有丝毫独立性。①

---

① 见《生活与作品》。1879 年夏天，托尔斯泰与农人来往密切，斯特拉科夫说，除了宗教外，"他对语言也很感兴趣。他感觉到农民语言的美，每天，他都会发现一些新词，每天，他都会对那些文学语言乱骂一通"。

他不只是在艺术风格上从民间寻求新的资源，而且他的许多灵感也是源于民间。1877 年，一位流浪的说书人来到亚斯纳亚·波利亚纳，托尔斯泰记下了他所讲的全部故事，几年后托尔斯泰所出版的《民间故事与童话》中最美的两个故事《人靠什么生活?》和《三个老人》就都是源于此。

《民间故事与童话》是近代艺术中独树一帜的作品，是比艺术更崇高的作品，是啊，在读它的时候，谁还会想起文学呢？福音书的精神、人类纯洁的同胞之爱与纯朴的民间智慧结合在一起。纯洁、质朴、明净、善良以及超自然的风格集中体现在中心人物爱里赛老人、鞋匠马丁（那个从与地面平行的天窗中看着行人的脚和上帝扮作穷人去访问的人）身上。在这些故事中，福音书的寓言往往混有东方式的传说韵味，比如，像他童年时起便十分喜欢的《天方夜谭》。有时，一道神怪般的光芒使故事变得极为阴森，让人不由得产生惊恐的感觉，如《农奴巴霍姆》，主人公巴霍姆被许诺可以在一天之内占有自己走过的全部土地，结果在走完一天后他累得倒地而死。

　　在山上，斯塔尔希纳坐在地上，看着巴霍姆奔跑，直到他倒地不起。

　　"喔! 太好了，勇士，你获得了很多土地。"

　　斯塔尔希纳站起身子，把一把铁锹掷给巴霍姆的仆人! 说道："嗨，将他埋了吧。"

　　仆人给巴霍姆挖了一个三俄尺长的坑，正好是巴霍姆从头到脚的长度，然后把他给埋了。

　　书中所有的故事，几乎都蕴涵着福音书中的道德教训，即宽恕与忍让:

不要以怨报怨。不要反抗伤害你的人。报复的事由我来做。上帝如是说。

无论在什么时间什么地方发生的故事，结局永远是爱。托尔斯泰想要为人类创造一种大同的艺术。在全世界范围内，他的作品获得了无限的成功，因为他的作品剔除了艺术中一切可以剔除的部分，剩下的都是可以永恒存在的部分。

这一时期的一部戏剧作品《黑暗势力》并不是在严肃而单纯的基础上创作的，也没有渴求达到心灵净化的目的，而是一把双刃剑，一面是上帝的博爱之梦，另一面则是残酷的现实。在读这部戏剧时，我们可以看到托尔斯泰的信念以及他对民众的爱！

托尔斯泰在戏剧尝试方面大都比较笨拙，不过这一次却做得十分纯熟。① 人物性格与戏剧冲突布置的颇为自然：刚愎自用的英俊男子尼基塔，纵欲淫荡的阿尼西娅，外表纯朴、内心奸诈的马特廖娜，她放纵儿子与别人通奸，还有善良的老阿基姆，他虽然有一副可笑的长相，但心肠却很好。然后是尼基塔的堕落，他并不是坏人，但意志太过薄弱，经受不住诱惑，尽管他努力想做到控制自己，但最终还是被他的母亲和妻子诱入堕落与罪恶的深渊。

---

① 直到 1869 - 1870 年，托尔斯泰才对戏剧产生兴趣。按他的性格，自然很快就喜欢上了戏剧。"整整一个冬天的时间，我都全部用来研究戏剧，就像那些直到五十岁才突然发现一个被忽略的题材的人，在其中发现许多新鲜的东西……我读了莎士比亚、歌德、普希金、果戈理、莫里哀的剧作……我还想读索福克勒斯和欧里庇得斯的剧作……我卧病在床有很长一段时间了，在这段时间，一个个戏剧人物在我的脑海中不断浮现……"（见 1870 年 2 月 17 日 - 21 日写给费特的信）

农奴是不算个啥。但她们这些娘们呢？简直是群什么都不怕的野兽……她们什么事都做得出来……她们在俄罗斯人数众多，像土拨鼠一样盲目，她们什么都不懂，什么都不知道！……呜—呜！……她们自己也不知道①。

　　再接着，是新生婴儿被谋害的可怕场面。尼基塔不愿下手，可阿尼西娅，这个曾为了他而谋害了亲夫的女人，这个一直为自己的罪行而遭受精神折磨的女人，变得像一只野兽般疯狂，她叫嚣道："至少，我不会再是一个孤独的罪犯，他也会是一个。我一定要让他知道什么叫做犯罪！"

　　尼基塔用两块木板把孩子挤死，在此过程中，他逃曾开过，并威吓着说，要杀阿尼西娅和自己的母亲，他嚎啕大哭，哀求道："我的好母亲，我无法再继续下去了！"他仿佛听见被挤死的孩子的哭喊。"我应该逃到哪里去？"

　　这是莎士比亚式的画面。

　　接着的一幕虽然没有上面的野蛮，但却更加残酷，那就是小女孩和老仆的对话。他们在夜晚听到外面上演的惨剧。

　　最后是自愿的赎罪。尼基塔由父亲阿基姆陪着，赤足走入一个正在举行婚礼的教堂中，然后跪下来供认自己的罪状，向上帝请求宽恕。老阿基姆用痛苦的目光注视着他，微笑着鼓励他："啊！上帝！他在这里！他在这里啊！"

　　因为采用的是农民的语言，这部剧作便有了特殊的艺术韵味。

　　"我用遍了我的笔记本中记录的语言，全都用在了《黑暗势力》中。"托尔斯泰对保尔·布瓦耶这样说。

---

　　① 见《黑暗势力》第四幕。

这些突兀的艺术形象，完全是从俄罗斯民众喜欢讽刺与抒情的灵魂中喷涌出来的，其人物线条丰满，色彩鲜明，充满立体感，使其他一切文学形象都为之黯然无色。我们可以感觉到，作者是站在艺术家的身份上表现这些形象与思想的，他不仅能抓住其中的喜剧成分，也能将灵魂的阴暗面真实地表现出来。

他在观察着民众，从天空上放出一道光彩照亮他们的黑夜。而对于富有阶级与中产阶级那种更加浓重的黑暗，他也写了两部悲壮的小说。不难发现，这一时期，他的艺术风格偏向于戏剧化。《伊万·伊里奇之死》和《克勒策奏鸣曲》这两部小说都是情节紧凑、内心冲突剧烈的悲剧，尤其是《克勒策奏鸣曲》，整个故事都是由悲剧的主角自己讲述的。

《伊万·伊里奇之死》（1884－1886）是最能引起法国民众共鸣的俄罗斯文学作品之一。在本书的开头，我已经说过，我亲眼看见法国外省那些平日最不关心艺术的中产者，读了这部作品后也受到了极大的震动。这是因为这部作品是以残酷的现实手法，刻画了一个中产阶级的典型——一个尽职尽责的公务员，这个人没有宗教信仰，没有理想，也没有什么思想，只知道工作，过着十分机械的生活，直到死前才发现自己虚度了一生。伊万·伊里奇是 1880 年前后欧洲中产阶级的代表，他们读的是左拉的作品，听的是萨拉·伯恩哈特的演唱，没有信仰，但也不是反宗教者：因为他们不愿意花费精力和精神去信仰什么东西，他们从没有想过这些。

对人世，特别是对婚姻，这部作品进行了猛烈的攻击与嘲讽，是托尔斯泰的一系列新作品的开始，预示着在《克勒策奏鸣曲》与《复活》中，他将有更加愤世嫉俗的描写。它描写人生的可悲与可笑，描写无聊的野心和狭隘的自满，认为这一切没有任何意义，"顶多比每天晚上和妻子面对面坐着强一些，"但这种无意义的人生偏偏被一个更没有意义的原因给破坏了：伊万·伊里奇在客厅的窗户上悬挂窗帘时不小心从扶梯上摔了下来。生活充满欺骗，疾病也是欺骗，一心只顾自己身体健康的医生在欺骗，被疾病折磨的家庭在欺骗，妻子也在欺骗，她假装忠诚，内心却一直筹划着在丈夫死后该如何生活。所有的一切都是欺骗，只有那个富有同情心的仆人不愿欺骗，他没有向垂死的主人公隐瞒对方的真实病情，而且充满爱心地照顾着他。伊万·伊里奇"对自己感到极为痛惜"，为自身的孤独与人类的自私而哭泣。他痛苦极了，直到有一天，他发觉自己过去的生活只是一场骗局，但这骗局还能够补救。很快，在他死前的一小时，一切都变得清晰明了了。这时，他想到的不只是自己，还有他的家人，他同情他们，他以死来使他们摆脱他这个负担。

——痛苦，你在何方？——噢，是在这里……那么，你就顽强地待下去吧。——死亡，你在何方？……他已找不到死亡了。没有死亡，只剩下光明。……"一切都完了。"有人说。——他听到了这些话，重复着它们。——"没有死亡了。"他喃喃地说道。

在《克勒策奏鸣曲》中，甚至这种"光明"也不再显露了。这部作品十分残忍，它就像一头面目狰狞、受伤的野兽，攻击着、报复着伤害它的社会。不要忘记，这是一个为嫉妒侵蚀着的人的忏悔录，他刚杀了人。托尔斯泰隐藏在他的人物后面。但是无疑的，我们在他对普遍存在的伪善的攻击中可以找到他的思想，他深恶痛绝的是虚伪的女子教育、虚伪的恋爱、虚伪的婚姻（"这家庭里的卖淫"）、虚伪的社会、虚伪的科学、虚伪的医生（这些"疾病的散播者"）……。书中的主角驱使作者采用粗暴的言辞和肉感的形象来刻画一个淫逸之人的全部狂热，而与之形成鲜明对比的，是极端的禁欲主义，对情欲的又爱又怕，受情欲煎熬的中世纪僧侣般的生活。这本书完成后，连作者也为之惊慌，在《克勒策奏鸣曲》的跋文中，托尔斯泰这样写道：

我完全没有想到，一种严密的逻辑会将写这部小说的我推到现在这种地步。我被自己的结论吓了一跳，简直都不敢相信这个结论了，可是我不能不信，我只能选择接受它。

他借罪犯波斯德尼舍夫的口，对爱情与婚姻发出了愤怒的声讨：

一个人用充满性欲的眼光看一个女人，特别是在看他的妻子时，他就已经对她犯下了奸情。
当性欲绝灭，人类再也没有存在的理由时，自然的律令才能得以完成，人类的团结才能得以实现。

他依据《马太福音》的观点说道：

婚姻并不是基督教的理想，根本不存在所谓的基督教婚姻，根据基督教的观点，婚姻并非一种进步，而是一种堕落，爱情、婚姻及其前后所发生的事都是实现人类真正理想的阻碍。

不过，在波斯德尼切舍没有说出这些看法之前，托尔斯泰脑中的这些看法并不明确。就像那些伟大的创造家那样，他们的作品也在推进着自身，先成为艺术家，然后才能成为思想家，这对于艺术并不会造成什么损伤。从效果、热情、视觉的鲜明与形式的丰满成熟上讲，托尔斯泰的任何一部作品都无法和《克勒策奏鸣曲》相比。

现在，我有必要对这部作品名字作一说明。严格来讲，这个名字并不准确，很容易让人误解作品的内容。在这部作品中，音乐只占有次要地位，取消了奏鸣曲，并不会对作品内容有任何改变。托尔斯泰之所以把爱情与音乐混为一谈，这是因为他错误地认为爱情与音乐都具有让人堕落的力量。关于音乐的魔力，应该另写专书讨论。托尔斯泰在此书中所给予音乐的地位，并不足以证实它的魔力。对于这个问题，我必须多说几句，因为我认为人们还不完全了解托尔斯泰对音乐的看法。

要说他不爱音乐那绝对是错误的。一个人爱得越深，怕得也才越厉害。我们应该不会忘记对音乐的回忆在《童年》里，特别是在《家庭幸福》中所占的地位吧。《家庭幸福》所描写的爱情的春夏秋冬，全都是通过贝多芬的《月光奏鸣曲》来展现的。我们还不应该忘记《一个绅士的早晨》中涅赫留多夫与《战争与和平》小彼佳在临终时，内心所听到的美妙乐曲。托尔斯泰对音乐的了解或许并不深，但音乐的确使他感动落泪。在他一生的很多阶段，他都曾热情地投入到音乐之中。1858 年，他在莫斯科曾组织过一个音乐社团，这个社团是后来莫斯科音乐学院的前身。他的妻弟别尔斯在《关于托尔斯泰的回忆》中曾这样写道：

他酷爱音乐，会弹奏钢琴，对古典音乐大师极为崇拜。在工作前，他往往会弹一会儿琴。目的应该是从音乐中寻找灵感。他最小的妹妹唱歌很好听，他喜欢为她伴奏。我注意到他被音乐感动时的情形，脸色变得比较苍白，表情显得很古怪，似乎是被什么吓着了。

是的，这的确是音乐和他心灵深处的无名的力量相互冲击后所产生的恐惧！在音乐的世界中，他的意志、理性以及生活全部都被溶解了。在《战争与和平》中，有这样一段描写，当尼古拉·罗斯托夫赌输了钱后，绝望地回到家里，他听见妹妹娜塔莎在唱歌。在那一刹那，歌声让他忘记了一切：

他急不可耐地等着下一个音符，霎时间，世界上只剩下那三拍子的节奏：Oh！Miocrudele affetto！

"我们的生活真是够无聊的，"他想，"灾祸，金钱，仇恨，荣誉，这一切都那么无聊……只有这音乐才是真实的！

他不由自主地唱和起来，为了增强 B 音，他唱和着她的三度音程。

"啊！上帝，这实在是太美了！难道是我给予她的吗？我好幸福！"他想。

这美妙的三度音程，唤起了他心里最美好、最纯洁的感觉。和这种感觉相比，他赌输的钱和发过的誓言又算得了什么呢！

事实上，尼古拉既没有杀人，也没有盗窃，音乐也只不过让他产生一时的激动。可他的妹妹娜塔莎却是完全迷失在音乐中了。在歌剧院的一次约会后，"在这奇怪的、失去理性的世界中，远离现实，善与恶、诱惑与理性混和在了一起"，在听完阿纳托里·库拉金的一番倾诉后，她就答应和他私奔了。

随着年纪的增大，托尔斯泰越来越害怕音乐。1860 年，他在德累斯顿遇见了一个对他产生重要影响的人，那就是奥尔巴赫，这个人让托尔斯泰对音乐的防范之心更重了。"他认为音乐是一种堕落的享乐，会让人陷入毁灭的旋涡。"

曾经有朋友问过托尔斯泰，在那么多令人堕落的音乐家中，为什么非要选择最纯粹最纯洁的贝多芬批判呢？——因为他是最伟大的。托尔斯泰始终都很喜欢贝多芬的音乐。《童年》中最辽远的回忆就是和那首《悲怆奏鸣曲》联系在一起的。在《复活》的故事中，当涅赫留多夫听到《C小调交响曲》的行板时，禁不住热泪直流，"他哀怜自己的人生。"可是，在《艺术论》中，托尔斯泰谈起"聋子贝多芬的病态作品"时，又表现的是何等的厌恶啊！早在1876年，他就已经在狠狠地"摧毁贝多芬，使人怀疑他的天才"。他对贝多芬的这种态度使柴可夫斯基十分反感，以致柴可夫斯基对他的敬慕之心也减少了许多。《克勒策奏鸣曲》更使我们清楚地看到他对贝多芬的这种态度有多么的不公平。他责备贝多芬什么呢？他和歌德如出一辙，听着贝多芬的《C小调交响曲》，感受着它的震撼，却反而责怪这位音乐大师将自己肆意玩弄。

名人传

这种音乐很快就将我带入音乐家的精神境界……音乐应该是国家的事业，就像在中国那样。我们不能随意就让一个人拥有这可怕的力量。……这些音乐，（《克勒策奏鸣曲》中的第一段急板）只有在一些重要的场合，才可以被准许奏演……

虽然对贝多芬牢骚满怀，但他还是被贝多芬的感染力所折服，而且他自己也承认，这力量可以让人变得高尚，可以净化人的灵魂！在听到这音乐时，波斯德尼舍夫的精神坠入到了一种无以名状的状态，这种状态使他无比快乐，使他的嫉妒心销声匿迹。女人也同样地被感化了。在演奏这音乐的时候，她的脸上"有一种壮严的表情"，而在演奏完之后，接着浮现出的是"微弱的、惹人怜爱的、幸福的笑容"……这一切之中哪里有堕落的地方呢？只有精神被音乐俘虏了，任由音乐的力量来支配，如果这种力量愿意的话，精神都会被它毁灭。

这的确是真的，但托尔斯泰忘记了一点，那就是听音乐或弹奏音乐的人大部分生活都很平庸或贫乏。对于感受力比较差的人来说，音乐是不会变得危险的。那些感觉麻木的人，在欣赏歌剧《莎乐美》的演出时，绝不会为其病态的情感所伤害。而只有生活阅历像托尔斯泰般丰富的人才有被这种情感伤害的可能。

虽然托尔斯泰对贝多芬的评价是那么的不公平，但他比现在大多数崇拜贝多芬的人都更能深切地感受贝多芬的音乐。至少，他听得出充满在"老聋子"音乐中的那些狂乱的热情，那种野性的气势，这是现在的很多演奏家与乐队所无法感受的。或许，他对贝多芬的恨意比起那些崇拜者对贝多芬的爱意，更能让贝多芬满意呢——假如贝多芬还活着的话。

《复活》与《克勒策奏鸣曲》相隔十年之久，十年中，托尔斯泰越来越致力于道德宣传。另外，《复活》与他这渴望永恒的生命所期待的终极也是相隔十年。《复活》可以说是托尔斯泰艺术创作的一份遗嘱，是他晚年时期艺术成就的代表之作，正如《战争与和平》标志着他在艺术上步入成熟时期。《复活》是托尔斯泰最后的一个艺术高峰，或许还是他最高的艺术高峰，峰顶被云雾所围绕，高不可见。

托尔斯泰这时正值古稀之年。他从高处观察着世界，审视着自己的生活、自己的过去的错误、自己的信仰、自己的义愤。这部作品的思想和以前的作品一样，仍是对虚伪进行征伐，就像《战争与和平》一样，作者的精神翱翔于作品的主题之上。在《克勒策奏鸣曲》和《伊万·伊里奇之死》的躁动精神与阴沉讽刺之外，他还混入了一种宗教式的静谧，这正是他超脱俗世的内心的反映。我们可以说，有时他竟会成为一个基督徒式的歌德。

托尔斯泰后期作品的艺术特点，都可以在《复活》中找到，特别是叙事的集中性，这个特点在长篇小说中比短篇小说表现得更具有吸引力。整部作品浑然天成，在这一点上和《战争与和平》、《安娜·卡列尼娜》截然不同，《复活》的所有情节全都是围绕着全书的主题展开的，没有一点脱题。而且，和《克勒策奏鸣曲》一样，《复活》的人物描写同样淋漓尽致，极有力度。越来越清晰敏锐的观察，使他真实地揭示出了人性中的兽性——"可怕的兽性隐藏于人性中，当兽性没有被发现，而是掩藏在诗意的外表下时，则更加可怕。"那些沙龙中的谈话，其目的只是为了满足肉体的需要："通过口腔与舌头的运动来帮助消化。"犀利的人物描写，对任何人都不放过，即使是美丽的克尔恰金娜也不例外，"前突的肱骨，宽阔的大拇指甲"以及胸背半裸的样子让涅赫留多夫感到"既羞耻又厌恶，既厌恶又羞耻"。书中的女主角玛斯洛娃也没有被放过，她的堕落形象没有丝毫遮掩：早衰的外貌、猥亵俗气的言谈、风骚的微笑、浑身酒气和红肿的脸孔。全书充满粗野的自然主义细节描写，如女人蹲在马桶上聊天。诗意的想象与青春的气息完全消失了，只有对初恋的回忆才能在我们心中引起强烈的共鸣。又比如，在复活节前的星期六的晚上，解冻时的雾浓厚到"屋外五步的地方，除了一团漆黑和隐约闪现的灯火外，什么也看不见"；午夜的鸡鸣，结冰的河面上剥裂作响的声音，好像不断有玻璃杯在被打碎；一个青年人在玻璃窗外偷窥着少女喀秋莎，她正坐在桌子旁边，在幽暗的灯光下，微笑，沉思，陷入幻梦之中。

在这本书中，抒情成分很少，写法更趋于可观，与个人生活的距离也更远。托尔斯泰想努力扩大他的观察领域。他在这本书中所描写的犯罪与革命是他所不熟悉的，描写这些只是出于一种发自内心的同情，他甚至承认在没有仔细观察他们前，他对革命和革命者极度厌恶。特别令人惊佩的是，他那真切的观察无疑是一面毫无瑕疵的明镜。人物典型多么丰富，枝节描写多么确切啊！不管是卑劣还是高尚，一切都以不温不火的态度、冷静的智慧与博爱的怜悯去观察。……妇女们在牢狱里的景象，经过他的描写，显得是多么的可怕啊！她们互相之间毫无怜惜之情，但艺术家是悲天悯人的上帝，他在每个女人心中看到了隐藏在卑贱内心下的深刻苦痛，以及在无耻面具下泪水直流的脸庞。纯洁而惨白的微光，一点一点融化了玛斯洛娃那颗堕落的灵魂，最终变成一朵自我牺牲的火焰，耀眼的光芒照耀着，这光芒具有动人心魄的美，如同伦勃朗那阴暗画面上的几缕阳光。在这里，没有严厉的态度，即使对刽子手也没有。"请宽恕他们吧，上帝，因为他们不知道自己在干什么！"……最糟的是他们明知自己的所作所为，并且为之痛悔不已，但却未作出改变。书中表现出一种不可抗拒的宿命感，这宿命压迫着受苦的人和使人受苦的人：天性善良的典狱官，对狱吏生活厌恶不已，对他那身体孱弱、眼圈发黑的女儿也同样厌恶，她一天到晚都在钢琴上学习李斯特的《匈牙利狂想曲》；西伯利亚城的聪明善良的总督，在三十五岁以后便开始嗜酒，为的只是借此摆脱他想要行的善与被逼迫做的恶之间发生的无法停息的战争，可是，即使在喝醉酒的时候，他仍能做到自控与自重。这些人物中也有充满温情的人，但他们的职业却逼迫他们不得不对他人冷酷无情。

在本书的所有人物中，最缺乏客观真实性的是主人翁涅赫留多夫，这是因为托尔斯泰将自己的思想完全地寄托在他身上了。他具有《战争与和平》与《安娜·卡列尼娜》中最著名的几个人物的缺点，如安德烈亲王、皮埃尔·别祖霍夫、列文等人也具有的缺点，但他们的缺点并不严重，因为这些人物，无论在地位还是年龄上，都比较接近作者的精神状态。但是在《复活》中，作者却在主人翁三十五岁的身体中注入了一个七十岁老翁的灵魂。我并非是说涅赫留多夫的精神错乱是不真实的，也并非是说这精神错乱不能来得这样突兀，① 而是托尔斯泰所描绘的这个人物的性情秉赋和他过去的生活经历，对此没有丝毫预示或者能解释这精神错乱的原因。而且，这个病一旦发作，便无可救药了。当然，涅赫留多夫的牺牲思想一开始就混有不道德的成分，自叹自怜的泪水以及认清现实后的恐惧与憎厌，托尔斯泰对此都以深刻的笔触予以描写。可是他的决心从不曾有过动摇。以前那些尽管剧烈但毕竟短暂的精神错乱，和这一次精神危机实在没有关联。什么也阻止不了这个优柔寡断的人。这位亲王富有且颇受别人的尊重，他很在意社会舆论对他的评价。在他决定要娶一位爱他而他也并不讨厌的女子时，他突然决定放弃一切，包括财富、上流社会的关系、地位，而去娶一个妓女，为的只是为过去的一个错误赎罪，他的这种精神狂乱持续了数月之久，不管经受什么磨难，甚至听到他希望娶的妻子要继续她的淫荡生活时，他也毫不气馁。② 在这里，完全可以用陀思妥耶夫斯基的心理分析法，从主人公晦暗的意识深处找出这种精神错乱的根源。不过，涅赫留多夫与陀思妥耶夫斯基笔下的人物毫无相通之处。涅赫留多夫是典型的普通人物，平庸而身体健康，是托尔斯泰惯于描写的人物。实际上，我们已经明确意识到，一个讲求现实的人与另一个人的精神错乱相并立着，这另一个人自然就是老年的托尔斯泰。

本书的结局同样给人以双元并立的感觉，而在严格写实的第

---

① 在这里，托尔斯泰可能是想起了他的弟弟德米特里，他娶了一个玛斯洛娃般的女人。不过，德米特里的暴烈而失衡的性格和涅赫留多夫有很大的不同。

② 当涅赫留多夫得知玛斯洛娃还在和一个男护士通奸时，他更是下定决心要"牺牲自己的自由来为这个女人的赎罪"。

三部分中更杂有不必要的福音书式的结论。这并不是托尔斯泰第一次将宗教思想与现实主义混合在一起，但在以前的作品中，这两者混合得比较圆满。而在这部作品里，它们共存但并没有真正混合在一起。这是因为托尔斯泰的信仰愈来愈脱离实证，而他的现实主义风格却日渐尖锐和猛烈。这是因为衰老而非疲倦的缘故。宗教的结论并不是作品在结构上自然发展的结果，我深信，在托尔斯泰的心灵深处，他的艺术家真理与信仰者真理并没有达到完满的混合，尽管他自己很肯定。

虽然《复活》没有他早期作品那么和谐与丰满，虽然我个人更偏爱于《战争与和平》，但它仍不失为歌颂人类情感最美的和最真实的诗篇。在这本书中，我也许比在他别的任何作品中更能清楚地看到他那双智慧的双眼，那淡灰色的、锐利的、"深入灵魂的目光"，他能在每一颗灵魂中都看到上帝的存在。

托尔斯泰从没有舍弃艺术。一个伟大的艺术家，即便他愿意，也无法舍弃他自己生存的理由。出于宗教目的，他可以不发表作品，但他却不能不写作。托尔斯泰从没有中止过他的艺术创作。保尔·布瓦耶在托尔斯泰晚年的时候曾去亚斯纳亚·波利亚纳拜访他，之后保尔·布瓦耶说：他一面埋首于宣道或笔战的事业，一面也进行艺术创作。两者交替进行，互相作为调剂。在完成了关于社会的论著后《告统治者书》、《告被统治者书》后，他便继续心安理得地写那些他心中想象的美丽故事，比如《哈吉·穆拉特》这部军队的史诗，它歌颂的是高加索战争中的一段插曲以及山民抵抗沙皇统治的战斗。艺术依然是他的娱乐，是他放松心情的工具，但他认为把艺术当做炫耀的资本那就是虚荣了。在他编写的一本《每日必读文选》中，他收集了作家们对人生与真理的看法，这可以说是一部真正的关于世界观的文选，从东方圣书到现代艺术家，无不包罗其中。除了这本书，他从

1900 年起写的几乎所有作品都是手写稿。①

　　托尔斯泰大胆地、狂热地发表他关于社会大论战的具有神秘色彩的攻击性作品。在 1900 年至 1910 年间，对这种社会大论战的投入几乎消耗了他的所有精力。当时的俄罗斯正处于空前的危机中，沙皇帝国的基础摇摇欲坠，几乎到了分崩离析的程度。日俄战争战败后的巨大损失，革命引起的大骚乱，海陆军的叛变，大屠杀，农民暴动，这一切好像是"世纪末日"的征兆——托尔斯泰的一部著作就曾用过这个标题。这次大危机在 1904 到 1905 年间达到了顶峰。在那段时间，托尔斯泰发表了一系列引起巨大反响的著作，如《战争与革命》、《大罪恶》和《世纪末日》。在最后的十年里，他不仅在俄罗斯占据着独一无二的地位，在世界范围内也是如此。他单打独斗，不加入任何党派，不倾向任何国家，脱离了把他开除教籍的教会。他那理性的逻辑和偏执的信仰逼得自己"只能选择离开所有人或者离开真理"。他想起俄罗斯的一句谚语："说谎的老人相当于偷窃的富人"，于是，他选择离开所有人而去宣扬真理。这位与谎言势不两立的老人继续勇敢地抨击一切宗教和社会迷信，还有那些被盲目崇拜的偶像，而不只是攻击古代的暴政、残害异己的教会与皇室权贵。不过，当人们现在都在向他攻击的对象扔石头的时候，他的攻击反而会减弱下来。这是因为当人们认清他们后，他们就不会有之前

名
人
传

----

　　① 　这些作品直到托尔斯泰死后才相继出版，因为书目很长，这里仅举其中最重要的几部：《库兹米奇老人的遗作——日记》、《谢尔盖神父》、《哈吉·穆拉特》、《魔鬼》、《活尸》（十二场剧）、《伪票》、《疯子日记》、《黑暗中的光明》（五幕剧）、《一切美德都来源于她》（通俗小剧）等，还有一些美丽的短篇小说：《舞会后》、《梦中所见》、《科丁卡》等等。但最主要的作品还是他的《日记》。这些日记涵盖了他人生中四十多年的时间，从高加索时起直到他逝世时止，这些日记是一个伟人所写的最真实的忏悔录。

那么可怕了！而且，他认为，沙皇政权与教会毕竟也有自身的职责。在写给沙皇尼古拉二世的信中，他对这位皇帝毫无恭顺之意，但字里字外却包含人与人之间的温情，他称沙皇为"亲爱的兄弟"，请求沙皇原谅自己，如果自己在无意中伤害了沙皇"，署名为："祝你得到真正幸福的兄弟"。

托尔斯泰最无法原谅并坚决予以抨击的，是那些新出现的谎言，而不是已经被揭露的旧的谎言。他痛恨的并非是专制统治，而是虚构的对自由的幻象。人们弄不清，在新偶像的信徒中，托尔斯泰最恨的是社会主义者还是"自由党人"。

他对自由党人的反感由来已久。作为参加过塞瓦斯托波尔战役的军官，当他处在圣彼得堡的文人圈子中时，就已经产生了这种反感。这也是导致他和屠格涅夫不和的一个主要原因。这个高傲的贵族与出身世家的人，并不支持那些知识分子和他们的自由梦想，那些知识分子宣称，不管是出于自愿还是逼迫，只要人们接受了他们的理想，国家就会获得真正的幸福。这个俄罗斯人血统古老，对于自由党人的新理论，也就是那些来自于西方的立宪思想，他向来都是持以轻蔑的态度，而两次欧洲之旅更加深了他的这种偏见。在第一次旅欧回来后，他就曾写道："要小心自由主义的野心。"（1857 年）

第二次旅欧归来后，他认为"特权社会"，没有任何权利以它的方式教育那些它所不了解的民众。

在《安娜·卡列尼娜》中，他淋漓尽致地表达了对自由党人的轻蔑。列文拒绝参加民众教育与新政改革。外省士绅的选举大会揭示出这只是一些充满欺骗的交易，这种交易使一个地方从旧的保守行政转换到新的自由行政，骨子里什么都没有变，只不过是多了一桩谎言罢了，这谎言既不值得原谅，也无法在几个世纪后得到认可。

"我们或许不怎么样，"这位旧制度的代表者说，"但我们的存在已经延续了长达一千多年的时间。"

　　对自由党人滥用"民众，民众的意志……"，托尔斯泰感到十分气愤。唉！关于民众，他们有知道些什么呢？他们甚至连民众是什么也搞不清楚！

　　特别是在自由主义接近成功，打算召开第一次国会的时候，托尔斯泰对君主立宪思想发表了强烈的反对意见。

　　近期，对基督教义的歪曲导致了一种新的骗局的诞生，它使我们的民众更加陷于被奴役的地位，并更加强化了民众的奴性。它用一种繁杂的议会选举制度，使我们的民众相信，通过直接选出代表他们的人，他们就参与了政权，而服从这些代表，就是服从自己的意志，简单地说，他们是自由的。事实上，这只是一种骗局。民众无法表达他们的意志，即使是在普选的情况也不可能。这是因为：其一，在拥有数百万人口的国家中，这样的集体意志是不存在的；其二，即便这种集体意志存在，大多数的选举票也不会是这种意志的表达。更不必说当选人的立法与行政很多时候并不是为了公众的福利，而只是为自己赚取利益。也不必说民众的堕落往往正是因为这种选举的腐败与堕落。这种选举制度的欺骗特别有害，因为服从这种选举制度会让人坠入一种沾沾自得的奴性状态……这些自由人和那些囚犯没有什么区别，囚犯也因为可以选举管理监狱事务的狱吏而甘愿接受囚禁……专制国家的人民可以是完全自由的，即使是遭受最残酷的暴力压迫。但立宪国家的人民却永远是奴隶，因为他无形中承认了对他实施暴力是合法的……看吧！现在竟有人想要驱使俄罗斯民众陷入和其他的欧洲民众一样的奴隶状态！

他看不起自由主义。假如他不禁止自己憎恨一切，那他可能会更加痛恨社会主义。他尤其厌恶社会主义，认为它集两种谎言于一身，即自由的谎言与科学的谎言。难道它不是宣称自己是建立在某种经济学之上，以科学的法则支配着世界的进步吗？

托尔斯泰对于科学的态度是非常苛刻的。他曾连篇累牍地写下对这一现代迷信的嘲讽：

> 这些没有任何价值的问题：物种起源、光谱研究、镭的发现、数目理论、动物化石和其他一切无用的论辩，现在的人们重视这些问题，和中世纪人重视圣母怀胎或物质双重性一样，这些科学的奴仆，和教会的奴仆没有什么区别，他们自信并令人相信他们是在拯救人类，相信他们永远是正确的。但即使他们彼此信任，也永远无法达成一致，也会分成许多小派，就像教会那样，变成卑劣无德的根源，且使痛苦的人类无法早日摆脱痛苦，因为他们抛弃了唯一能使人类团结的东西：宗教意识。

当托尔斯泰看到这新的热狂而危险的武器落在一些自称可以使人类获得新生的人的手中时，他心中产生了深深的不安，愤怒之情也随之加剧了。每个采取暴力手段的革命者，都让他感到厌恶。对那些革命知识分子和理论家，他则充满厌恶之情，说他们是害人的腐儒，骄傲而呆板的灵魂，说他们不爱人类而只爱自己。①

---

① 《复活》中有这类人物的典型，如革命的煽动者诺沃德沃罗夫，这个人极度虚荣与自私，缺乏想象力，善恶不分，所以从不怀疑。还有跟随在他后面的革命家马尔克尔，他是一个因为受人压迫而心存报复的工人，他盲目地崇拜科学、反对宗教。

他们的思想在他看来也是低级的思想。

社会主义的目的是满足人类最低级的需求，也就是物质财富。而且，即便是这个目的，以他们鼓吹的方法也无法达到。

说到底，他们是没有爱的，有的只是对压迫者的痛恨和"对富人们的安定而甜蜜的生活的羡慕，他们就像飞舞在秽物周围的苍蝇，只想吃饱肚子"。假如社会主义最终获得胜利，世界的景象将变得极为可怕。欧洲的那群强盗将以更加猛烈的力量去欺负弱小的民众与国家，使欧洲的无产者像古罗马人一样过上舒适、安逸地生活。

幸而，社会主义者将最精华的力量都用在了夸夸其谈的演说中了，若赖斯的演说就是最好的一个例子：

多么了不起的雄辩家啊！他的演说无奇不有，却又什么也没有……社会主义有些像我们俄罗斯的正教：你攻击它，将它逼得无路可走，以为打败它了，可它却突然转过身来对你说："不是的！我并非如你所言，我是另外一回事。"就这样，它把你玩弄于股掌之间……耐心点吧！让时间来辨别一切。社会主义理论就像妇人的时装那样，很快便会从客厅撤到地下室的。

但是，托尔斯泰尽管向自由党人和社会主义者宣战，可目的却绝不是为了保护贵族阶级的利益。正好相反，是为了在军队中消除一切捣乱与危险分子后，让新旧两个世界展开最全面最彻底的战斗。这是因为，他内心也是相信革命的。但他对革命的理解和一般革命家有所不同，就像中世纪神秘主义的信徒，他期待的是圣灵统治的未来：

我相信，就在这个确定的时刻，在基督教世界内酝酿了两千年的大革命已经开始，这革命将消灭已经腐朽残破的基督教义及其衍生的统治制度，代之以真正的基督教义，这教义将是人类真正的平等与自由的基础，是一切赋有理智的生灵所渴望的平等与自由。

这位可以预见未来的先知选择在什么时间来宣告幸福与爱的新时代呢？是俄罗斯最黑暗的时刻，在遭受灾难与耻辱的时刻。啊！那具有创造力的信心能发挥出多么美妙的能量啊！它周围一片光明，黑夜也无法遮挡这种光明。托尔斯泰在死亡中窥见新生的兆示，在日俄战争的灾难中，在俄国军队的溃败中，在可怕的无政府状态与流血的阶级斗争中，他窥见了新生的兆示。他的美妙逻辑使他在日本的胜利中获得一个奇怪的结论，即俄罗斯应该拒绝一切战争，因为非基督徒的民众在战争中往往比“曾经经历奴仆服从阶段”的基督徒民众更有优势。那是不是他的民族就应该退让呢？不是的，这是至高无上的骄傲。俄罗斯应该拒绝一切战争，因为他将要完成“大革命”。看吧，这位亚斯纳亚·波利亚纳的宣道者，反对暴力的代表，于不自觉中预言了共产主义革命的到来！①

1905 年的革命，是会把人类从压迫中解放出来的革命，这革命应该从俄罗斯开始。事实也是这样，它先从俄罗斯开始了。

_____

① 从 1865 年开始，托尔斯泰已经对未来社会的大混乱有了预言："产业就是窃贼，这是真理，只要世界上有人类存在，这一点就将比英国宪法更为准确……俄国的革命将不是反对帝王、反对专制的革命，而是反对土地私有的革命。"

那么，为什么扮演这上帝选民角色的会是俄罗斯呢？这是因为大革命首先要补救的是"大罪恶"，什么是大罪恶呢？就是少数富人独占土地，数百万人过着最残忍的奴隶生活。在这方面，还没有一个民族的感受能比得上俄罗斯民族。

尤其是因为俄罗斯民族是所有民族中最能体会基督教义的民族，而即将爆发的革命必然是以基督的名义，实现团结与博爱的法则。可是，假如不是依据不抵抗的原则，这法则就一定无法实现，而不抵抗一向是俄罗斯民族的一个基本性格。

和欧洲国家对待政府的态度不同，俄罗斯人从来不与政府争斗，也从来不愿主动参政，所以没有被政治玷污。俄罗斯人认为参政是应当避免的一桩坏事。有这么一个古老的传说，讲的是俄罗斯人祈求瓦兰人来统治他们。绝大多数的俄罗斯人向来宁愿忍受暴力行为，也不愿反抗和参加暴力。可以说，他们始终都是屈服的一类……

自愿的屈服和奴隶般的逼迫服从是截然不同的。

真正的基督徒能够做到自愿屈服，无抵抗地屈服于暴力，但他不能够接受，或者说不能承认暴力的合法。

在托尔斯泰写下这几行字的时候，他正因目睹一个民族做出无抵抗主义英雄榜样而激动不已，这就是 1905 年 1 月 22 日的圣彼得堡流血示威运动，一群手无寸铁的民众在教士加蓬的领导下，任警察开枪镇压，没有发出一声仇恨的呼喊，没有一个做出自卫的行为。

很长一段时间以来，俄罗斯的那些以托尔斯泰为代表的老信徒，尽管不断受到迫害，但还是顽强地对这个国家的政府进行着和平的抵抗，他们拒绝承认政府的合法性。在日俄战争以后，这种老信徒的思想迅速蔓延到了乡间的民众中。拒绝服兵役的事情一天比一天多。这些民众越是受到残忍的压迫，反抗的情绪也就越高。除此之外，各省、各民族的那些不认识托尔斯泰的人，也开始对政府实行绝对和平的抵抗。从 1898 年开始，高加索的杜霍博尔人，1905 年左右的格鲁吉亚人，都是如此。托尔斯泰对于这些运动的影响远没有这些运动对于他的影响大；而他的作品的意义，恰恰与以高尔基为代表的革命作家相反，他喊出的是旧俄罗斯民族的呼声。①

他对于那些冒着生命危险去实行他的主张的人，保持着十分谦虚和庄重的态度。对于杜霍博尔人、格鲁吉亚人和逃避兵役的人，他没有丝毫教训的意思。

凡是没有接受过任何考验的人，都没有资格教训那些正在接受考验的人。

他恳求"所有被他的言论与文字所伤害的人"宽恕自己。他向来不鼓动别人拒服兵役。这是每个人自己可以决定的事。不过，假如他是在和一个犹豫不决的人交谈，"他就老是劝人家接受兵役，只要不是思想上有问题就最好不要拒绝"。因为，对于服不服兵役犹豫不决，就证明这个人还不够成熟，而"多一个军

① 在托尔斯泰指责了各省议会的骚乱后，高尔基对他的行为极为不满，高尔基写道："这个人已经成为他的思想的奴隶了。很长时间以来，他都孤立于俄罗斯的现实生活之外，根本听不见民众的呼声。他飞得实在是太高了，早已远离了俄罗斯。"

人说到底总比多一个伪善者或叛徒要好一些，伪善与背叛是不自量力的人很容易陷入的境地"。

他写信给杜霍博尔人，教他们不要因为骄傲和自尊而坚持他们的反抗，但是"假如有可能的话，应该将他们的妻儿从苦难中拯救出来。绝对没有人会因此而责备他们"。他们只"应该在基督精神降临在他们心中时才坚持，因为只有这样，他们才会在痛苦中感受到幸福"。在一般情况中，他总是恳求那些受压迫的人，"不管怎样都不要割断和压迫他们的人的感情"。即使是对最残忍的古代的希律王也要去爱，就像他在一封致友人信中所说的：

你说："人们不应该爱希律王。"我不懂，但我感到，你也一样感到，我们应该爱希律王。我知道，你也一样知道，如果我不爱他，我就会痛苦，我就会失去灵魂。

这种爱纯洁而热烈，连福音书上的"爱你的邻人像爱你自己一样"那句名言也无法使他感到满足了，因为这句话事实上还是自私的变相！①

如今最大的罪业，是人类那种抽象的爱，对一个离得很远的人的那种泛泛的爱……爱我们所不认识也永远遇不上的人，那实在是太容易不过的事了！我们根本不用牺牲什么，同时还可以做到自我满足！这简直是自欺欺人。所以，应该爱你的邻人，爱那些和你一起生活而对你有所影响的人。

———————————

① 他努力证明原文的意思被歪曲了，"十诫"中的第二条的准确意思应该是"爱你的邻人像爱上帝一样"，而不是像爱自己一样。

大部分研究托尔斯泰的著作我都读过，很多人说他的哲学和信仰并不是他的首创，的确如此，但这些美妙的思想有着永恒的价值，不是目前流行的那些东西可以比拟的……还有人说他的哲学和信仰带有乌托邦式的理想色彩。这也说得很对，它们的确是乌托邦式的，就像福音书中所说的那样。一个先知往往也是一个理想主义者，他在尘世时就已经开始幻想永恒的生活了。既然我们发现了这最后一位先知就在我们之中，既然艺术家中最伟大的一位头上已经带有了耀眼光环，我觉得，这个事实对世界来说，比多一个宗教或多一派哲学更为特殊，也更为重要。假如有人看不见这伟大灵魂所创造的奇迹，那么，他肯定是一个瞎子。在这个满目疮痍的世界，他就是人类无边博爱的代言者！

　　他的容貌有了固定的特点，而这特点将使他的容貌永远为人类所铭记：宽广的额头上划着两道微微弯曲的皱痕，白色的眉毛十分浓厚，一副长者特有的长须，很容易让人想起第戎城中的摩西像。苍老的面容温和而平静，残留着病痛、忧苦和无边慈爱的痕迹。从二十岁时的狂野豪放，塞瓦斯托波尔从军时的严肃呆板，到了现在，他的变化是多么的大啊！明亮的眼神始终保持着锐利而逼人的光芒，看上去十分坦白和直率，没有丝毫城府，但却能做到洞察世事、明察秋毫。

　　在写给神圣宗教会议的回信中，托尔斯泰写道：

　　我的信仰让我生活在平静与欢乐之中，并使我在平静与欢乐之中走向生命的终点。

　　在看到这两句话时，我不由得想起古代的一句谚语："在一个人未死之前绝对不能称他为幸福的人。"

　　但是，他所引以自豪的平静与欢乐，是否能永远忠实地伴随他呢？

1905 年"大革命"带来的希望破灭了。在黑暗中期待着的光明并没有如期而来。革命造成的动荡过去之后，接着就是精力的衰竭。之前种种不公平的现象丝毫没有改变，民众的生活更加悲惨了。1906 年时，托尔斯泰对俄罗斯斯拉夫民族所肩负的历史使命已经产生了疑心。他坚强地向远方搜寻别的有能力肩负这个使命的民族。他想到了"伟大的充满智慧的中国人"。他认为"西方民族已经失去且无法挽回的自由，将由东方民族去重新找回"。他认为，中国将领导着亚洲，沿着"道可道，非常道"的哲学道路去完成人类的转变大业。

但他的想法很快就破灭了：信奉老子和孔子的中国和之前的日本一样，否定了古老的智慧，却模仿起如今的欧洲来。

被迫害的杜霍博尔人移民到了加拿大，在那里，他们很快占据了大量土地，并恢复了私有制，这使托尔斯泰十分不满；格鲁吉亚人刚刚脱离桎梏，便开始攻击和他们意见不同的人；被召唤而来的俄国军队，把一切都给镇压了。甚至那些犹太人，尽管"他们的国家到现在还是圣经中最理想最美的国家"，但也无法逃避虚伪的复国主义运动，"这是现代欧洲的畸形产物"。

托尔斯泰对此虽然感到悲哀，但并没有绝望。他相信上帝，相信未来。后来的事实证明他是对的。在他逝世前数月，在亚洲的极端，甘地的救世音传到了。

假如人们能够在一瞬间使一片森林成长起来，那就完满之至。但不幸的是，这根本不可能，必须要等待种子发芽、成长、生出绿叶，直到最后长成一棵大树。

一片森林的长成必须要有许多树，可托尔斯泰只是孤身一人。他伟大，誉满全世界，但却始终势单力薄。世界各地都有人慕名给他写信：伊斯兰国家，中国，日本……人们翻译《复活》，他的关于"还田于民"的思想在这些国家中广泛流传。美国的记者访问他，法国人征询他对艺术和政教分离的看法。可是，他的信徒加起来连三百都不到，他自己也清楚这一点。而且他并不刻意去赢得信徒，甚至还拒绝了朋友们组织"托尔斯泰派"的行动。

不要相互迎合，而应该都去皈依上帝……你说："只要能团结，一切就会变得容易"……什么？——一起种地，割草，这没问题。不过要接近上帝，人们却只能独自前行……我眼中的世界，就像一座庞大的教堂，光明从高处射下来。为了联合在一起，大家就应该都走向光明。在那辉映着光明的天上，我们从各个方向来的人将不期而遇：欢乐也就在那里。

那么，在那辉映着光明的天上，到底会有多少人聚在一起呢？——不要紧，只要和上帝在一起便足够了。

只有燃烧的物质才能将别的物质点燃，同样的，只有一个人真正地满怀信仰地生活，方能感染他人并将真理宣扬开来。

或许如此。但这孤独的信仰到底能在多大程度上保障托尔斯泰的幸福呢？直到他生命最后的几年，他都无法达到歌德所推崇的那种平静宁和。可以说他是在躲避这种平静宁和，甚至对其充满反感。

之所以能做到不自满首先应该感谢上帝。但愿能够永远如此！生命和理想的矛盾正是生命的标志，是从渺小到伟大、从恶到善的上升式的运动。而这矛盾是达到善的必要条件。当一个人自满自足的时候，恶就随之而来。

于是，他开始考虑这类小说的题材，这足以证明他笔下的列文或皮埃尔·别祖霍夫的烦恼在他的心中依然存在：

> 我经常设想，一个在革命氛围中长大的人，最开始是革命党，接着是平民主义者，然后依次是社会主义者、东正教徒、阿多斯山上的僧侣，再往后又成为无神论者、家庭中的好父亲，最后成为高加索的杜霍博尔人。他做出种种尝试，又将其一一放弃，大家都嘲笑他。他一事无成，最后在一个收容所中默默地死去。临死的时候，他想他的人生虚度了。可事实上，他是一个圣者。

满怀信心的他，心中还会有什么怀疑吗？——没人知道答案。对一个身心健康的老年人来说，生命是不会停留在思想的某一点上的，它还必须继续前进。"动，方能生。"

在他人生的最后几年，他对很多事物的看法发生了改变。那么，他对革命党人的看法有没有改变呢？对于无抵抗主义的信心有没有动摇呢？在《复活》中，涅赫留多夫和政治犯们的交往证明他对俄国革命党的看法已经有所改变了。

直到那之前，他一直反对革命党，他们残忍、邪恶、犯罪、自满、虚荣。但当他接近他们仔细观察时，当他看到当局如何对待他们时，他明白了，他们是不得已而为之。

他赞扬他们高度的责任感和无私奉献的精神。

从1900年起，革命的洪流迅速蔓延，从知识分子起，它逐渐鼓动起庞大的民众，震撼着众多不幸者的心灵。这支充满威胁的革命军队的前锋，从亚斯纳亚·波利亚纳的托尔斯泰住所的窗下列队而过。《法兰西信使报》刊载了托尔斯泰晚年所发表的三部短篇，从这三部作品中可以大致窥见这个情景在托尔斯泰的精神上引起了多么大的震动，给他带来多么大的痛苦和恐慌。在以前的乡下图拉，走过的往往是一队队质朴虔敬的进香者，而如今，却是成群结队的饥饿的流浪者。他们每天都会涌过。托尔斯泰和他们谈过话，他惊恐地发现这些人胸中充满了仇恨。他们不再像从前那样，把富人当做"以施舍求得灵魂得以拯救的人，而是当做喝着劳动人民的鲜血的强盗和暴徒"。在这些人之中，有不少是接受过高等教育的、破产的和陷入绝境的人，他们选择铤而走险。

名人传

未来对现代文明做出如匈奴与汪达尔族在古代文明所做的破坏的野蛮人，并不是从沙漠与森林中走出的，而是在城市近旁的村落与大路上产生的。

亨利·乔治曾经这么说过。托尔斯泰对其加以补充说：

在俄罗斯，汪达尔人已经准备好了。在我们富于宗教情绪的民众中，他们显得尤其可怕，因为他们不知道什么是极限，这与欧洲的情况不同，它们的舆论与法律已经发展得十分发达和成熟了。

有很多革命党人经常给托尔斯泰写信，抗议他的无抵抗理论，他们认为，对于一切统治者与富人给民众带来的迫害，只能这样回应："复仇！复仇！复仇！"托尔斯泰有没有再指责他们呢？我们不得而知。不过，几天后，当他看见村庄中的穷人因为财物被抢劫而哀哭，但当局却不管不顾时，他不由自主地对那些冷酷的官吏发起愤怒的反抗声，攻击那些刽子手，攻击"那些官僚和他们的爪牙，这些人或者贩酒谋利，或者放纵屠杀，或者判罚他人流刑、下狱、苦役或被绞死，这些家伙一致认为从穷人的家里没收的牛羊布匹等财物，更适宜用来蒸馏毒害民众的酒精、制造杀人的武器、建造囚禁人的监狱和让人接受苦役的工厂，特别是用来犒赏他们的爪牙和平衡他们之间的分赃"。

这真让人痛心，当一个人一生都在期待爱的世界必将到来时，却只能在可怕的景象面前紧闭双眼，惶惑不安。更让人痛心的是，当一个人拥有托尔斯泰般的良知时，却只能承认自己的生活和自己的理想并不相合。

在这里，我们触及到了他最后几年的最大痛处（是不是应该说是他的最后三十年呢？），我们只应该用虔诚的手轻轻地抚摩这痛处，因为这痛处是托尔斯泰极力掩盖的秘密，它不仅属于已经亡故的人，也属于其他的生者、他所爱的和爱他的人们。

他从始至终都未能将他的信心传染给他最亲爱的人，包括他的妻子和儿女。我们已经看到，他忠实的伴侣勇敢地分担起他在生活与艺术上的重担，但对他放弃艺术信仰而去选择一个她不了解的道德信仰，她感到十分痛苦。另一方面，托尔斯泰也感到极为痛苦，因为最爱的妻子不理解他。

我整个身心都感受到下面几句话所说出的真理：夫妻不是两个分离的个体，而是合二为一的整体。我真诚地希望把能使我超脱人生苦恼的宗教意识传递一部分给我的妻子。我希望这传递不是由我而是由上帝来做，虽然这种宗教意识往往难以被女人所接受。

但是，他的这个愿望并没有实现。托尔斯泰夫人爱这位"和她结合的"伟大人物，爱他灵魂的仁慈，爱他心地的纯洁，爱他的英雄气质。她看到"他走在人类的前面，并指出人类应该走的道路"。当神圣宗教会议将他驱逐出教会时，她勇敢地为他辩护，并宣称她将分担丈夫所遇到的各种危险。但是，她无法勉强自己去相信那些她不愿相信的东西。而托尔斯泰又是那么地真诚，他决不愿意强迫她相信，因为比起完全的不信仰与不爱，他更加痛恨虚伪的信仰与爱。所以，他怎么会去强迫妻子改变自己的想法，怎么会去牺牲妻子和孩子们的前程呢？

比起妻子，他与孩子们之间的龃龉似乎更深。勒鲁瓦·博利厄曾去过亚斯纳亚·波利亚纳的托尔斯泰家，他说"在吃饭的时候，父亲一说话，几个儿子便表现出不耐烦与不信任的样子"。他的信仰只稍微地感染了他的三个女儿，其中他最爱的玛丽亚已经死了。在家庭中，他的精神总是被孤立的。理解他的"只有小女儿和他的医生"。

他为了这种思想上的距离而痛苦，为了不得不敷衍世俗的交际活动而苦恼，世界各地都有人不时地来拜访他，那些轻浮的、追求时尚的美国人让他烦不胜烦。另外，"奢侈"的家庭生活也让他苦恼。而事实上，这奢侈的程度是非常低的，根据去过他家的人所说，他家里的家具很简单，卧室也很小，只放有一张铁床，四壁空无一物！但即使这种舒适却让他痛苦，让他耿耿于怀。他在《法兰西信使报》发表的第二个短篇，就将他周围的惨状和他在自己家中的享受作了对比。

1903年时，他曾这样写道：

我的活动，无论对于某些人是多么的有益，其意义也已经衰失了一大半，因为我的生活与我所主张的原则并不完全相合。

真的不能实现生活与所主张原则的一致吗？既然无法强迫家族脱离上层社会，那他自己为什么不能脱离家族和家族的生活呢？这样不就可以使那些说他虚伪、言行不一的敌人们无法攻击他了吗？

他早就有过这样的想法，并曾为之下定过决心。前不久，有人找到并公布了 1897 年 6 月 8 日他写给妻子的一封信，再没有比这封信更能披露他充满爱心和苦痛的灵魂的东西了，所以，我在这里予以全文摘录：

　　亲爱的索菲亚，长时间以来，我都在为我的生活无法与我的信仰相一致而烦恼。我不可以强迫你改变自己的生活与习惯。而到现在为止，我也无法离开你，因为我怕在我离开之后，我将失去对孩子们的影响，即使这影响非常之小，此外，假如我这样做的话，必然会给你们带来痛苦。但我又没办法继续过这十六年来的生活，① 有时因为斗气惹你们不快，有时屈从于已经习惯的诱惑和影响，让自己的内心陷于痛苦。我现在下定决心要实行我心中筹划已久的计划，那就是出走，像印度人那样，在六十岁的时候选择去森林中去隐居，和那些信仰虔诚的老人一样，将自己的余生奉献给上帝，而不是浪费在开玩笑、玩闹嬉戏、打网球之类的事情上。在这七十岁左右的年龄，我总想用尽全力去获得平静与孤独，即便我的生活无法与信仰完全一致，但至少不能有太大的差别。假如我公开宣布要走的话，你们一定不会放我走，在一番争论后，我又会退让，或许以后就再也无法将决心转化为行动了。所以，假如我的行动让你们痛苦的话，我请求你们的宽恕。特别是你，索菲亚，求求你，让我走吧，不要找我，不要恨我，也不要责备我。我选择离开你并不代表我对你有什么不满……我

---

　　① 这种痛苦从 1881 年，也就是托尔斯泰在莫斯科度过的那个冬天时就已经开始，也就是在那时托尔斯泰第一次发现了社会的各种惨状。

301

知道你无法像我这样思考与观察，所以你也就无法改变你的生活和习惯，无法为你不承认的东西做出牺牲。因此我一点也不怪你。相反，对我们三十五年来的共同生活我是满怀着爱与感激的，特别是这段时间的前半期，你用母性中的勇敢与忠诚，毅然担负起了你所承担的使命。你把自己能够给予的东西全都给予了我、给予了这个世界。你付出全部母爱，作出了最大的牺牲……可是，在这段时间的后半期，也就是最近的十五年以来，我们分道扬镳了。我并不认为这是我的错，我知道我改变了，但这既不是为了自己，也不是为了别人，而是不得不有此改变。我不能责备你不愿意和我一样，我对你只有感谢，而且将永远怀着真挚的爱来回忆你对我的那些赐予和奉献。——别了，我最亲爱的索菲亚。我会一直爱你。

"我选择离开你……"但事实上他并没有离开她。——这只是一封可怜的信！信一写完，他的决心似乎就已经完成了，他下决心的力量也似乎已经用尽了。——"假如我公开宣布要走的话，你们一定不会放我走，在一番争论后，我又会退让……"可他根本不需什么"争论"，没多久，当他看到他要离开的人们时，他便觉得他不能离开他们了。他将放在衣袋里的信藏进了一件家具里，信封上注着：

在我死后，请将此信交给我的妻子索菲亚·安德烈耶芙娜。
他的这次出走计划就这样结束了。

这是因为他只有这一点勇气和力量吗？是因为他不能为了上帝而牺牲感情吗？——的确，在基督教的名人录中，有心如磐石的圣人，他们会毫不犹豫地摈弃他们与别人之间的感情……可是，有什么办法呢？他绝对不是这样的人。他懦弱。他是凡人。

名人传

不过正因为如此，我们才更爱他。

十五年前，在极度悲痛的一页文字中，他自问：

啊！列夫·托尔斯泰，你能否按照你所宣扬的原则去生活呢？

接着，他痛苦地自答道：

我羞愤欲死，我是罪人，我应该被鄙视。……但是，请把我过去的生活和现在的比较一下吧。这样你就会看清楚，我是在按上帝的法则生活。我做到的连我应该做的千分之一都不到，我为此感到羞愧不已，但我之所以没有做到我应该做到的，并不是因为我不愿意做，而是因为我实在做不到……指责我吧，但请不要指责我所走的路。假如我认识去我家的道路，但却像醉鬼一样跟跟跄跄地走着，那么，是不是说这条路就是错的呢？要么请你给我另指一条明路，要么就请支持我走这条遵循真理的路，就像我支持你走你的路。可是请不要冷落我，不要对我的失败幸灾乐祸，不要大声叫喊："看啊！他说他要走回家里，可现在却坠入泥潭中去了！"不，请不要幸灾乐祸，请帮帮我，支持我！帮帮我吧！我们大家的方向都迷失了，我的心陷入绝望之中。当我用尽全力想要从泥潭中自拔时，你对我的错误非但没有任何同情，反而兴高采烈地指着我大喊："瞧！他和我们一样，也掉进泥潭里了！"

在快要死去的时候，他又这样说：

我并不是圣人，我从不这样自以为是。我只是一个普通人，有时，我并没有完全说出自己的思想和感受，这并不是因为不愿，而是因为不能，因为我时常夸大或犹豫，所以我的行动力就更弱了。我是一个十分懦弱的人，有很多恶习，想要侍奉真理之神，但却始终无法彻底做到。假如人们把我当做一个不会犯错的人，那么，我的每一个错误都会像是一个谎言或一种虚伪的行为。但是，假如人们将我当做一个懦弱的人，那么，我的真实面目就会完全显露出来：一个可怜但真诚的人，他一直想要完完全全地成为一个好人，成为上帝的一个忠实仆人。

名人传

就这样，他被信仰与生活的矛盾所折磨，被比他坚毅的但却缺少人情味的信徒们的无声的指责所折磨，为自己的怯弱和优柔寡断而痛心，在爱家人与爱上帝之间摇摆不定，直到有一天，一时的绝望，或者可能是临死前的执念，使他终于离开了家，在路上，他一面奔逃，一面彷徨，去叩每一所修道院的大门，之后再重新踏上征程，终于，在一个无名小镇中，他病倒了，而且再也没有站起来。① 在弥留之际，他痛哭流涕，他不是为自己而哭，而是为了世界上所有不幸的人们。他一边哭，一边对身边的人说：

---

① 1910 年 10 月 28 日清晨五点多，托尔斯泰突然离开了亚斯纳亚·波利亚纳。和他一起离开的是医生马科维茨基；被契诃夫称为"他的亲密的合作者"的他的女儿亚历山德拉知道他离开的秘密。当天晚上六点，他来到俄罗斯最著名的修道院奥普塔修道院，在这里他写了一篇关于死刑的长文。在 10 月 29 日晚上，他到了他的妹妹玛丽出家的沙莫尔金诺修道院。他和她共进晚餐，并告诉她，他想在奥普塔修道院中度过他的余年。第二天，他的女儿亚历山德拉赶来了。很明显，她应该是来通知他，他的出走已经被发现，人们已经开始寻找他了。他们立刻连夜赶路，向着克谢尔斯克车站出发，可能是要由此去往南方各省，然后再去巴尔干、布尔加列、塞尔别各地的斯拉夫民族居留地。途中，托尔斯泰在阿斯塔波沃车站病倒了，不得不在那里卧床休养。不久，他在那里去世了。

大地上有千百万生灵正在受苦，可你们大家为什么只在这里照顾一个列夫·托尔斯泰？

就这样，在 1910 年 11 月 20 日，早上六点多，"解脱"的日子终于来了，"死亡，该祝福的死亡……"终于来了。

战斗终于结束了，这场以八十二年生命作为战场的战斗终于结束了。一切生的力量，一切缺陷，一切德性，都参加了这场充满悲剧却又光荣无比的战斗。这一切缺陷并不包括谎言，他一生都在不断地攻击谎言。

最开始是醉人的自由放任，在远处电闪雷鸣的风雨之夜中互相摸索和冲撞的情感——爱情与狂乱而永恒的幻想。高加索，塞瓦斯托波尔，骚动不安的青春时代……接着，是婚后头几年中的真实的幸福。爱情、艺术和大自然的幸福，《战争与和平》的完成。天才之光，照耀着整个人类，还有对他而言已经过往的那些战斗的景象。他驾驭着这一切，是这一切的主宰，但这一切却已经无法满足他了。和安德烈亲王一样，他的目光转向了广袤无垠的天空，这片天空吸引着他：

有的人具有强而有力的翅膀，因为对俗世的留恋而停留人间，最终翅膀被折断了，例如，我就是如此。后来，他们闪动着被折断的翅膀奋力上飞，但却又坠下。翅膀一旦痊愈，我就会展翅飞翔。愿上帝助我！

这些句子是他在最惊心动魄的暴风雨时代所写的，《忏悔录》就是这个时期的记忆与心声。托尔斯泰曾多次摔倒在地，折断翅膀。可是他始终在坚持，顽强地重新起飞，用理性和信仰这两张巨大的翅膀"翱翔于无垠与深邃的天空"。可是，在那里他并没有找到他所希望得到的静谧。天空并不在我们头上而在我们心里。托尔斯泰的心中激起了情感的风波，这使他与那些舍弃俗世的教徒产生了很大的不同。他能满怀热情地面对生活，也能满怀热情地面对死亡。他拥抱生命如拥抱爱人一般。他"为了生而疯狂"，"为了生而陶醉"。没有这疯狂与陶醉，他便不能生存。①

他同时醉心于幸福与不幸、死亡与永生。他对个人生活的舍弃，仅仅是他对于永恒生活的渴盼的呼声罢了。他所盼望的平静，他所呼唤的灵魂的平静，并非是死亡的平静，而是那些在无限空间中不断燃烧的火热世界的平静。对他而言，愤怒是平静的，②而平静却是沸腾的。信仰给了他新的武器，使他对现代社会的谎言进行坚定不移地战斗，这在他早期的作品中便已开始。之后，他不再将自己局限于几个小说中的典型人物，开始向一切巨大的偶像发起攻击：宗教、国家、科学、艺术、自由主义、社会主义、平民教育、慈善事业、和平主义等。他痛骂它们，将他们攻击得体无完肤。

历史上出现过许多伟大的思想反叛者，他们如先驱者约翰般诅咒堕落的文明。其中离我们最近的一位是卢梭。他爱慕大自然，③痛恨现代社会，重视个体的独立，对于福音书与基督教

---

① "一个人只有在陶醉生命的时候才能生活。"（见《忏悔录》）"我为了人生而疯狂……这个夏天，美妙的夏天。在今年，我一直在奋斗；但自然的美将我征服了。我感受着生命的乐趣。"（见1880年7月写给费特的信）这些文字正是他为宗教而狂乱时所写的。

② "愤怒让我陶醉，我爱它，我感到它且刺激它，因为它是一种让我镇静的方法，使我至少在一定时期里，具有非常的活力、精力和热情，使我在精神和肉体上都能有所作为。"（见《涅赫留多夫亲王日记》）

③ 自然是托尔斯泰的"最好的朋友"，就像他自己所说的："至于自然，我们和它的关系是如此的密切，可以是买来的，也可以承继来，这比朋友要好很多。"（见1861年5月19日写给费特的信）

的道德极为推崇。卢梭可以说是托尔斯泰前身，托尔斯泰自己也承认这一点，说："他的文字直抵我的心灵，好像就是我写的。"①

但这两个人毕竟还是有很大的差别，比起卢梭，托尔斯泰是更纯粹的基督徒！而从卢梭这位日内瓦人的《忏悔录》中喊出的这句话语却是多么桀骜不驯：

永恒的上帝！世界上只有一个人有勇气对你说：我比你强多了！

卢梭还蔑视与挑战世人：

我无惧地向世人大喊：谁敢说我是不诚实的人，谁便该死。

但是，托尔斯泰却不同，他为自己过去的"罪恶"而伤心难过：

我感觉到自己在承受着地狱般的痛苦。我回想起自己以往全部的罪恶，这些罪恶的回忆始终伴随着我，它们毒害我的生命。通常人们都喜欢抱怨死后不能拥有回忆。但这在我看来是多么的幸福啊！如果在死后的另一个世界，我还能回忆起我在此生所犯的所有罪恶，那该是多么的痛苦啊！

他不会像卢梭那样写他的《忏悔录》，卢梭曾这样说过：

---

① 见和保尔·布瓦耶的谈话。（发表于 1901 年 8 月 28 日巴黎《时报》）

"我觉得我的善胜过了恶，所以我认为将这一切说出来对我有益。"托尔斯泰曾尝试着写《回忆录》，可最终还是放弃了。他放下了笔，他不想人们在将来读了之后嘲笑他：

> 有人会由此认识到，原来被那么推崇的人也不过如此而已！他是多么的卑怯啊！说到我们这些普通人的卑怯，却是上帝安排的。

基督教信仰中的美好而纯洁的道德观念和使托尔斯泰正直诚实的美德，是卢梭从不曾具有的。在卢梭背后，在天鹅岛的铜像周围，我们看到的是一个日内瓦的圣皮埃尔，罗马的加尔文。可是在托尔斯泰身上，我们看到的却是一个朝圣者，一个无比虔诚的教徒，这两者曾以天真的忏悔和纯洁的泪水感动过托尔斯泰的童年。

不过，有一点托尔斯泰和卢梭是相同的，那就是他和卢梭一样对世界宣战。而在最后三十年的生命里，他还进行过另一场战斗，那就是他灵魂中最高的两种力量的肉搏，即真理与爱的战斗。

真理是他最早的信仰，是他在艺术上的王后。

> 真理是我作品中的女英雄，在有生之年我将用整个灵魂的力量去爱它，过去、现在、将来，永远都是最美的，这就是真理。

在他的兄弟死后，真理是一切都毁灭后唯一残存的东西。真理，是他生命的中枢，是大海中的礁石。

……但不久之后，"残酷的真理"便无法再满足他。爱抢占了真理的地位。爱是他童年的生命泉源，"他的灵魂的自然境

308

界"。①1880年，在他的精神发生错乱时，他并没有舍弃真理，而是把真理导向爱的境界。②

爱是"力量的基础"，是"生存的意义，唯一的意义，当然，美也是"。爱是被生活磨炼成熟后的《战争与和平》以及《答神圣宗教会议书》的作者托尔斯泰的生命真谛。

爱渗透于真理这一点，是他的那些伟大作品所独有的创作价值，他的现实主义不同于福楼拜的现实主义的地方就在于此。福楼拜努力不去爱他书中的人物，他总缺少光，不止是太阳光，还有心灵之光。而托尔斯泰的现实主义则体现在他笔下的每一个人物身上，以他们的眼光来看待他们的话，即使在最坏的人的身上，也能看到他们值得爱的地方，并且让我们感受到使我们团结在一起的兄弟之爱。凭借这种爱，它渗透进了生命之根。

但这种爱的联系是难以维持的。有时，人生的景象与痛苦是那么地难以忍受，对于我们的爱简直成为了一种打击，那时，为了挽救爱，挽救信念，我们就不得不把爱提高到社会之上，以至于它和社会之间产生了脱离的危险。而这位注定能看到真理，且一定能够看到真理的美妙与可畏的天才，应该怎么办呢？

在托尔斯泰生命的最后几年，他用锐利的双目看到现实的残酷之处，而热烈的心还是坚信并期待着爱的到来，所见与所想总处于矛盾之中，而他因为这个矛盾所产生的痛苦，又有谁能说得出来呢？

我们所有人都体验过这充满矛盾的内心斗争，屡次陷入要么

名
人
传

----

① "对人类纯粹的爱是心灵的天然状态，但我们却没有注意到。"（见他在喀山读书时代的日记）

② "真理导向爱的境界……"（见《忏悔录》）"我将真理和爱统一了起来……"

不忍目睹要么只能痛恨的抉择中！一个艺术家，一个名副其实的艺术家，一个认识文字美妙和可怕之处的作家，在写出某种真理时，他无数次为惨痛的情绪所苦恼！在现代文明的谎言当中生活，健全而有力的真理就像呼吸的空气一样必要……，而我们发现，有很多人的肺无法呼吸这种空气。对于那些因为文明而遭受折磨的人来说，真理实在过于强大，以致他们缺乏接受的勇气和力量。既然如此，我们又怎能不加考虑地将真理强加给他们呢？有没有一种像托尔斯泰所说的"导向爱的境界"的真理呢？我们能同意以谎言去慰藉吗？就像培尔·金特用故事来安慰病危的母亲。……社会总是处于两难境界，选择真理还是选择爱，而通常的做法往往是将真理和爱都给牺牲掉。

托尔斯泰从没有欺骗过他两种信仰中的任何一个。在他成熟期的作品中，爱是真理的火炬。在他晚年的作品中，爱是一种从高处射下的光明，一道照亮人生的神圣之光，只是从不与人生融合。在《复活》中，我们看到信仰驾驭着现实，但仍站在现实之上。托尔斯泰所描写的人物，每当他单个观察他们时，他们总是显得软弱而无用，但当他以抽象的方式加以思考时，这些人物立刻圣洁如神明了。[①]

他的日常生活也和他的艺术一样，出现了这种矛盾，而且这矛盾更为残酷。尽管他知道爱支配着他，但他的行动却总是无法与之一致。他不是依据上帝而生活，而是依据世俗而生活。比如说爱吧，如何能把握住它呢？爱拥有数不清的面目和种类，该怎

---

① 参照《一个地主的早晨》或《忏悔录》中的人物描写，这些人是普通、善良的，乐天知命，安分守己，实现了人生的真正意义。又或者像《复活》第二部分的结尾，当涅赫留多夫遇见刚干完活回来的工人时，眼前便出现"一个新人类，一个新世界"。

样加以辨别呢？对家庭的爱和对人类的爱，谁先谁后呢？……直到生命的最后一刻，他都还在这两者间彷徨。

怎样来解决呢？——他不知道。让那些骄傲冷漠的知识分子轻蔑地去给他作评判吧。的确，他们找到了解决方法，找到了真理，而且十分有信心抓住他。在他们看来，托尔斯泰是一个弱者，一个忧郁感伤的人，不足以作为榜样。很明显，他不是一个他们可以追随的楷模，他们没有足够的生命力却追随他。托尔斯泰不属于那种容易自我满足的人，也不属于任何宗教派别，他既不是伪善者，也不是像他自己所说的犹太僧侣。他是自由基督徒中最崇高的一个典型，他的一生都在全力追求一个愈行愈远的理想。① 托尔斯泰的话并不是说给那些思想上的特权者听的，他只说给普通人听。他是我们人类的良知。他说出我们这些普通人所共有的思想，那些我们所不敢正视的内心中的思想。于我们而言，他不是一个高傲的大师，不像那些高坐在艺术与智慧的宝座上、傲视所有人的天才。他是——如他在信中自称的，一切称呼中最美、最甜蜜的一个——"我们的兄弟"。

① "一个基督徒在精神上并不一定会比他人高或低，但在自我完善的道路上，他能走得更快，这让他的基督精神更加纯粹。所以，那些伪善者在德行上停滞不进，较之和基督同时钉死的强盗更缺少基督教精神，因为，这些强盗的精神永远向着理想而活动，而且他们在十字架上时已经后悔了。"（见《残忍的乐趣》）